요리고수
빰치는
부엌살림백과

문화센터 인기셰프 김하진의

'박수가 절로 나오는' 쿠킹수다

초급자도 중급자도 고급자도 헷갈렸던 요리궁금증 400가지!!

당신은 요리에 대해 얼마나 아십니까?

요리를 하다 보면 예상치 못했던 문제에 부딪히거나 어떻게 해야 할지 갈피를 잡기 어려울 때가 있습니다. 똑같은 양념으로 간을 해도 다른 맛이 나거나 레서피에 쓰인 조리 방법대로 했는데도 맛이 영 신통치 않을 때가 있습니다. 이것은 누구 한 사람에게만 해당하는 이야기가 아닙니다. 새로운 요리에 도전하는 사람도, 늘 익숙한 음식을 하는 사람도 흔히 겪게 되는 상황이지요.

이책은 이렇게 요리를 하면서 부딪히는 크고 작은 문제들을 속 시원히 풀어드립니다. 요리를 하면서 한 번쯤 떠올리게 되는 의문들을 짚어주고 섹션별로 알찬 정보들을 모아 차근차근 설명하고 있습니다. 날마다 식탁에 오르는 밥, 국·찌개·전골, 반찬은 물론 시시 때때 즐겨 먹는 죽·면, 간식·후식까지 각 요리마다 꼭 알아야 할 상식이나 정보들을 담았습니다. 또한 마지막 장에는 각종 요리 상식, 재료 고르는 법과 손질법, 조미료 사용법과 맛내는 비결, 멋과 분위기 있는 테이블 세팅, 반질반질 윤기 나는 주방관리, 남은 재료를 깔끔하게 보관하는 방법까지 실속 있는 쿠킹 정보들을 빠짐없이 수록하고 있습니다.

이책은 Q&A식 구성으로 궁금증을 쉽고 명쾌하게 풀어준 것이 특징입니다. 남·녀 싱글은 물론, 갓 결혼한 새댁이나 어느 정도 요리에 익숙한 주부, 혹은 요리를 업으로 하는 요리 전문가, 푸드스타일리스트, 일반인까지 부담 없이 읽을 수 있도록 충실한 질문과 답변들을 담았습니다. 또한, 평소 즐겨 먹는 메뉴를 중심으로 맛내는 비법과 레서피를 수록하여 활용도를 높였습니다.

이책으로 요리의 기본과 숨은 비법들을 익혀 독자여러분 모두 요리에 자신감을 키우고 진짜 요리 고수가 되시길 바랍니다.

CONTENTS

PART 01
밥 죽★면

PART 02
국★찌개 전골

PART 03

매일반찬

야채요리
고기요리
생선 · 해물 요리
기타 · 간편 요리

야채요리

Plus tip

고기요리

생선·해물요리

기타·간편 요리

PART 04
빵 과자&간식 후식

PART 05

요리 상식

조리도구 · 양념 · 소스
장보기 · 주방관리

조리도구 · 양념 · 소스

장보기 · 주방관리

COOKING KNOW-HOW

곡식을 주재료로 만든 밥, 오장을 보호하는 부드러운 죽, 면발 당기는 날 색다르게 즐기는 면 요리는 한 그릇으로 빛이 나는 음식입니다. 맛도 영양도 매우 풍부하지요.
그릇 위로 모락모락 피어나는 김을 보면 속까지 든든해져요.
소박하지만 정성스런 밥, 죽, 면 한 그릇이면 마음까지 풍성해집니다.

PART 01
밥★죽★면

#001 밥이 설익었어요. 맛있는 밥으로 되살릴 방법이 없을까요?

밥이 골고루 익지 않았을 때 술을 이용하면 다시 고슬고슬하고 맛있는 밥으로 만들 수 있답니다. 먼저 설익은 밥 여기저기에 젓가락으로 구멍을 숭숭 뚫어주세요. 그런 다음 구멍에 청주를 조금 뿌리고서 다시 취사 버튼을 누르거나 약한 불에서 5분 정도 끓이면 고슬고슬 맛있는 밥으로 변한답니다.

plus tip

밥을 태웠을 때 탄 냄새 제거하기

잠시 한눈을 팔아 밥을 태우는 경우가 있죠? 이렇게 밥을 하다가 태워 탄 냄새가 폴폴 날 때는 밥 위에 찬물을 1컵 얹고 뚜껑을 닫으세요. 그럼 신기하게 탄 냄새가 사라집니다.

#002 밥을 짓다 보면 밥알이 질척해져 떡이 되거나 설익어요. 물의 양을 어떻게 맞춰야 하나요?

밥을 맛있게 지으려면 정확한 계량이 기본이에요. 쌀과 물의 양만 잘 맞춰도 실패할 확률을 반으로 줄일 수 있거든요. 먼저 계량컵을 이용해 쌀 분량을 정하세요. 전기밥솥에 붙어 있는 계량컵으로 윗면을 평평하게 깎아 180cc가 한 컵이랍니다. 쌀을 씻을 때는 물을 듬뿍 붓고 손바닥을 이용해서 맑은 물이 나올 때까지 4~5회 반복해 씻으세요. 그런 다음 물에 약 30분에서 1시간 정도 쌀을 불리세요. 씻자마자 밥을 하면 쌀알 내부가 고루 호화되지 않아 밥알이 부드럽지 않답니다.
이번에는 밥물을 맞출 차례예요. 불린 쌀로 밥을 할 때는 먼저 불린 쌀을 체에 걸러 물기를 뺀 다음 솥에 넣고 물의 양을 쌀과 1:1 비율로 맞추세요. 쌀이 이미 물을 흡수하고 있으므로 이 정도면 충분하답니다. 만약 쌀을 씻자마자 밥을 하는 경우라면 밥물을 쌀 분량의 1.2배 정도로 맞추세요. 단, 햅쌀은 1.1배, 묵은쌀은 1.5배로 맞춰야 질척이거나 설익지 않아요. 그럼 이제 본격적으로 밥을 짓기로 해요. 전기밥솥에 밥을 지을 때는 밥 짓기가 완료된 후, 2~3분 정도 다시 재가열 버튼을 누르세요. 그럼 전기밥솥 밑바닥에 고인 수분이 증발해 밥알이 고슬고슬해진답니다. 압력솥으로 밥을 지을 때는 솥에 쌀을 안치고 처음에는 센 불에서 끓이다가 압력솥의 추가 흔들리기 시작하면 약한 불에서 5~6분 뜸을 들이고 불을 끄세요. 약 10분 후에 추를 들어 올려 김이 다 빠지면 맛있는 밥이 완성된답니다.

또하나, 기억해두세요. 밥이 다 되면 뚜껑을 열어 주걱으로 뒤적뒤적 섞어 주세요. 이때 주걱을 칼날처럼 세워 뒤적이면 더운 김이 빠져나가 밥이 한층 고슬고슬하고 맛있답니다.

plus tip

맛있는 쌀! 쌀! 쌀! 고르는 법

맛있는 쌀은 육안으로만 봐도 알 수 있어요. 겉에 윤기가 흐르고 쌀알이 동글동글하며 통통한 것이 좋은 쌀이죠. 이런 쌀로 밥을 하면 밥이 차지고 윤기가 자르르 흘러 입맛을 당긴답니다.

#003 모둠밥을 맛있게 짓는 특별한 노하우가 있나요?

모둠밥을 만들 때 맛국물을 이용하면 맛이 훨씬 좋아요. 맛국물은 다시마를 우려낸 국물에 술을 조금 넣어 만들면 된답니다.

모둠밥에 무조건 이것저것 많은 재료를 넣어도 볼품이 없어요. 밥 외에 들어가는 재료가 쌀 분량의 1/2보다 조금 넉넉하다 싶은 정도가 적당해요.

모둠밥에는 사시사철 다양한 재료를 이용할 수 있지만 맛이 서로 어울리는 재료를 선택하세요. 봄에는 완두나 모시조개, 여름에는 호박, 가을에는 느타리버섯, 겨울에는 굴 등 제철에 나오는 재료를 쓰면 더욱 맛이 좋답니다.

#004 내일이 정월대보름이에요. 오곡밥 짓는 법 좀 알려주세요.

쌀, 보리, 조, 콩, 수수 등 다섯 가지 곡식을 섞어 만든 밥이라 해 오곡밥이라 부른답니다. 정월대보름날의 대표적인 절식이죠.
오곡밥을 지을 때는 곡식마다 익는 속도가 다르므로 재료에 따라 미리 삶거나 불려야 합니다. 차수수, 찹쌀 등 차진 곡식이 많이 들어가므로 일반 밥을 지을 때보다 0.8배 정도로 물을 적게 넣는 것이 포인트예요. 또 하나, 소금 간도 잊지 말아야 합니다.

이렇게 만들어요

1 콩은 전날 미리 물에 담가 불리고 쌀이나 수수, 조는 밥을 짓기 30분 전쯤 불린다.

2 팥은 미리 삶아 쓰는데 우르르 끓인 첫물은 따라버려야 맛이 좋다.

3 다시 팥에 물을 붓고 삶는다.

4 밥솥에 오곡을 골고루 섞은 다음 팥을 두 번째 삶고 남은 물을 붓는다.

5 곡식 4컵에 소금 1큰술 분량으로 소금을 넣고 섞는다.

6 차조는 미리 넣으면 너무 물러 맛이 없으므로 뜸 들일 때 넣는다.

#005 굴밥이나 콩나물밥은 재료들이 쉽게 물러서 냄비에 밥을 해요. 그런데 자꾸 삼층밥이 되네요. 굴밥이나 콩나물밥을 잘 지으려면 어떻게 해야 할까요?

굴밥이나 콩나물밥을 지을 때는 물의 양, 주재료를 얹는 시점, 그리고 사용하는 냄비의 면적이 중요합니다.
쌀 1컵당 물 1컵의 비율로 준비해서 30분 동안 불려준 뒤 밥을 지으세요. 콩나물밥은 밥물이 한 번 끓어오르면 콩나물을 쌀 위에 얹고 불을 줄여 뚜껑을 덮은 다음 밥을 짓고, 굴밥은 밥이 거의 다 되었을 무렵 굴을 넣고 밥을 지어주세요. 냄비의 종류는 쌀의 분량에 따라 달라지는데, 양이 많을수록 냄비 밑면이 넓은 것을 쓰는 게 좋아요. 냄비 바닥에서 올라오는 열을 골고루 전달받아야 삼층밥이 되는 것을 막을 수 있거든요. 좁은 냄비에 쌀을 그득하게 넣고 밥을 하면 윗부분까지 열이 제대로 전달되지 않아서 삼층밥이 된답니다. 즉, 밑은 질고 위는 설익은 밥이 돼버려요.

mini tip!
냄비에 밥을 할 때는 센 불에 냄비를 올린 다음 물이 끓어오르면 중불로 줄이고 뚜껑을 덮어 3분 정도 끓이세요. 3분 정도 지나면 다시 약한 불로 줄이고 15분 정도 더 익힌 후, 불을 끄고 그대로 15분간 뜸을 들입니다.

#006 알밥을 좋아하는데 날치알 특유의 비릿한 냄새가 거슬려요. 냄새를 없앨 방법이 없을까요?

날치알을 맛있게 먹으려면 냉장실로 옮겨 해동시킨 후 옅은 소금물에 레몬즙을 1큰술 넣고 날치알을 고운 체에 담아 살살 헹궈주세요. 레몬즙이 날치알의 비릿한 맛도 제거해주고 향도 좋게 해준답니다.
오렌지주스에 헹궈도 효과는 비슷해요. 날치알을 먹을 만큼씩 나누어 냉동실에 보관해 두었다가 먹기 직전 오렌지주스에 살짝 헹궈주면 냄새가 줄어들어 아이들도 거부감 없이 잘 먹는답니다.

#007 김밥이나 유부초밥에 들어가는 밥은 고슬고슬하면서도 새콤달콤한 맛이 나잖아요. 초밥용 밥을 맛있게 짓는 방법이 궁금해요.

김밥이나 유부초밥, 혹은 꾹꾹 눌러 만든 주먹밥을 만들 때 새콤달콤한 맛이 나는 초밥을 사용하면 잘 쉬지 않고 맛이 좋지요. 초밥을 잘 지으려면 뭐니 뭐니 해도 물의 양을 잘 맞추는 것이 중요합니다. 그리고 다시마와 술로 감칠맛을 낸 다음 배합초를 섞어 고슬고슬하게 만드는 것이 포인트지요.

이렇게 만들어요

1 쌀을 깨끗이 씻고 체에 걸러 물기를 뺀 다음 1시간쯤 밥알을 불린다.
2 밥물과 쌀의 양을 같게 맞추되 술을 넣을 때는 쌀 3컵당 술 1큰술 비율로 넣는다.
3 초밥에 다시마를 넣고 밥물이 끓기 시작하면 다시마를 꺼낸 뒤 뜸을

들인다. 이때 뜸은 너무 오래 들이지 않는다.

4 쌀 1컵에 식초 2큰술, 설탕 1큰술, 소금 1/2작은술을 기준으로 배합초를 만든 뒤 불에 데운다.

5 완성된 밥에 배합초를 넣고 주걱을 세워 밥알이 뭉개지지 않게 섞는다.

#008 김밥을 쌌더니 김 표면이 눅눅해졌어요. 어떻게 하면 김이 눅눅해지지 않을까요?

무엇보다 잘 마르고 신선한 김을 고르는 것이 중요해요. 김이 바짝 마른 것이어야 김밥을 만들고 나서도 눅눅해지지 않는답니다. 혹은 김을 파릇하게 한 번 구워주는 것도 좋지요. 하지만 이보다 더 중요한 것은 밥을 지어 식초와 소금, 참기름을 넣고 주걱으로 잘 섞어준 뒤 밥을 뒤적이며 식혀 김을 빼주는 것입니다. 이렇게 하면 수분이 김에 흡수되지 않아 눅눅해지는 것을 막을 수 있어요. 마지막으로 김밥이 완성되면 손에 참기름을 살짝 묻혀 김밥을 마사지해주는 것도 한 방법이에요.

plus tip

쌀벌레 예방법

쌀벌레가 생기기 전에 쌀통에 마른 고추를 넣어두세요. 그러면 쌀을 오래 보관할 수 있어요. 고추의 매운 맛을 내는 캅사이신이 쌀벌레가 생기는 것을 막아준답니다.

#009 레스토랑에서 먹는 것처럼 밥알이 또르르 구르는 볶음밥을 만들고 싶어요. 어떻게 하면 되나요?

볶음밥은 막 지은 따뜻한 밥보다 찬밥으로 만드는 것이 더 고슬고슬하답니다. 맛있는 볶음밥을 만드는 기본 중의 기본이죠. 하지만 남은 찬밥이 없어도 맛있는 볶음밥을 만들 수 있어요.

먼저, 밥을 지어 냉장고에 넣어두세요. 그럼 수분이 조금씩 증발하면서 찰기가 줄어들고 약간 퍼석퍼석해진답니다. 퍼석해진 밥은 데우지 말고 손으로 살살 으깨서 알알이 떨어뜨려 주세요. 그런 다음 볶음밥에 들어가는 다른 채소와 기타 재료들을 넣고 센 불에서 재빨리 볶아주세요. 재료가 어느 정도 익으면 밥을 넣고 밥알이 하나하나 고슬고슬해질 때까지 볶아주면 밖에서 사먹는 것처럼 맛있는 볶음밥이 완성된답니다.

만약 찬밥으로 조리했는데도 볶음밥이 질다면 이는 센 불에서 단시간에 조리하지 않았기 때문이에요. 약한 불에서 조리하면 채소에서 수분이 빠져나와 떡이 될 수 있답니다. 채소에서 수분이 흘러나오지 않도록 꼭 센 불에 후다닥 익히세요.

#010 김밥을 말면 끝 부분이 김밥에 잘 붙지 않고 자꾸 떨어져요.

어떻게 하면 떨어지지 않게 말 수 있을까요?

김밥은 말자마자 바로 썰지 말고 편평한 접시나 도마 위에 김 끝 부분이 바닥에 닿도록 5분 정도 놓아두세요. 이렇게 5분 정도 그대로 두면 바닥에 수분이 생기면서 김 끝 부분이 김밥에 착 달라붙게 된답니다. 모양도 훨씬 먹음직스러워요.

plus tip

김밥 말기

김밥은 탄탄하고 깔끔하게 말아야 보기도 좋고 먹기도 편하답니다.

1 김발을 깐 뒤 구운 김을 놓고 그 위에 고슬고슬한 밥을 김의 3/4 정도까지 얇게 편다.
2 얇게 편 밥 위에 햄, 우엉, 당근, 오이, 단무지, 달걀 등 준비한 재료들을 색깔이 겹치지 않도록 가지런히 놓는다.
3 올려놓은 재료가 움직이지 않도록 고정하고 김발을 아래부터 돌돌 말아준다.
4 김이 달라붙으면 김 끝 부분을 아래로 놓고 5분 정도 둔 다음 김밥 윗면에 참기름을 바르고 물 묻힌 칼로 일정하게 썬다.

#011 김밥을 쌌는데 많이 남았어요.

남은 김밥을 맛있게 먹는 방법이 있을까요?

정성껏 만든 김밥이 딱딱해졌을 때, 그야말로 낭패가 아닐 수 없지요. 그럼 단단해진 김밥을 맛있게 먹는 방법을 알아보죠.

김밥전

썬 김밥을 달걀물에 풍덩 담갔다가 기름을 살짝 두른 프라이팬에서 노릇노릇 부치세요. 따끈하고 고소할 뿐 아니라 단단해진 밥도 부드러워진답니다.

김밥튀김

밀가루와 전분을 1:1비율로 섞고 얼음물을 넣어 튀김옷을 만드세요. 그런 다음 김밥에 튀김반죽을 입혀 바삭하게 튀겨 썰어 내면 간식으로 손색이 없답니다. 떡볶이와도 찰떡궁합이에요.

김밥구이

김밥을 썰어 기름 살짝 바른 오븐용 팬에 올리고 섭씨 190~200℃ 정도로 예열한 오븐에 넣어 김밥의 밑면이 바삭해질 때까지 구워내면 고소하고 맛있는 김밥구이가 된답니다.

plus tip

김밥 깔끔하게 자르기

완성된 김밥은 자르기 전에 칼에 식초를 발라 주세요. 그럼 들러붙지 않고 깔끔하게 잘 잘린답니다. 이때 동그랗게 일자로 자르지 않고 사선으로 자르면 색다른 모양을 연출할 수 있어요.

#012 먹다 남긴 카레라이스를 다시 데웠더니 약간 짠 것 같아요. 부드러운 맛은 살리고 짠맛은 줄이는 방법 없나요?

먹다 남은 카레를 그냥 데우면 짠맛이 강해진답니다. 이럴 때는 남은 카레를 불에 올려 따뜻하게 데워지면 우유나 떠먹는 요구르트, 코코넛 밀크 등을 넣고 잠시 끓여주세요. 유지방 때문에 맛도 훨씬 부드러워지고 짠맛도 완화된답니다.

plus tip

남은 카레로 라이스크로켓 만들기

먹다 남은 카레를 잘게 다져 고슬고슬한 밥에 버무리고 소금과 후추로 간을 맞추세요. 잘 버무려졌으면 세모나 원형, 혹은 네모로 밥을 뭉쳐 밀가루, 달걀물, 빵가루를 순서대로 입히고 170℃ 끓는 기름에서 노릇노릇하게 튀겨주세요.

#013 전기밥솥으로 식혜를 만들 수 있다고 들었어요. 어떻게 만드나요?

얼음 동동 띄운 식혜를 한 대접 마시면 소화도 잘되고 입맛도 무척 개운하지요. 하지만 전통 방식대로 집에서 만들어 먹기에는 무척 까다롭고 번거로워 쉽게 만들 엄두를 못 내는 음식이기도 합니다. 그런데 전기밥솥을 이용하면 비교적 간단하게 식혜를 만들 수 있어요.

COOKING KNOW-HOW

혀끝까지 개운한
식혜

준비하세요
엿기름 2컵
물 20컵
쌀 2컵
설탕 2컵

이렇게 만드세요

1 쌀은 5시간 정도 불린 다음 밥을 고슬고슬하게 짓는다.

2 엿기름은 미지근한 물에 약 30분 정도 담가 손으로 주무르며 불린 뒤 고운 체에 밭쳐 찌꺼기를 거르고 엿기름물을 가라앉혀 맑은 물만 따르고 앙금은 버린다.

3 전기밥솥에 거른 엿기름물과 따뜻한 밥을 넣고 보온 상태에서 5~6시간 삭힌다.

4 밥알이 떠오르면 건져 맑은 물에 씻은 뒤 물기를 가볍게 짜서 따로 담아둔다.

5 엿기름물은 냄비에 담아 생강과 설탕을 넣어 살짝 끓인 다음 식힌다.

6 밥알은 먹기 전에 띄워도 좋고 식힐 때 미리 넣어줘도 좋다.

▶

▶

#014 보온밥솥에 밥을 보관하면 나쁜 냄새가 나요. 냄새를 막는 방법은 없나요?

밥솥 온도가 너무 낮거나 밥솥 자체에 나쁜 냄새가 배어 있는 경우 밥에서 찝찝한 냄새가 나요. 또, 밥솥이 오래되어 보온기능이 떨어지면 냄새가 날 수 있답니다. 따라서 밥솥 온도가 낮을 때는 조금 높여주면 시큼한 냄새를 막을 수 있어요. 또, 밥솥 자체에서 냄새가 날 때는 보온밥솥 내솥에 식촛물을 1/4 정도 채우고 취사버튼을 누른 다음 10분 정도 지나서 구석구석 깨끗이 닦아주면 냄새도 덜나고 밥맛도 쉽게 변하지 않지요. 밥솥이 너무 오래된 경우라면 남은 밥을 내열용기에 넣어 냉동실에 보관하는 것이 가장 좋답니다. 밥은 보온밥솥에 넣고 8시간 이상 보관하면 쿰쿰한 냄새가 나기 시작하므로 가능하면 적당량만 지어 그때그때 먹는 것이 좋아요.

mini tip!
밥은 보온 상태로 오래 두면 맛도 떨어지고 색도 변해요. 남은 밥을 오래 보관할 때는 1인분씩 랩으로 싸서 냉동실에 넣어두었다가 필요할 때 꺼내 전자레인지에 데우세요.

#015 간이 딱 맞는 동치미국물에 국수를 말았는데 이상하게 맛이 싱거워요. 왜 그럴까요?

국수국물은 간이 약간 짜다 싶을 정도로 간을 맞춰 국수를 말아야 간이 딱 맞아요. 소면 자체는 특별한 맛이 없어서 그냥 넣으면 간이 싱거워지거든요. 이 밖에도 동치미국물은 차게 보관했다가 국수에 부어 먹어야 제 맛이 난답니다. 동치미국물이 없을 때는 김치국물에 생수와 설탕, 식초를 가미해서 국수를 말면 맛이 좋아요.

#016 튀긴 라면을 그릇 모양으로 동그랗게 만드는 방법이 궁금해요.

샐러드나 과일 등을 낼 때 동그랗게 튀긴 라면 위에 담아내면 훨씬 예쁘고 폼 나는 요리가 되지요. 이렇게 라면을 그릇 모양으로 동그랗게 만들려면 먼저 라면을 끓는 물에 넣어 중간 정도로 익히세요. 익힌 라면은 체에 건져 물기를 뺀 다음 오목한 국자에 조금 건져 담으세요. 그다음 180℃로 끓는 기름에 국자째 담가 라면이 노르스름하게 될 때까지 튀기면 라면 컵이 완성됩니다.

#017 라면을 맛있게 끓이는 비결을 알려주세요.

mini tip!
취향에 따라 마지막에 슬라이스치즈 한 장을 넣어주면 국물이 약간 걸쭉해지면서 고소한 맛이 납니다.

라면을 끓일 때는 담백하고 쫄깃한 맛을 살리는 것이 중요해요. 또 물의 양을 잘 맞춰야 맛있는 라면이 완성되지요. 우선 두 개의 냄비에 물을 끓인 뒤 한 곳에는 분말수프, 양파, 김치 같은 야채를 넣고 끓이세요. 이때 물의 양은 국그릇 하나에 가득 찰 정도면 알맞습니다. 다른 냄비에는 면을 넣어 살짝 데친 다음 물기를 빼세요. 삶아 건진 면은 분말수프와 야채를 끓인 냄비에 넣고 면이 완전히 익기 전에 불을 끄세요. 약 30초 정도 뜸을 들이면 쫄깃하면서도 맛있는 라면이 완성됩니다.

#018 외식이 잦은 탓에 남은 밥을 버리는 경우가 많아요. 찬밥을 이용해 만들 수 있는 초스피드 알뜰 요리 없을까요?

조금만 응용하면 남은 밥으로도 아주 맛있고 멋진 요리를 만들 수 있어요. 그럼 아이들이 좋아하는 누룽지피자를 만들어볼까요?

필요한 재료 찬밥 2공기, 배추김치 120g, 청·홍피망 1/2개씩, 양파 1/4개, 햄 조금, 방울토마토 2~3개, 소금·후춧가루·피자소스·슬라이스치즈·피자치즈 조금씩

이렇게 만들어요

1 찬밥에 다진 배추김치 1/2분량을 넣고 소금과 후추로 간을 맞춘다.

2 배추김치를 잘 섞은 밥을 손바닥 크기로 만들어 납작하게 굽고 나서 피자소스를 바르고 잘게 다진 청·홍피망, 양파, 햄과 잘게 자른 방울토마토, 남은 배추김치를 얹는다.

3 피자치즈, 슬라이스치즈를 솔솔 뿌려 190~200℃ 오븐에서 10~15분 정도 굽는다.

plus tip

초스피드 똑순이 요리

누룽지 튀김 남은 찬밥은 햇볕에 바짝 말려 수분을 없앤 다음 기름에 살짝 튀기세요. 튀긴 누룽지에 엿이나 조청을 버무리면 아이들이 좋아하는 간식 완성!

주먹밥 찬밥을 전자레인지에 넣고 따뜻하게 데우세요. 기름기를 제거한 참치통조림, 후춧가루, 소금, 달걀, 당근, 김 부순 것을 밥에 넣고 싹싹 비벼 동그랗게 뭉쳐주세요.

야채죽 찬밥에 물을 붓고 밥알이 풀어질 때까지 저어 주세요. 그런 다음 다진 양파와 버섯, 당근, 소금을 넣고 죽이 퍼질 때까지 뭉근한 불에서 끓여주세요. 마지막으로 통깨를 뿌려주면 부드러운 야채죽 완성!

#019 잔치국수에 올리는 김치 고명의 살캉거리는 맛을 살리는 방법이 궁금해요.

잔치국수에는 보통 돌돌 말아 채썬 달걀지단과 송송 썬 김치를 고명으로 올리지요. 하지만 김치 고명을 그냥 뜨거운 국수 위에 올리면 뜨거운 열기 때문에 금세 신선한 맛이 떨어질 수 있답니다.

이럴 때는 송송 썬 김치를 꼭 짜 설탕과 참기름, 깨소금을 넣고 무친 다음 국수 위에 올려주세요. 살캉거리는 맛도 느낄 수 있고 고소해 맛도 훨씬 좋아요.

#020 국수를 삶았는데 탱탱한 맛도 떨어지고 금방 불었어요.

도대체 무슨 이유 때문일까요?

국수를 헹굴 때 전분기가 충분히 빠지지 않은 모양이에요. 다 삶은 국수는 찬물에 여러 번 헹군 후 얼음물에 담가 힘주어 주물러 씻으면 국수 특유의 냄새가 제거되고 면발이 쫄깃하고 탱탱해진답니다. 얼음물에 헹군 국수는 찬기가 남아 있어 먹는 동안에도 금방 붇지 않아요.

plus tip

잔치국수의 빛나는 주연, 국수! 맛있게 삶는 법

소면을 삶을 때는 물을 넉넉히 넣어 주세요. 물이 부족하면 국수끼리 서로 들러붙을 뿐 아니라 온도 유지가 어렵거든요. 물의 양은 보통 국수 100g에 물 1ℓ 정도가 알맞아요.
먼저 소면을 가지런히 정리해 국수 다발 끝을 살포시 묶고 끓는 물에 면발을 부채 모양으로 넣어 주세요. 국수가 끓어 물이 넘칠 것 같으면 속까지 균일하게 잘 익도록 찬물을 1컵 넣어주세요. 다시 한소끔 끓으면 재빨리 찬물에 넣어 국수 표면의 전분기를 헹궈주면 질척거리지 않고 쫄깃한 국수가 완성된답니다.

#021 포장마차의 국수국물처럼 진하면서 시원한 국물 맛을 내고 싶어요. 비법이 뭘까요?

포장마차에서 파는 국수국물은 왠지 진득하면서도 시원하죠? 그 이유는 북어대가리에 있답니다. 국수국물을 만들 때 북어대가리, 무, 멸치, 마늘, 양파를 고운 망에 담아 물에 펄펄 끓인 뒤 다시마를 넣고 2분간 끓인 후 건져 내세요. 포장마차에서 먹던 바로 그 국물 맛이 날 거예요. 매번 국물을 만들기 번거롭다면 한번에 넉넉히 만들어 밀폐용기나 우유팩에 넣어 냉동보관하면 쉽고 빠르게 국수를 만들 수 있답니다.

#022 집에서 칼국수 반죽을 했더니 힘이 없고 뚝뚝 끊어져요. 쫀득거리는 칼국수 반죽은 어떻게 만드나요?

마트에 가면 손쉽게 칼국수 면을 구입할 수 있지만 아무래도 집에서 반죽해 돌돌 말아 칼로 썬 면발을 따라올 순 없지요. 쫀득쫀득 맛있는 칼국수를 만들려면 팔이 조금 아프더라도 오래 치대야 한답니다. 오래 치댈수록 글루텐이 많이 형성돼 쫀득한 질감을 갖게 되거든요. 냉장고에 일정 시간 동안 넣어 두어 숙성시키는 것도 잊지 마세요.

1 입자 사이에 공기가 들어가도록 중력분을 체에 내린다.

2 미지근한 물에 소금을 넣고 잘 저어준다.

3 밀가루에 식용유를 1~2방울 떨어뜨려 섞은 다음 준비한 소금물을 밀가루 가운데 부분부터 부어 잘 섞는다.

4 날가루가 남아 있지 않도록 반죽 덩어리를 뭉치며 오래 치댄다.

5 대강 뭉쳐 놓은 반죽은 랩이나 비닐봉지에 넣어 냉장고에서 20~30분 정도 숙성시킨다.

6 숙성된 반죽은 다시 치댄 다음 밀대로 넓게 펴 세 번 정도 접은 뒤 0.5cm 두께로 채썬다.

plus tip

색깔 있는 칼국수 만들기

알록달록 색깔이 있는 칼국수는 보기도 좋고 맛도 좋지요. 칼국수 반죽을 할 때 호박가루, 쑥가루, 녹차가루, 백련초가루 등을 넣어주면 가루 특유의 독특한 색이 나는 칼국수를 만들 수 있답니다.

#023 집에서 자장면을 만들면 중국집에서 먹는 것과 맛이 달라요. 어떻게 하면 맛있는 자장면을 만들 수 있을까요?

중국집 자장면은 기름에 불이 붙을 정도로 센 불에 팬을 올려 상하좌우로 흔들어가며 볶아요. 이렇게 하면 재료에 향이 그대로 배어 아주 독특한 맛을 내지요. 하지만 집에서 자장면을 만들 때는 화력이 약해 중국집과 똑같은 맛을 내기에는 조금 무리가 있답니다.

집에서 자장면을 맛있게 만드는 비결은 춘장을 스펀지 같은 느낌이 들 때까지 기름에 충분히 볶아준 다음 조청을 넣어 단맛을 내주는 것입니다. 만약 볶음 춘장을 구입했더라도 자장면을 만들기 전 반드시 춘장을 기름에 한번 따로 볶아주세요. 맛이 구수하고 깊어진답니다. 또, 설탕 대신 쌀로 만든 조청을 넣으면 맛이 한결 부드럽고 감칠맛이 살아나요. 설탕을 넣게 되면 설탕의 들척지근한 맛 때문에 자장면 맛이 제대로 살지 않거든요.

#024 이탈리아 레스토랑에서 파는 탄력 있고 촉촉한 스파게티를 만들고 싶어요. 스파게티 면을 기막히게 삶는 요령을 알려주세요.

우선 물이 팔팔 끓으면 엄지와 검지가 맞닿을 만큼 소금을 넣고 가능한 냄비 가장자리를 따라 스파게티 면이 방사형으로 펼쳐지도록 넣으세요. 스파게티가 조금씩 가라앉기 시작하면 젓가락으로 부드럽게 휘

저어 뜨거운 물에 잠기도록 하세요. 이렇게 끓이면 스파게티 면이 바닥에 눌어붙거나 엉키지 않고 잘 익는답니다.
삶는 시간은 약 8분 정도가 적당해요. 하지만 스파게티 면에 따라 조금씩 차이가 있으므로 포장지를 먼저 확인하세요. 포장지에 적힌 시간보다 2~3분 정도 덜 삶으면 심지가 살짝 씹히면서 고소한 맛이 난답니다. 스파게티 면을 살짝 손가락으로 눌러 심이 아주 살짝 느껴지는 정도가 잘 익은 상태예요.
면이 잘 익었으면 체에 밭쳐놓고 팬에 올리브기름을 두른 다음 살짝 볶아주면 탱탱하면서도 촉촉한 스파게티를 맛볼 수 있답니다.

plus tip

스파게티 삶을 때 체크 포인트

스파게티를 삶을 때는 소금을 넉넉하게 넣어야 간이 제대로 배어 훨씬 맛있어요. 단, 삶고 난 뒤에는 찬물에 헹구지 말고 체에 밭쳐 물기를 제거하세요.

#025 냉면 육수를 냉동실에 넣어두었더니 꽝꽝 얼어버렸어요. 전체적으로 살얼음을 만들고 싶은데 방법이 없을까요?

특별한 도구 없이도 충분히 살얼음을 만들 수 있답니다. 먼저 육수나 김치국물을 냉동실에 넣어주세요. 그런 다음 윗면이 얼기 시작하면 냉동실에서 꺼내 포크로 살살 휘저어 밑의 얼지 않은 국물과 잘 섞어주세요. 그런 다음 다시 냉동실에 얼리면 윗면에 살얼음이 낄 거예요. 그럼 또다시 휘저어 밑의 국물과 섞어 주세요. 이 과정을 몇 번 반복하면 사각사각한 살얼음이 전체적으로 생긴답니다.

#026 콩국수를 좋아해 콩국을 넉넉히 만들었는데 금방 상해버렸어요. 뭐가 잘못된 걸까요?

콩은 식물성 단백질과 지방이 많아 영양 면으로 우수하지만 산패하기 쉬운 재료랍니다. 따라서 콩을 주재료로 만든 콩국도 잘못 보관하면 쉽게 상하지요. 콩국은 만든 즉시 먹는 것이 좋지만 차갑게 식힌 다음 냉장고에 넣어 두면 2주 정도 보관할 수 있답니다.
하지만 소금을 넣은 콩국은 쉽게 삭아 맛이 변해요. 따라서 콩국은 먹을 만큼만 그릇에 부어 먹기 직전에 소금 간을 해야 낭패를 보지 않는답니다.

COOKING KNOW-HOW

입에 착 감기는 시원한
냉콩국수

준비하세요
국수 400g
흰콩 1컵
오이 1/4개
방울토마토 1개
소금 · 얼음 조금씩

이렇게 만드세요

1 흰콩은 충분히 불린 다음 냄비에 살짝 끓여 식힌 뒤 껍질을 벗긴다.

2 껍질을 벗긴 흰콩은 믹서에 곱게 갈아 체에 내려 콩물을 만든 뒤 소금으로 간을 맞춘다.

3 오이는 채썰고 방울토마토는 반으로 썰어 고명을 만든다.

4 국수는 먹기 직전 끓는 물에 삶아 찬물에 바락바락 헹군 다음 물기를 뺀다.

5 그릇에 국수를 말아 담고 토마토, 오이, 얼음을 올린다.

#027 비빔냉면을 만들었는데 매운 고춧가루를 써서 그런지 너무 매워요.

매워서 먹을 수가 없는데 이를 어쩌죠?

양념장이 매울 때는 고춧가루를 제외한 다른 재료를 더 넣어주고 소스의 전체적인 양을 늘려 매운맛을 줄여주세요. 사과나 배 등 과일을 갈아 넣고 간장이나 액젓, 소금 등으로 간을 더 해주면 매운맛이 조금 사라진답니다. 단, 맛은 그대로 유지하되 매운맛은 약해질 수 있도록!

plus tip

새콤달콤한 비빔냉면 양념장

멸치국물 1컵, 고춧가루 1컵, 간장 1/2컵, 배 간 것 1컵, 설탕 1/2컵, 올리고당 4큰술, 까나리액젓 2큰술, 양파 간 것 4큰술, 다진 마늘 1큰술, 참기름 2큰술, 깨소금 2큰술, 생강즙 1/2큰술을 넣고 싹싹 비벼주세요. 양념장은 냉면뿐 아니라 국수에 넣고 비벼도 맛있답니다.

#028 쫀득쫀득 맛있는 수제비를 만드는 비법이 궁금해요.

밀가루에 소금, 식용유 1~2방울을 떨어뜨려 섞은 다음 질척이지 않도록 물을 조금씩 부어가며 치대세요. 이때 레몬즙을 조금 넣어주면 반죽이

훨씬 쫀득해진답니다.

다음은, 수제비 반죽 만들기에서 가장 중요한 과정인데요, 수제비 반죽을 랩으로 싸거나 비닐봉지에 담아 냉장고에서 8시간 정도 숙성시켜주세요. 그럼 훨씬 차지고 쫄깃한 수제비가 됩니다.

plus tip

수제비 반죽 뜯는 법

수제비 반죽을 뜯을 때는 양손의 엄지와 검지로 최대한 잡아당긴 후 뜯어내세요. 이때 손가락에 물을 묻혀 뜯으면 얇게 뜯어낼 수 있답니다. 지나치게 두툼하게 뜯으면 속까지 잘 익지 않을뿐더러 밀가루 맛이 날 수 있으니 주의하세요.

#029 쌀국수를 만들었는데 쫄깃한 맛이 나지 않고 뚝뚝 끊어지는 맛이 나요.

어떻게 하면 쫄깃하면서도 부드러운 쌀국수를 만들 수 있을까요?

쌀국수는 흔히 먹는 소면이나 칼국수 혹은 메밀국수와는 달리 당면처럼 미리 찬물에 불려두고 사용해야 쫄깃한 맛이 살아난답니다. 쌀국수를 냉동된 떡이라고 생각하면 다루기 편해요.

먼저, 찬물에 30분에서 1시간가량 불리세요. 그럼 쌀국수가 수분을 충분히 머금어 부드러워진답니다. 이렇게 부드러워진 쌀국수는 끓는 물에 살짝만 끓여도 금세 쫄깃하고 부드러운 쌀국수가 되지요.

월남쌀국수를 좋아한다면 준비한 육수에 쫄깃하게 익은 쌀국수를 넣고, 타이 음식인 팟타이(볶음 쌀국수)를 좋아한다면 야채나 고기를 볶은 후 삶은 쌀국수를 넣고 다시 한 번 우르르 볶아주세요.

plus tip

떡볶이에 쌀국수사리 넣기

떡볶이에 라면이나 쫄면사리를 넣곤 하는데요. 이때 라면이나 쫄면 대신 쌀국수사리를 넣어도 아주 맛이 좋답니다.
먼저 쌀국수를 찬물에 1시간 정도 충분히 불린 후 양념 푼 국물에 떡, 어묵, 야채를 넣고 볶다가 불린 쌀국수를 넣어 같이 볶아주세요. 떡처럼 쫄깃한 질감이라 라면이나 쫄면사리와는 또 다른 맛이죠!

#030 집에서 오믈렛을 만들었는데 맛과 모양이 엉망이에요.

오믈렛 맛있게 만드는 방법을 알려주세요.

오믈렛은 달걀이 폭신하고 속 재료가 적당해야 제 맛이 난답니다.
우선 달걀은 프라이팬에 붓기 직전 거품기로 거품을 많이 내세요. 이렇게 하면 거품 낸 달걀이 익으면서 달걀이 봉긋하고 폭신하게 부풀어 오르거든요. 속 재료 중 토마토는 썰어서 씨를 제거하고 손으로 살짝 쥐어서 물기를 싹 빼주는 것이 좋고 버섯이나 양파 등은 미리 팬에 넣어 센 불에 후다닥 볶아주는 것이 좋답니다. 속 재료를 넣고 달걀로 쌀 때는 너무 많은 양을 올리려 하지 말고 전체적으로 골고루 퍼지도록 적당히 올려주세요. 그런 다음 달걀이 절반 정도 익었을 때 달걀을 반으로 접어 약한 불로 익혀주면 맛있는 오믈렛이 완성됩니다.

mini tip!
속재료 위에 치즈를 넣고 달걀을 접어주면 치즈가 녹으면서 자리를 잡아 안정감 있는 오믈렛이 완성돼요.

#031 입자가 곱고 부드러운 죽을 만들고 싶어요.

불린 쌀은 그대로 사용하지 말고 면 보자기에 담아 칼등으로 두드리거나 절구에 넣어 빻아주세요. 이렇게 잘게 부서진 쌀알은 금방 퍼질 뿐 아니라 입자가 부드럽답니다. 보통 반알 크기 정도로 부숴주면 적당해요. 위 방법이 번거로울 경우는 불린 쌀을 믹서에 넣고 팍팍 갈아줘도 좋아요.

plus tip

죽 장식을 위한 대추 썰기

죽을 그릇에 담을 때 예쁘게 썬 대추를 올리면 훨씬 고급스럽고 정성어린 느낌이 들어요. 먼저 대추를 깨끗이 닦아 양쪽 끝을 조금씩 잘라주세요. 그런 다음 칼을 대추의 세로로 대고 씨를 빼내듯 껍질을 돌려가며 발라내세요.

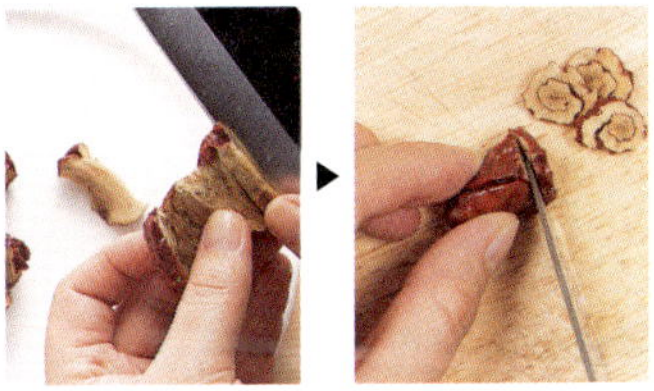

껍질만 발라낸 대추는 돌돌 말아 0.3cm 두께로 잘라주면 장미꽃 모양이 완성된답니다.

#032 라면을 담백하게 끓이는 방법 없을까요?

라면은 기름에 튀겨 만든 것이므로 생각보다 기름의 양이 많답니다. 따라서 라면을 그냥 끓여 먹으면 기름기도 함께 섭취하게 되죠. 끓는 물에 라면을 살짝 데쳐서 건진 다음 찬물에 헹궜다가 다시 뜨거운 물에 끓이면 기름기가 쏙 빠진답니다.

#033 집에서 크림수프를 만들면 텁텁하고 맛이 없어요. 레스토랑에서 파는 크림수프처럼 맛내는 비결을 알려주세요.

먼저 서양요리에 자주 쓰는 치킨스톡 2개를 준비한 뒤 냄비에 물을 1컵반 정도 붓고 끓이세요. 다른 냄비에는 버터에 밀가루를 녹여 갈색으로 변하기 전까지 볶은 뒤 치킨스톡 국물을 조금씩 부어가며 골고루 저어주세요. 밀가루가 스톡에 잘 섞여 부드러운 소스 상태가 됐을 때 우유를 조금씩 붓고 계속 저어가며 끓이면 크림수프가 완성된답니다.

#034 임금님이 병이 나거나 몸이 약할 때는 보양식으로 타락죽을 올렸다죠? 만드는 방법이 궁금해요.

타락죽은 궁중에서 임금님이 먹던 보양식으로 쌀을 믹서나 맷돌에 갈아 만든 담백하고 고소한 죽이지요. 허약한 아이나 환자에게 아주 좋은 영양식이랍니다.

타락죽을 만들 때는 은근한 불에 멍울이 생기지 않도록 골고루 저어주면서 끓이세요. 자칫 센 불로 조리하면 멍울이 생기기 쉽답니다.

COOKING KNOW-HOW

고소하고 부드러운
타락죽

준비하세요

쌀 2/3컵
물 · 우유 3컵씩
소금 1작은술

이렇게 만드세요

1 씻은 쌀은 2시간 정도 충분히 불린 다음 체에 밭쳐 물기를 뺀다.

2 믹서에 쌀과 물 2컵을 넣고 곱게 갈아 고운 체에 내린다. 거르고 남은 쌀은 다시 물 1컵과 혼합한 다음 믹서에 갈아 체에 거르고 먼저 걸러 놓은 것과 섞는다.

3 냄비에 쌀물을 넣고 끓어오를 때까지 저어가며 중불에서 서서히 끓인다.

4 어느 정도 끓었으면 약한 불로 줄여 멍울이 생기지 않도록 저어가며 우유를 나누어 붓는다.

5 우유가 잘 섞였으면 불을 끄고 접시에 담기 직전에 간을 한다.

▶

▶

냄비 안에서 보글보글, 소리만으로도 군침이 절로 도는 국물 요리. 약방의 감초라 표현하면 딱 맞을까요? 그만큼 우리 식탁에 자주 오르내리는 음식이지요. 구수하고 개운한 토장국, 칼칼하고 얼큰한 찌개, 입 안 가득 감칠맛이 살아나는 전골까지…. 특별한 반찬 없이도 뜨끈한 국물요리 한 가지만 있으면 마음까지 든든해집니다.

PART 02
국★찌개★전골

#035 국이나 찌개 맛을 돋우는 국물에 다시마, 멸치, 가다랭이, 새우, 조개국물 등이 있는데 각각 어떤 요리에 사용하면 좋을까요?

어떤 재료를 이용해 만드느냐에 따라 국물 맛이 조금씩 차이가 있어요. 따라서 요리의 특성이나 용도에 맞게 국물을 선택하는 것이 좋답니다. 미리 국물을 만들어 놓으면 요리가 훨씬 수월해져요.

멸치국물

토속음식에 잘 어울리는 국물로 칼칼하고 시원한 맛이 특징이지요. 찌개나 국, 전골에 두루 사용된답니다. 국물용 멸치는 조금 크고 넓적한 것을 사용하는 것이 좋아요. 전체적으로 연한 푸른색을 띠며 샤방샤방 은은한 광택이 나는 것이 좋은 멸치랍니다. 단, 멸치국물을 끓일 때는 끓기 시작해서 10~15분 내에 멸치를 건져내야 감칠맛이 나는 국물을 만들 수 있어요.

이렇게 만들어요

1 잘 마른 멸치를 골라 쓴맛이 우러나는 머리와 내장을 떼어낸다.

2 멸치는 특유의 비린내가 날 수 있으므로 마른 냄비에 살살 볶는다.

3 냄비에 물을 붓고 손질한 멸치와 다시마를 넣는다.

4 국물이 보글보글 끓어오르면 거품을 걷어 내고 약 10~15분간 국물을 우려낸다.
5 건더기를 체에 거르고 완성된 국물은 상온에서 약 5시간 정도 놓아두면 더욱 담백하고 감칠맛 나는 멸치국물이 된다.

다시마국물

맑은 국이나 찌개, 전골에 두루 사용되는 국물이에요. 국물 맛이 진한 건 아니지만 깔끔하면서도 감칠맛이 나 부담 없이 즐길 수 있죠. 다시마국물을 만들 때 사용하는 다시마는 얇은 것보다는 검은빛을 띠고 도톰한 것을 사용하세요.

이렇게 만들어요

1 다시마 표면을 젖은 헝겊으로 깨끗이 닦아낸다.
2 다시마를 찬물에 잠시 담갔다가 끓인다.
3 5~10분이면 맛이 충분히 우러나므로 바로 건진다.
4 건져낸 다시마는 따로 보관해 두었다가 고명으로 장식한다.

가다랭이국물

참다랑어를 말린 것으로 국수나 우동 국물, 일본 요리에 자주 사용되는 맑은 국물이에요. 멸치국물보다는 감칠맛과 단맛이 강해 아이들도 무척 좋아하죠.

이렇게 만들어요

1 냄비에 물을 넣고 센 불에서 한소끔 팔팔 끓인다.

2 팔팔 끓어오르면 불을 끄고 가다랭이를 넣어 5분 정도 맛이 우러나도록 둔다. 이때 가다랭이를 너무 오래 두면 떫은맛이 난다.

3 체나 면 보자기에 건더기를 거른다.

새우국물

새우 특유의 맛과 향이 풍부해 시원하고 개운한 맛이 나요. 전골이나 찌개, 국에 많이 이용되죠.

이렇게 만들어요

1 분홍색을 띠며 윤기가 나는 마른 새우를 골라 손질한다.

2 냄비에 마른 새우를 넣고 볶아 찬물을 붓는다.

3 새우가 물에 충분히 우러나올 때까지 끓인 다음 새우를 건져내면 완성된다.

조개국물

모시조개나 바지락을 주로 사용하며, 감칠맛과 시원한 맛이 특징이에요. 생선이나 해물이 들어가는 찌개, 전골에 사용하면 맛이 무척 좋답니다.

이렇게 만들어요

1 싱싱한 조개를 골라 표면을 박박 문질러 씻은 뒤 소금물에 푹 담가 해감을 뺀다.

2 냄비에 손질한 조개를 넣고 찬물을 넣은 다음 맛이 충분히 우러나도록 팔팔 끓인다.

3 국물이 끓어올라 조개 입이 벌어지면 불을 끄고 지저분한 거품을 걷어 내고 나서 따른다.

#036 멸치국물을 내면 맛이 쓰고 비린 맛이 나요. 어떻게 하면 감칠맛 나고 깔끔한 멸치국물을 만들 수 있을까요?

좋은 재료에서 좋은 맛이 나는 것은 기본! 멸치를 고를 때는 검붉은빛이 도는 것은 피하고 은빛이나 옅은 갈색이 나는 것을 고르세요. 맛을 보아 너무 짜지 않은 것이 신선하고 좋은 멸치랍니다. 좋은 멸치를 구입했으면 머리와 내장을 제거하고 멸치를 냄비에 살짝 볶으세요. 멸치를 볶다 보면 비릿한 냄새가 올라오다가 이내 구수한 냄새가 나기 시작해요. 바로 그때 물을 붓고 다시마, 청주, 양파를 넣고 뚜껑을 연 채 10~15분가량 끓이면 비린내는 사라지고 달고 감칠맛 나는 멸치국물을 낼 수 있답니다.

#037 청국장을 끓이면 집 안 전체에 청국장 냄새가 진동해요. 냄새를 줄일 수 있는 방법이 없을까요?

청국장은 맛은 있지만 냄새가 참 고약한 편이지요. 청국장에 참기름을 넣고 달달 볶아주면 신기하게 냄새가 줄어든답니다. 청국장과 된장을 3:1로 섞어 끓여도 냄새가 덜 나지요.

#038 시판 된장으로 맛있는 된장찌개를 끓이는 비결 없나요?

시판 된장은 숙성시간이 짧고 맛이 대체로 달아요. 따라서 집된장과 반반씩 섞어 끓여야 맛이 좋답니다. 만약 집된장이 없는 경우에는 시판 된장 한 숟가락에 양파 다진 것을 듬뿍 넣고 생콩가루를 섞어 잠시 두었다가 찌개에 넣어주세요. 구수한 맛이 입에 착 감긴답니다.

mini tip!
시판 된장으로 끓일 때는 어느 정도 재료가 익으면 된장을 넣고 우르르 한소끔만 끓여야 쓴맛이 없답니다. 집된장은 숙성시간이 길어 처음부터 된장을 넣고 끓여야 깊고 풍부한 맛이 나지만 시판 된장은 오래 끓일수록 쓴맛이 우러나므로 주의하세요.

COOKING KNOW-HOW

구수하고 담백한

청국장찌개

준비하세요

배추김치 200g, 두부 1모
청국장 2큰술, 참기름 1작은술
고춧가루 1큰술, 다진 마늘 1큰술
대파 1뿌리, 김치국물 1컵
멸치국물 3컵, 소금 조금

이렇게 만드세요

1 배추김치는 속을 털어낸 다음 송송 썰고 두부는 도톰하게 썬다.

2 청국장에 참기름을 넣고 달달 볶다가 배추김치, 고춧가루, 다진 마늘, 김치국물을 넣는다.

3 김치가 무르면 멸치국물을 넣고 한소끔 우르르 끓인다.

4 구수하게 끓여졌으면 굵게 채썬 대파와 두부를 넣고 바글바글 끓인 다음 소금으로 간을 맞춘다.

#039 된장찌개나 고추장찌개를 배운 대로 끓였는데 뭔가 빠진 맛이에요. 구수한 맛을 내는 비결이 뭐죠?

쌀뜨물로 장이나 찌개, 국을 끓이면 구수하면서도 깊은 맛이 난답니다. 시원하고 개운한 맛이 일품이죠. 쌀뜨물 속에 들어 있는 전분 입자나 비타민 B1, 무기질, 효소가 찌개를 끓일 때 웃물이 생기지 않게 돕고 찌개 맛을 한결 구수하게 해주거든요. 바로 이런 미묘한 차이가 음식 맛을 좌우한답니다.

plus tip

쌀뜨물 사용법

쌀뜨물을 쓸 때는 쌀겨에 묻은 불순물이 씻겨나가도록 처음 헹군 물은 버리고 두 번째 헹군 물을 써야 가장 맛이 좋아요.

#040 요리책을 보면 육수를 넣으라고 나오는데, 꼭 육수를 넣어야 하나요? 육수 대신 물을 넣으면 제 맛을 내기 어려운가요?

고기를 삶아낸 물을 육수라 하는데 맑은 국이나 찌개를 끓일 때 물 대신 사용하면 풍부하고 깊은 맛을 낼 수 있어요. 조미료를 사용하지 않아도 감칠맛이 난답니다. 육수가 없는 경우라면 물을 넣어도 되지만 제 맛을 내려면 레서피를 따르는 것이 좋아요. 다음은 일반적으로 쓰이는 육수입니다.

사골육수

사골이나 꼬리 등을 푹 우려낸 진한 국물로 고소하면서도 깊은 맛이 있어요. 소금 간을 해서 송송썬 파만 넣어도 맛있고 전골, 우거짓국, 김치찌개 등을 끓일 때 넣어도 진하고 고소한 맛을 낼 수 있지요.

이렇게 만들어요

1 사골이나 꼬리를 찬물에 한 시간 정도 담가 핏물을 뺀다.

2 물이 끓으면 사골을 넣어 살짝 끓인 후 검게 우러난 첫물은 버린다.

3 뼈를 다시 한 번 씻어 엉겨 붙은 찌꺼기를 떼고 냄비에 담아 찬물을 부어 푹 끓인다.

4 뽀얀 국물이 우러날 때까지 4시간 정도 푹 삶는다.

5 식힌 국물은 면 보자기에 걸러 기름을 제거한다.

닭고기육수

담백하면서도 감칠맛 나는 국물로 담백한 국물요리, 전골 등에 많이 이용해요. 국물을 우려낼 때 닭뼈 대신 닭발을 사용하면 국물을 쉽게 우려낼 수 있지요.

이렇게 만들어요

1 닭은 적당한 크기로 잘라 살을 발라낸 다음 누린내가 나지 않도록 뼈를 찬물에 담가 핏물을 뺀다.

2 냄비에 닭뼈를 넣은 다음 찬물을 붓고 양파, 대파, 마늘을 통째로 넣

고 바글바글 끓인다.

3 끓이면서 생기는 거품은 그때그때 걷어내고 진한 맛이 우러나면 불을 끄고 면 보자기에 국물을 거른다.

4 국물을 식힌 다음 위에 뜬 기름을 말끔히 제거하고 냉장보관한다.

 ▶ 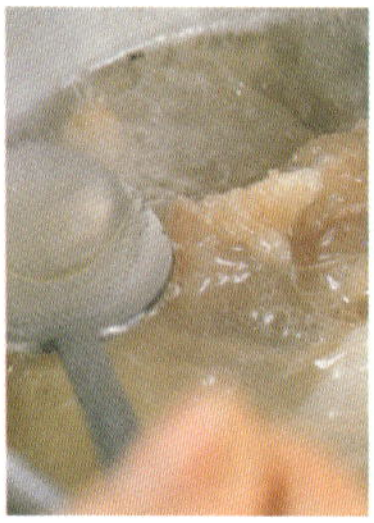 ▶ 

#041 남들은 눈 감고도 된장찌개를 끓인다는데 제가 끓이면 깊은 맛이 안 나요. 맛있게 끓이는 비법이 궁금해요.

멸치된장찌개를 끓일 때는 멸치를 건져내지 말고 된장이 다 끓을 때까지 함께 끓여주는 것이 더 맛있어요. 멸치가 거슬린다면 머리와 내장을 제거한 뒤 멸치를 똑똑 끊어 넣거나, 상에 내기 전 멸치를 건져내도 좋답니다.

쇠고기된장찌개를 끓일 때는 연한 멸치국물을 사용하면 더욱 감칠맛이 나지요. 해물된장찌개는 된장을 볶고 조개국물을 넣어 감자가 반 정도 익으면 해물을 넣어 바글바글 끓이세요. 이때 된장 양을 조금 줄이면 해물의 단맛이 느껴진답니다.

mini tip!
된장찌개에는 마늘을 넣지 마세요. 마늘을 넣게 되면 된장의 구수한 맛과 향이 떨어져요.

plus tip

보글보글 맛있는 된장찌개

먼저 멸치 한 줌을 준비해 내장과 머리를 떼어낸 뒤 참기름 두른 냄비에 고소하게 구워주세요. 멸치가 어느 정도 구워지면 집된장을 2큰술 정도 넣고 볶아주면 깊고 구수한 맛이 난답니다. 된장은 금방 타기 때문에 아주 살짝만 볶은 뒤 바로 쌀뜨물 3컵을 부어주세요. 그런 다음 고추장을 한 작은술 정도 풀어주고 다시마, 감자 그리고 양파 썬 것을 넣어 바글바글 끓여주세요. 감자가 어느 정도 익으면 시판 된장을 넣고 간을 맞춘 다음 호박을 넣고 우르르 끓이세요. 호박이 반 정도 익으면 두부, 풋고추, 파를 넣고 한소끔 더 끓이면 맛있는 된장찌개가 완성됩니다!

#042 도무지 김치찌개의 맛을 내기가 어려워요. 비법을 알려주세요

신 김치를 들기름에 달달 볶아서 김치가 투명해지면 국물을 붓고 끓이세요. 국물에 김치를 넣고 한꺼번에 우르르 끓이는 것보다 김치를 한 번 볶아서 끓이면 더 구수하고 깊은 맛이 난답니다.
돼지고기김치찌개를 끓일 때는 김치를 달달 볶은 다음 돼지고기를 넣고 같이 볶아서 국물을 넣는 것이 순서예요. 멸치김치찌개를 끓일 때는 멸치를 먼저 볶아 비린내를 제거한 뒤 김치를 넣고 함께 볶는 것이 순서랍니다.

국물은 김치국물과 물을 반반씩 섞어 자작하게 넣어주세요. 너무 흥건해도 맛이 없거든요. 이때 멸치국물이나 북어국물을 쓰면 더 깊은 맛이 납니다. 하지만 돼지고기나 멸치를 넉넉하게 넣었다면 굳이 맛국물을 넣을 필요가 없어요.

김치찌개에 두부를 넣을 때는 꼭 마지막에 넣어 주되 오래 끓이지 말고 살짝만 우르르 끓여주세요. 두부를 넣고 오래 끓이면 두부에서 수분이 빠져 나와 김치찌개의 맛을 흐리거든요. 김치찌개가 완성된 후 두부를 넣어 먹기 직전 한 번만 부르르 끓이는 것이 좋답니다.

#043 덜 익은 김치로 김치찌개를 끓였더니 제 맛이 나질 않아요.

맛을 내려고 이것저것 넣다 보니 더 이상해진 것 같은데, 방법이 없을까요?

신 김치가 없을 땐 케첩을 이용하세요. 케첩의 시큼한 맛이 김치 맛을 보완해줘 한결 맛이 살아나거든요. 만약 김치가 너무 시어 군내가 나는 경우라면 물에 헹궈 고춧가루 양념을 없앤 뒤 고추장을 조금 풀어 바글바글 끓이면 냄새도 덜하고 맛도 좋아진답니다.

plus tip 김치찌개 신맛 줄이기

신 김치로 김치찌개를 끓일 때 설탕을 약간 넣어주면 신맛이 줄어든답니다.

COOKING KNOW-HOW

질리지 않는 그 맛

김치찌개

준비하세요

배추김치 500g, 돼지고기 200g
대파 50g, 양파 1/2개
풋고추 2개, 쌀뜨물 2컵
참기름 1큰술, 청주 1큰술

양념

고추장 1큰술, 다진 마늘 1작은술
설탕 조금

이렇게 만드세요

1 신 배추김치는 속을 털어내고 물로 깨끗이 헹궈 한입 크기로 썬다.

2 돼지고기는 적당한 크기로 썰어 청주를 넣고 살짝 버무린다.

3 냄비에 참기름을 두르고 돼지고기와 김치, 채썬 양파를 넣고 달달 볶는다.

4 김치가 숨이 죽어 흐물흐물해지면 쌀뜨물을 자작하게 붓고 양념을 한 다음 뭉근한 불에서 바글바글 끓인다.

5 찌개가 거의 다 끓있으면 풋고추, 파를 넣고 한소끔 우르르 끓인다.

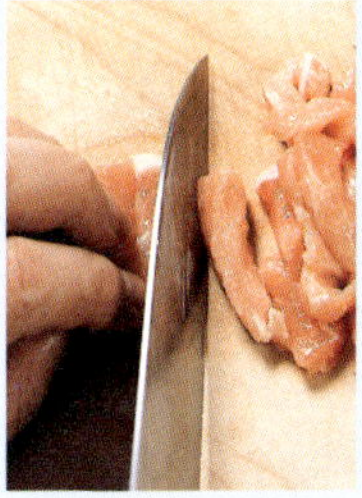

▶

▶

#044 둘이 먹다 하나가 죽어도 모를 만큼 맛있는 참치김치찌개를 끓이고 싶어요. 맛내는 비결이 있나요?

신 김치와 참치통조림만 있으면 쉽게 만들 수 있는 참치김치찌개. 통조림 속에 들어 있는 참치기름만 잘 활용해도 맛있는 참치김치찌개를 끓일 수 있어요. 참치찌개를 끓일 때 참치기름으로 김치를 볶으면 찌개 맛이 한결 부드러워지고 맛있답니다.

plus tip

참치통조림으로 참치김치찌개를 만들어 볼까요

재료 _ 참치통조림 1통, 배추김치 1/3포기, 파 1뿌리, 홍고추 1개, 풋고추 2개, 마늘 2쪽, 고춧가루 2작은술, 소금 · 간장 조금씩, 물 4컵

1 배추김치는 속을 대충 털어내고 먹기 좋은 크기로 썰고 홍고추와 풋고추, 파는 어슷하게 썬다.
2 참치통조림은 뚜껑을 따서 건더기는 따로 건져 놓고 기름만 남겨둔다.
3 남은 참치기름을 냄비에 넣고 배추김치를 넣어 달달 볶는다.
4 김치가 숨이 죽고 잘 볶아졌으면 물과 다진 마늘을 넣고 한소끔 끓인 다음 참치와 고춧가루를 넣어 바글바글 끓인다.
5 찌개가 충분히 어우러졌으면 어슷썬 파와 풋고추, 홍고추를 넣고 소금과 간장으로 간을 맞춘다.

#045 토란국을 처음 끓여요.
토란은 손질하기 까다롭다던데 어떻게 손질할까요?

토란은 자극이 강해 잘못 손질하면 두드러기가 날 수 있어요. 손이 아리고 간지럽기도 하고요. 따라서 토란을 손질할 때는 비닐장갑을 끼거나 기름을 발라 조금 두껍게 껍질을 벗기는 것이 좋답니다. 가장 좋은 방법은 쌀뜨물에 잠시 담가 두었다가 껍질을 벗겨 쌀뜨물에 삶은 다음 찬물에 헹구는 방법이지요. 그래야 독성도 사라지고 미끈거림도 줄어든답니다.

plus tip

토란국 실패하지 않는 간단 팁

토란은 그냥 조리하면 점액질이 흘러나와 국물이 걸쭉해져요. 가능하면 껍질을 벗긴 다음 쌀뜨물에 데치거나 소금 1큰술을 뿌려 손으로 주물러 점액질을 뺀 다음 사용하세요.

#046 양지머리나 사태 등 덩어리 고기와 썬 고기는 조리방법이 다른가요?

덩어리 고기는 찬물에 넣고 끓이더라도 겉면이 먼저 응고되면서 고기 육즙이 빠져나오지 못해 고기 자체의 맛이 어느 정도 보존이 된답니다. 하지만 썬 고기는 그대로 넣게 되면 물에 닿는 단면이 넓어 육즙이 빠져나오므로 고기 자체의 맛이 대부분 손실돼 버려요. 그래서 육즙이 빠져나오지 못하도록 고기를 볶는 것이지요. 고기를 미리 볶게 되면 국물이 지저분해지는 것도 막을 수 있답니다.

plus tip

국거리용 덩어리 고기 써는 법

국을 끓일 때 덩어리 고기는 결 반대 방향으로 썰어야 질기지 않고 더 맛있습니다.

#047 순두부찌개는 할 때마다 실패해요. 맛내기가 너무 어려운데 조리의 핵심 포인트가 뭐죠?

찌개 음식을 할 때 맛내는 비결은 국물이에요. 순두부찌개 역시 국물이 맛을 좌우합니다. 조개류를 사용하면 조개 특유의 감칠맛 때문에 실패율도 줄어들어요. 조개국물의 시원하고 개운한 맛이 혀끝을 자극하거든요. 단, 순두부는 수분 함량이 높아 그냥 넣고 끓이면 전체적으로 싱겁고 밍밍하므로 평소보다 진하게 국물을 내 주는 것이 포인트랍니다. 그래야 맛이 흐려지는 것을 방지할 수 있어요.
국물을 우려내고 남은 조개는 양념장을 만들어 끼얹어 드세요. 한 끼 반찬으로 손색이 없답니다.

plus tip

순두부찌개 끓일 때 달걀 넣는 타이밍

순두부찌개에 달걀을 넣을 때는 상에 내기 직전 달걀을 깨뜨려 보글보글 끓는 국물에 익혀 먹는 것이 좋아요. 미리 달걀을 넣으면 국물이 탁해지고 달걀이 단단해져 부드러운 맛을 느낄 수 없답니다.

COOKING KNOW-HOW

시원하고 개운한 맛

순두부찌개

준비하세요

순두부 1봉, 바지락 150g, 양파 1/4개
풋고추 1/2개, 파 1/3뿌리, 물 1/2컵

양념

고춧가루 1큰술, 식용유 2큰술
간장 · 까나리액젓 1큰술씩
다진 마늘 1/2큰술, 청주 1/2큰술
다진 생강 조금

이렇게 만드세요

1 양념장 재료를 모두 섞어 하루 전 혹은 30분 전에 숙성시킨다.

2 바지락은 깨끗이 씻고 나서 물에 담가 해감을 뺀다.

3 손질한 바지락을 뚝배기에 넣고 바글바글 끓여 국물을 우려낸다.

4 양파는 채썰고 고추와 파는 어슷하게 썬다.

5 바지락이 우러나면 양파와 풋고추, 양념장을 푼 다음 순두부를 뚝뚝 떠 넣는다.

6 순두부찌개가 어느 정도 끓었으면 어슷썬 대파를 넣고 한소끔 끓인다.

#048 조리에도 일반적인 공식이 있잖아요. 찌개를 맛있게 끓이려면 어떤 공식을 따르면 될까요?

mini tip!
찌개 같은 국물 음식은 뭐니 뭐니 해도 국물이 중요해요. 진한 국물로 찌개를 만들면 거의 70~80%는 성공했다고 해도 과장이 아니랍니다.

찌개는 처음부터 센 불에 끓이되 국물이 끓기 시작하면 약한 불에서 은근하게 보글보글 끓여야 제 맛이 난답니다. 이때 국물의 양은 재료의 표면이 살짝 잠길 정도로 자작하게 잡고 진한 맛이 우러나오도록 오래 끓이세요. 또, 재료 중 잘 익지 않는 것은 먼저 넣고 쉽게 익는 것은 나중에 넣어야 각각의 재료가 뭉그러짐 없이 제대로 익습니다. 찌개는 대개 오래 끓여야 제 맛이 나므로 처음에는 심심하다 싶을 정도로 간을 하는 것이 좋아요. 찌개가 한소끔 우르르 끓으면 거품을 걷어내며 끓이세요. 생선찌개는 국물이 끓을 때 생선을 넣어야 생선살이 부서지지 않고 표면의 단백질이 단단해져 맛이 좋답니다.

#049 찌개를 끓일 때 파, 마늘, 청주는 언제 넣을까요?

파와 마늘에는 황화 물질이 들어 있어서 특유의 맵고 향긋한 냄새가 나지요. 하지만, 이 성분은 휘발성이 있어 찌개에 넣게 되면 5분 이내에 날아가 버리고 국물 속에 우러나와 국물 맛을 좋지 않게 하므로 다 끓었을 때 넣는 것이 좋아요. 생선의 비린 맛을 제거하고 찌개 맛을 살려주는 청주도 비슷하답니다. 찌개를 바글바글 끓여 상에 내기 바로 직전 1큰술 정도 넣고 우르르 끓이면 맛도 좋아지고 나쁜 냄새도 사라져요.

#050 술 마신 다음 날 해장으로 북엇국을 자주 끓여 먹는데요. 술기운을 확 날려버릴 만큼 시원하게 끓이는 방법 없을까요?

북엇국을 끓일 때 달걀 대신 콩나물을 넣고 끓이면 훨씬 해장에 도움이 된답니다. 달걀을 넣고 끓이면 북어와 무에서 우러나는 시원한 맛이 줄어들거든요. 콩나물, 무, 북어포를 넣고 처음부터 함께 끓여야 시원하고 개운한 북엇국이 완성된답니다. 북어나 콩나물 모두 숙취에 좋고 간을 보호해주는 성분이 들어 있어 해장에는 그만이지요.

plus tip

똑똑한 북어 고르기

소금으로 간을 해서 말린 건제품은 잘 살펴보고 구입하세요. 햇볕에 지나치게 오래 노출된 것은 기름이 산화되어 누렇게 보인답니다. 빛이 누렇고 살이 연한 북어가 좋은 북어지요. 더덕처럼 살짝 살집이 오른 것이 최상품이랍니다.

#051 고추장찌개를 끓이면 웃물이 생겨요. 웃물을 방지하는 방법은 없나요?

고추장찌개는 된장찌개와 마찬가지로 쌀뜨물로 국물을 내주면 웃물이 생기지 않아요. 하지만 쌀뜨물 이외에도 다른 방법이 있답니다. 감자에 고추장을 넣고 버무린 다음 30분 정도 두었다가 물을 붓고 끓이면 감자의 전분이 고추장과 어우러져서 웃물이 생기지 않아요.

COOKING KNOW-HOW

얼큰하고 깊은 맛
고추장찌개

준비하세요

쇠고기 100g, 감자 150g
두부 1/4모, 애호박 1/5개
양파 1/4개, 풋고추 1~2개
어슷썬 파 1줌, 고추장 2큰술반
청주 1/2큰술, 까나리액젓 1큰술
다진 마늘 1/3큰술, 참기름 1큰술
소금 조금, 물 3컵

이렇게 만드세요

1 쇠고기는 잘게 썬 다음 청주를 넣고 버무리고 감자는 반달썰어 고추장을 넣고 버무려 30분 정도 재운다. 두부는 키친타월로 수분을 거둬서 먹기 좋은 크기로 썬다.

2 풋고추는 어슷썰고 양파는 채썬 다음 애호박은 반달썬다.

3 냄비에 참기름을 두르고 쇠고기를 볶다가 어느 정도 익으면 물을 붓고 고추장에 재운 감자를 넣는다. 그릇에 남아 있는 고추장까지 싹싹 긁어 넣는다.

4 감자가 익으면 애호박과 양파, 까나리액젓과 다진 마늘을 넣고 우르르 끓인다.

5 두부와 풋고추, 파를 넣고 한소끔 끓인 다음 소금으로 간을 맞춘다.

▶

▶

#052 황태국을 끓이려는데 황태는 없고 북어만 있어요. 북어로 대체해도 될까요? 황태와 북어는 뭐가 다른가요?

황태가 없다면 북어로 대신할 수 있어요. 반대도 마찬가지고요. 황태가 좀 더 진한 맛이 나지만 둘 다 명태로 만든 것이므로 대체하기 아주 좋은 재료랍니다.
황태와 북어는 명태를 어떻게 말렸느냐에 따라 달라져요. 북어는 명태를 해풍에 말린 것을 말하고 황태는 명태가 추운 겨울 얼었다 녹았다 하는 과정을 반복하며 마른 것을 말한답니다. 이처럼 명태는 상태에 따라 다양한 이름을 가지고 있는데요. 갓 잡은 명태를 생태라고 하고 명태를 꽁꽁 얼린 것을 동태, 명태를 반건조시켜서 냉동한 것을 코다리라고 한답니다.

#053 쇠고기무국을 끓였는데 국물 맛도 별로, 무 맛도 별로, 완전히 실패했어요. 뭐가 잘못된 걸까요?

국물 맛과 무 맛이 빠지면 제대로 된 쇠고기무국이라 할 수 없지요. 먼저 국물 맛을 좋게 하려면 무가 흐물흐물해지기 직전까지 푹 끓여주세요. 이때 국간장이나 액젓은 미리 넣고 간을 하는 것이 감칠맛 나고 깔끔하답니다. 짭조름한 맛을 낼 때는 한 가지 조미료만 이용해 맛을 내지 말고 국간장과 소금, 액젓 등 다양한 조미료를 섞어 간을 맞추세요.

그래야 국물이 시원하고 감칠맛이 난답니다. 무 맛이 별로라면 끓는 물에 살짝 데치거나 미리 물에 담가 떨떠름한 맛을 제거해 주세요.

plus tip

찌개나 국물에 이용되는 쇠고기육수

재료 _ 쇠고기 양지머리 또는 사태 600g, 무 1토막, 대파 1뿌리, 마늘 3쪽, 양파 1/2개, 물 12컵

1 쇠고기는 기름기를 미리 떼어내고 물에 담가 핏물을 뺀다.
2 1시간 정도 지나 핏물이 빠지면 쇠고기를 건진다.
3 냄비에 물을 붓고 무, 대파, 마늘, 양파를 넣고 끓인 뒤 물이 한소끔 끓어오르면 쇠고기를 넣어 푹 고아준다.
4 끓이는 동안 거품은 말끔히 걷어 내야 누린내가 나지 않는다.
5 어느 정도 육즙이 우러나오면 국물을 체에 걸러 식힌다. 이때 건진 고기는 미리 찢어 전골이나 찌개를 끓일 때 함께 넣는다.

#054 국을 끓이면 짜거나 싱거워요. 쉽게 간을 맞추는 방법이 없을까요?

개인의 기호나 식성에 따라 조금씩 달라질 수 있지만 보통 소금으로 간을 할 때는 4컵의 물에 소금 1작은술이 적당해요. 하지만 국을 오래 끓이는 경우는 심심하다 싶을 정도로 간을 하는 것이 중요하답니다. 오래 끓이다 보면 수증기로 날아가는 수분 양도 많아지거든요.

된장이나 국간장을 사용할 때는 물 4컵당 1큰술반~2큰술 정도가 적당하지요. 하지만 집집마다 사용하는 소금이나 간장의 염도도 다르고 기호도 다르므로 맛을 보면서 간을 해야 실패하지 않는답니다.

plus tip 남은 국으로 초스피드 죽 만드는 요령

먹다 남은 국은 버리지 말고 물과 찬밥을 넣어 밥알이 퍼질 때까지 약한 불에서 서서히 끓이면 맛있는 죽이 된답니다. 이때 참기름 한 방울이나 깨소금을 솔솔 뿌려 주면 훨씬 맛이 좋지요. 아침 식사나 출출할때 끼니 대신 먹으면 그만이랍니다.

#055 집에서 부대찌개를 끓이면 밖에서 사먹는 부대찌개 맛이 안 나요. 이유가 뭘까요?

햄과 야채만 듬뿍 넣는다고 밖에서 사먹는 부대찌개를 흉내 낼 수 없지요. 밖에서 사 먹는 부대찌개의 비결은 화학 조미료와 흰콩 통조림이랍니다. 특히, 흰콩 통조림이 빠지면 홈메이드 냄새가 풀풀 나는 가정식 부대찌개로 전락해버리죠.

집에서도 식당에서 파는 부대찌개 맛을 내고 싶을 때는 흰콩통조림을 국물과 함께 떠 넣으면 얼추 사먹는 것과 비슷한 맛이 난답니다. 감칠맛이 살아나죠. 마지막으로 슬라이스치즈 한 장을 올려주면 한층 걸쭉하고 진한 국물 맛을 느낄 수 있어요.

COOKING KNOW-HOW

군기 팍 들어간

부대찌개

준비하세요

김치 1줌, 스팸 · 햄 1줌씩
만두 4개, 불린 당면사리 2컵
양파 1/4개, 청양고추 1개
대파 1뿌리, 흰콩통조림 3큰술
멸치다시마국물 4컵

양념장

고추장 1큰술반, 고춧가루 2큰술
간장 · 맛술 1큰술씩
다진 마늘 1큰술

이렇게 만드세요

1 양념장을 재료의 분량대로 넣어 만든다.

2 김치는 쫑쫑 썰고 청양고추와 대파는 어슷하게 썬 다음 양파는 채썬다.

3 햄과 스팸은 먹기 좋은 크기로 썬다.

4 전골냄비 중앙에 김치를 넣고 나머지 재료는 빙 둘러 담은 다음 양념장과 흰콩통조림을 넣는다.

5 멸치다시마국물을 재료가 잠길 정도로 붓고 바글바글 끓인다.

6 어느 정도 끓으면 만두를 넣고 한소끔 끓인 다음 불린 당면을 올린다.

 ▸  ▸ 

#056 미역국을 끓이려고 하는데 미역은 어떻게 손질하나요?

미역국은 불린 미역을 쇠고기와 함께 달달 볶은 후 물을 부어 끓이는 국이지요. 물론 기름의 느끼함을 싫어하는 경우는 기름에 볶지 않고 미역에 고기와 물을 넣고 직접 끓이기도 한답니다. 어찌됐든 미역이 주가 되는 음식이지요.

그럼 주인공 미역은 어떻게 손질할까요? 자연산 장각 미역에는 끈끈한 점액질이 있어 깨끗이 씻지 않으면 미끄러운데다 미역 특유의 갯냄새가 나므로 먼저 찬물에 깨끗이 비벼 헹구세요. 단, 시중에서 파는 가공 미역은 냉수에 10분 정도 담갔다 맑은 물로 헹궈서 바로 사용해야 미역의 깊은 맛을 느낄 수 있답니다.

미역을 불릴 때는 지나치게 오래 담가 두지 말고 적당히 불으면 체에 건져 물기를 빼세요.

일반적으로 마른미역일 경우 물에 불리면 14배 정도로 불어나므로 분량을 꼭 체크하세요.

plus tip

좋은 미역 고르기

갈조류에 속하는 미역은 만져보아 잡티가 없으며 검푸른빛이 고르게 보이고 두꺼운 것이 좋아요. 마른 미역은 눅눅하지 않고 잘 마른 것이 좋은 미역이랍니다.

COOKING KNOW-HOW

영양만점 보양국
미역국

준비하세요
쇠고기 먹기 좋게 썬 것 150g
불린 미역 2컵, 국간장 2큰술
물 6컵, 다진 마늘 1큰술
참기름 적당량, 후춧가루 조금

이렇게 만드세요

1 찬물에 미역을 담가 부드러워지면 바락바락 씻어 물에 깨끗이 헹군 뒤 먹기 좋은 크기로 자른다.

2 쇠고기에 다진 마늘 1/2큰술과 국간장 조금, 참기름, 후춧가루를 넣고 조물조물 무친다.

3 냄비에 참기름을 두르고 밑간한 쇠고기를 넣어 볶은 뒤 미역을 넣어 달달 볶는다.

4 미역과 쇠고기가 어느 정도 볶아졌으면 물을 붓고 한소끔 끓이다가 맛이 우러나오면 다진 마늘, 국간장, 후춧가루로 간을 맞춘다.

#057 국이나 라면에 달걀을 넣으면 국물이 지저분해져요.

어떻게 하면 달걀을 깔끔하게 익힐 수 있을까요?

국물이 지저분해지는 것은 달걀이 응고되기도 전에 너무 서둘러 달걀을 휘휘 저었기 때문에 생긴 현상이랍니다. 미리 다른 그릇에 달걀을 대충 풀어두었다가 음식이 거의 완성되면 불을 끄고 준비해둔 달걀물을 원을 그리며 국물 위로 부으세요. 그런 다음 바로 뚜껑을 닫고 1~2분 정도 기다리면 여열에 의해 달걀이 부드럽게 익는답니다. 달걀은 저온에서 익혀야 보드라운 질감을 느낄 수 있어요.

plus tip

신선한 달걀 고르기

달걀은 신선한 것일수록 껍질이 거칠고 묵은 것일수록 껍질이 매끈해요. 크기에 비해 무게감이 느껴지는 것이 좋은 달걀이랍니다. 또 깨뜨렸을 때 노른자가 위로 볼록하게 올라온 것이 신선하지요.

#058 만둣국에 넣으려고 만두를 빚었는데

남편이 발로 빚은 것 같다고 놀려요. 예쁘게 빚는 방법을 알려주세요.

만둣국에 넣는 만두는 송편이나 튀김 만두와는 달라 자칫하면 찢어지거나 모양이 일그러질 수 있는데 아래 방법대로 차근차근 따라 하면 예쁜 만두가 완성됩니다.

1 만두소를 큼지막하게 한 숟가락 떠서 만두피에 넣어준 뒤 피 가장자리에 물을 바른다.
2 물을 바른 만두피를 반 접어 끝 부분부터 차근차근 손으로 꼭꼭 눌러 떨어지지 않도록 붙인다.
3 만두소가 가운데 오도록 정리한 다음 만두 끝과 끝을 맞물려 붙여준다.

#059 만둣국을 끓였더니 만두피가 터져서 소가 밖으로 튀어나왔어요. 어떻게 하면 입을 꼭 다문 만두를 만들 수 있을까요?

만두를 조리했을 때 터지지 않게 하려면 기본적으로 만두소의 물기를 제거하는 것이 중요하답니다.
먼저, 만두에 들어가는 김치나 숙주, 두부 등 물기 있는 재료는 베 보자기나 면 보자기에 넣고 도마를 비스듬히 세워 살살 눌러주세요. 그럼 물기가 쏙 빠진답니다. 양파나 호박은 소금에 절인 후 물기가 흘러나오면 꼭 짜주세요. 이렇게 소 재료의 수분을 확실히 제거해야 찢어지거나 빚어 놓은 만두끼리 서로 들러붙는 일이 없답니다.
또, 만두소를 넣고 만두피를 여밀 때는 공기가 남아 있지 않도록 꾹꾹 눌러주세요. 만두 속에 공기가 남아 있으면 조리하는 도중 부풀어 올라 만두피가 벌어지게 됩니다. 만두피를 단단하고 야무지게 아물리려면 공기가 들어가지 않도록 꼭꼭 눌러가며 아물려주세요.

plus tip

만두소를 부드럽게 만드는 요령

만두소는 돼지고기와 쇠고기를 섞거나 돼지고기만으로 만들어 쓰는 게 좋아요. 쇠고기만으로 소를 만들면 기름기가 적어 뻣뻣한 맛이 날 수 있거든요. 기름기가 어느 정도 있는 돼지고기를 넣어야 만두소가 부드러워진답니다. 만두소를 치댈 때 고기 200g당 녹말가루 1작은술을 넣어주면 소가 한결 부드러워져요.

#060 시금치된장국을 끓일 때 생시금치를 넣어야 하나요? 데친 시금치를 넣어야 하나요?

된장을 푼 육수에 생시금치를 그대로 넣고 시금치된장국을 끓이면 좋지 않아요. 단시간에 데쳐낼 때보다 영양소 파괴도 많고 시금치 속에 든 수산 성분이 우리 몸의 칼슘과 결합하여 결석을 만들어 내거든요. 다행히도 시금치는 물에 데치거나 여러 번 헹구면 수산이 많이 제거된답니다. 시금치는 꼭 끓는 물에 데쳐 헹군 뒤 완성된 육수에 넣어 주세요.

plus tip

시금치 데치기

시금치 분량의 5배 이상 되는 끓는 물에 소금을 넣고 뿌리 쪽부터 물에 집어 넣어 5초 이내에 꺼내세요.

COOKING KNOW-HOW

가볍고 시원한 맛

시금치된장국

준비하세요

시금치 1/3단, 모시조개 150g
된장 1큰술반, 물 4컵
파 1/2뿌리, 다진 마늘 1/2큰술

이렇게 만드세요

1 해감을 뺀 조개는 바락바락 씻은 뒤 찬물을 붓고 조개가 입을 벌릴 때까지 끓인다.

2 시금치는 끓는 물에 소금을 넣고 데쳐 찬물에 2~3번 헹군 다음 먹기 좋은 크기로 자른다.

3 파는 어슷하게 썬다.

4 냄비에 조개국물을 넣고 체에 밭쳐 된장을 푼다.

5 국물 맛이 우러나면 데친 시금치를 넣고 다진 마늘과 파를 넣어 한소끔 끓인다.

▶

▶

#061 집에서 샤브샤브를 해 먹고 싶은데 국물을 만들 자신이 없어요.

어떻게 하면 되나요?

즉석에서 익혀 먹는 샤브샤브는 국물이 맛을 좌우해요. 개운하고 담백한 국물은 맛있는 샤브샤브를 만드는 기본이지요. 먼저 멸치와 다시마를 찬물에 넣고 센 불에서 끓이다가 국물이 어느 정도 우러나면 멸치와 다시마를 건져내세요. 그런 다음 가쓰오부시를 넣고 5분 정도 지나 깨끗한 국물만 걸러 국간장, 청주, 소금으로 간을 맞추면 개운하고 시원한 샤브샤브용 국물이 완성됩니다. 이렇게 완성된 국물에 신선한 채소, 얇게 저민 쇠고기를 넣어 흔들면서 익혀 먹으면 맛이 아주 좋아요.

#062 생선 지리를 맛있게 끓이는 공식이 있나요?

먼저, 대구, 도미, 복어같이 기름기 적고 담백한 맛이 나는 생선을 준비하세요. 국물은 다시마국물처럼 옅은 맛이 나는 국물을 사용해야 깔끔한 맛이 납니다. 또 탕이 끓기 시작하면 뚜껑을 열고 수시로 거품을 걷어 내야 보기도 좋고 맛있어요. 간을 맞출 때는 마늘, 간장, 고춧가루등 자극이 있거나 색깔이 나는 양념은 쓰지 않는 게 좋아요. 소금으로만 간을 해야 시원하고 깔끔한 맛을 낼 수 있답니다.

#063 달걀국을 끓일 때 맛을 내는 방법이 궁금해요.

mini tip!
달걀과 멸치국물만 있으면 손쉽게 만들 수 있는 달걀국은 집에 별다른 재료가 없을 때 효자 노릇을 톡톡히 한답니다.

달걀국을 끓일 때는 물 대신 멸치국물을 사용해보세요. 국물이 훨씬 감칠맛이 돌고 개운하답니다. 멸치국물이 팔팔 끓으면 부추와 소금을 섞은 달걀물을 빙 돌려가며 붓고 달걀이 몽글몽글 뭉쳐지면 바로 불을 끄세요. 남은 여열로 끝까지 익히고 송송 썬 붉은 고추를 넣으면 담백하고 보드라운 달걀국이 완성됩니다. 부추가 집에 없을 때는 파를 넣어줘도 좋아요.

#064 육개장을 끓이는데 고추기름이 떨어졌어요. 고추기름을 대신할 재료는 없나요?

보통 육개장의 매운맛을 살리려고 고추기름을 넣지요. 만약 고추기름이 없을 때는 고춧가루에 참기름을 미리 개어두면 고추기름 대신 사용할 수 있답니다. 그럼 고춧가루가 참기름을 흡수하면서 매운맛이 촉촉하게 배어들어요. 또, 고춧가루의 매콤한 맛과 참기름의 고소한 맛이 어우러져 맛도 좋고 빛깔도 고와져요. 은은한 붉은색이 식욕도 돋워준답니다.

#065 미소된장국을 맛있게 끓이려면 어떻게 해야 하나요?

왜된장으로 끓이는 미소된장국은 오래 끓이면 맛이 없어요.
미소된장국을 끓일 때는 익는 시간이 짧은 재료를 선택해 국물이 우러날 정도로만 우르르 끓이세요. 건더기 재료로 부드러운 두부나 불린 미역, 팽이버섯을 잘게 잘라 넣어 줘도 맛이 그만이랍니다.

plus tip

미소된장국을 만들어 볼까요

재료 _ 다시마 10cm 1장, 가다랭이포 1컵, 왜된장 2큰술, 팽이버섯 약간, 레몬 1쪽, 쑥갓 조금, 물 4컵, 쪽파 1뿌리

1 찬물에 다시마를 넣고 물이 팔팔 끓으면 다시마를 건져 내고 불을 끈 뒤 가다랭이포를 넣고 5분 후에 걸러 낸다.
2 손질한 팽이버섯은 일정한 크기로 잘게 자르고 쪽파는 송송 썬다.
3 냄비에 가다랭이국물을 넣고 체를 받쳐 왜된장을 풀어준다.
4 국이 우러나면 불을 끄고 그릇에 담아 송송 썬 파와 팽이버섯, 쑥갓, 레몬을 얹는다.

#066 전골요리를 할 때 표고버섯은 마른 것과 마르지 않은 것 중 어떤 것을 사용해야 할까요?

전골에 표고버섯을 넣을 때는 가능하면 마른 것을 사용하세요. 말린 표고버섯을 따뜻한 물에 불렸다 사용하면 채썰어도 모양이 흐트러지지 않을 뿐 아니라 쫄깃하면서도 부드러운 질감이 입맛을 돋워준답니다. 게다가 생표고버섯을 말리는 과정에서 비타민 D가 만들어지므로 영양도 생표고버섯보다 풍부해요. 참고로 버섯 불린 물은 남겨 두었다가 전골국물로 사용하면 더욱 깊은 맛이 난답니다.

plus tip

표고버섯 초스피드로 불리기

마른 표고는 미지근한 물에 불려 쓰는데 이때 설탕을 조금 넣으면 더 빨리 부드러워져요.

#067 전골을 끓일 때 각 재료가 잘 어우러지게 끓이려면 어떻게 해야 할까요?

전골은 찌개보다 국물을 조금 넉넉하게 넣고 즉석으로 끓이면서 먹는 것이 특징이지요.
전골 맛을 제대로 살리려면 먼저 제철에 맞는 싱싱한 재료를 준비하세요. 그리고, 모든 재료는 철저히 손질해야 한답니다. 전골은 다양한 재료를 한꺼번에 넣어 끓이는 음식이므로 재료가 깔끔해야 국물에 나쁜 맛이 우러나지 않아요. 고기는 미리 밑간을 해 두세요. 그런 다음 전골에 어울리는 국물을 넣는데 야채가 많을 때는 국물이 자작할 정도로 적게 잡아야 제 맛이 난답니다. 끓이다 보면 야채에서 수분이 빠져나와 어느새 국물이 흥건해지거든요. 고기나 야채전골에는 깊고 감칠맛이 나는 쇠고기육수를 넣는 것이 좋지요. 마지막으로 상에 낼 때 달걀지단이나 고명을 얹어 맛과 멋을 더해주면 맛있는 전골이 완성됩니다.

plus tip

전골에 어울리는 야채 이야기

전골 종류에 따라 어울리는 야채가 따로 있지만 배추와 무, 콩나물은 어떤 재료와도 잘 어우러져 개운하고 시원한 맛을 더해주고, 깊고 풍부한 국물 맛을 내 주지요. 마지막에 넣는 미나리와 쑥갓은 특유의 향이 있어 비린내와 잡냄새를 잡아준답니다.

#068 콩나물국을 끓이면 항상 맛이 없어요. 맛내는 비법을 알려주세요.

콩나물국은 시원한 맛을 살리는 것이 포인트랍니다. 그래서 진한 국물보다는 말갛고 담백한 국물로 끓이는 것이 좋지요.

중요한 건 연한 멸치육수로 끓이든 그냥 맹물로 끓이든 한 가지 조미료만 사용해 간을 맞추면 안 된다는 것이지요. 새우젓이나 멸치액젓 혹은 까나리액젓 등 젓갈 종류를 한 가지 정도 넣어 감칠맛을 살려주고 국간장을 조금 넣어 콩나물의 비릿한 맛을 중화시키는 것이 중요하답니다. 그리고 나머지 간은 소금으로 깔끔하게! 마지막으로 콩나물국에는 파를 팍팍 넣어줘야 국이 심심하지 않고 맛있어요.

COOKING KNOW-HOW

속이 확 풀리는

쇠고기콩나물국

준비하세요

양지머리 300g, 물 6컵,
무 200g, 콩나물 3줌
채썬 파 2줌, 소금 조금

양념

고춧가루 2큰술, 올리브유 1큰술
생강술 1큰술, 다진 마늘 1/2큰술
멸치액젓 2큰술, 국간장 1큰술
통후추 조금

이렇게 만드세요

1 콩나물은 깨끗이 손질하고 핏물 뺀 양지머리는 물에 파, 통후추, 마늘 등 향신채소를 넣고 푹 끓인다.

2 고기가 익으면 건져내 찢거나 얇게 썰고 향신 재료와 기름기는 건져낸다.

3 양념 재료는 모두 섞어서 고기에 넣고 버무린다.

4 육수에 나박썬 무를 넣고 끓이다가 무가 익으면 콩나물과 양념한 고기를 넣고 뚜껑을 덮어 팔팔 끓인다.

5 소금으로 모자란 간을 하고 굵게 채썬 파를 넣어 한소끔 끓인다.

#069 모둠전골에 유부주머니를 넣었더니 기름기가 국물 표면에 둥둥 떠요. 해결 방법이 없나요?

전골을 끓일 때 유부를 그대로 쓰면 기름기가 국물 표면에 둥둥 떠올라 보기에도 좋지 않고 몸에도 해로워요. 유부는 기름에 튀겨 만든 것이므로 상당량의 기름이 포함되어 있답니다.

유부를 쓸 때는 끓는 물에 데친 다음 국자로 누르거나 키친타월을 깔고 국수용 밀대 등으로 밀어 기름을 뺀 다음 사용하세요.

plus tip

유부주머니 만드는 요령

데친 유부를 밀대로 민 다음 유부의 윗부분을 잘라내고 당면을 채워 데친 미나리로 묶어주면 유부주머니가 완성됩니다.

#070 꽃게탕을 끓였는데 살짝 비린맛이 나요. 비린맛을 감소시킬 방법이 없을까요?

꽃게로 탕이나 찌개를 끓일 때는 생강이나 된장을 조금 넣어주면 비린맛이 싹 가셔요. 뚜껑을 열어 놓고 끓여도 비린내 제거에 도움이 된답니다. 참고로 꽃게는 봄철이면 산란을 준비하기 위해 통통하게 살이 오릅니다. 이때 꽃게로 찌개를 끓이면 맛이 아주 좋아요.

COOKING KNOW-HOW

허끝까지 개운한

꽃게탕

준비하세요

꽃게 1마리, 물 4컵, 무 100g
호박 50g, 대파 1/2뿌리
콩나물 적당량
풋고추 · 홍고추 1개씩
쑥갓 20g, 모시조개 6개
고추장 · 고춧가루 1큰술씩
된장 1작은술, 술 1큰술
다진 마늘 2큰술
다진 생강 1/2작은술
소금 적당량

이렇게 만드세요

1 꽃게는 싱싱한 것으로 골라 구석구석 깨끗이 손질한 뒤 2등분한다.

2 무는 나박썰고 호박은 반달썬 다음 고추와 파는 어슷하게 썬다.

3 해감을 뺀 모시조개는 찬물에 넣고 중불에서 국물을 우려낸다.

4 조개 육수를 냄비에 넣은 다음 무를 넣고 어느 정도 익으면 된장과 고추장을 풀고 게를 넣는다.

5 게가 익으면 생강, 술, 호박, 고춧가루를 풀고 콩나물, 마늘, 고추, 파를 넣어 우르르 끓인 뒤 소금으로 간을 맞춘다. 마지막으로 남은 조개와 쑥갓을 얹는다.

국찌개전골

#071 알탕을 끓이면 국물이 지저분하고 탁해져요. 해결 방법이 없을까요?

알탕을 끓일 때는 물이 끓기 전에 명란을 넣고 서서히 익히세요. 다른 생선 매운탕을 끓일 때처럼 국물이 팔팔 끓을 때 넣으면 속이 익기도 전에 알주머니가 터져서 국물이 탁해지고 맛도 잘 우러나지 않는답니다. 참고로 알탕을 끓일 때 명란과 함께 곤이를 조금 넣어주면 더욱 시원하고 개운한 맛을 느낄 수 있어요.

plus tip

싱싱한 명란 고르기

명란은 붉은빛을 띠고 살이 단단하며 윤기가 나는 것을 고르세요. 지나치게 빨간 것, 알주머니가 찢어지거나 질척거리는 것은 피하는 것이 좋답니다.

#072 생선찌개를 끓이다가 매운맛을 내려고 고추장을 넣었더니 맛이 텁텁해졌어요. 무엇이 잘못된 걸까요?

일반적으로 찌개를 끓일 때 고추장을 많이 넣게 되면 국물이 텁텁해 맛이 떨어져요. 물론 생선찌개를 끓일 때도 마찬가지랍니다. 대부분은 고추장과 고춧가루를 넣지만 고추장 분량이 조금만 많아져도 개운한 맛이 떨어진답니다. 이때는 고추장을 조금 풀고 고춧가루로 매운맛을 조절해 주는 것이 좋아요. 마른 고추나 청양고추를 잘라 넣어줘도 개운하면서 얼큰한 맛이 난답니다.

COOKING KNOW-HOW

입 안까지 개운한

생태매운찌개

준비하세요
생태 1마리
모시조개 6개
무 10g
두부 50g
미나리 30g
홍고추 1개
멸치육수 6컵

양념
고춧가루 2큰술
고추장 · 된장 1작은술씩
국간장 · 다진 마늘 1큰술씩
다진 파 2큰술
생강즙 1/2작은술
청주 2큰술
소금 · 후춧가루 조금씩

이렇게 만드세요

1 생태는 내장을 빼고 소금으로 살살 문질러 손질한 다음 토막 낸다.

2 모시조개는 해감을 빼고 무와 두부는 납작하게 썬다. 미나리는 적당한 크기로 자르고 홍고추는 어슷하게 썬다.

3 양념장 재료는 모두 섞어 양념장을 만든다.

4 냄비에 무와 모시조개를 넣고 멸치육수를 부어 끓이다가 모시조개가 입을 벌리기 시작하면 생태, 양념장을 넣고 바글바글 끓인다.

5 두부와 홍고추, 미나리를 넣고 소금으로 간을 맞춘다.

▶

▶

그릇마다 가지런히 담긴 반찬. 먹는 이의 입과 눈을 즐겁게 합니다. 풋풋한 향이 코를 자극하는 채소반찬에서 지글지글 구운 고기반찬까지 식탁 위를 한 상 가득 메우면 젓가락도 바쁘게 움직입니다. 오늘 저녁은 어떤 재료로 어떤 반찬을 만들까요? 온 가족이 둘러앉아 맛있게 먹을 생각에 벌써부터 기분이 좋아집니다.

PART 03 매일반찬

야채 요리 | 고기 요리 | 생선·해물 요리 | 기타·간편 요리

야채 요리

햇볕을 듬뿍 받으며 자란 채소는 건강에 좋을 뿐 아니라 값도 싸고 구하기도 쉬운 고마운 재료지요. 게다가 달콤 · 짭짜름한 맛에서 칼칼한 맛까지 조리 방법에 따라 다양하게 활용할 수 있어 우리 식탁에 빠지지 않고 등장하는 요리 재료입니다. 날마다 먹어도 질리지 않는 밑반찬부터 화려한 일품요리까지 다양한 변신이 가능한 야채로 자연을 닮은 웰빙밥상을 차려보세요.

#073 부추나 시금치처럼 흙이 많이 묻어 있는 채소들은 어떻게 손질하나요?

채소 중에 줄기 사이사이 혹은 뿌리 사이사이에 흙이 많이 묻어 있는 채소들이 있지요.
냉이나 시금치, 부추같이 밑동에 흙이 많은 채소들은 먼저 큰 그릇에 찬물을 넉넉히 받아 그 안에 쏙 담가두세요. 이렇게 10~15분 정도 가만히 담가두면 흙이 그릇 바닥 쪽으로 씻겨 내려간답니다. 흙이 씻겨 내려갔으면 그 물을 버리고 큰 그릇에 다시 물을 가득 채워 다시 한 번 채소를 물에 담가주세요. 그리고 물 안에서 흙을 털어낸다는 기분으로 슬슬 채소를 흔들어주세요. 이렇게 3~5회 정도 새 물을 갈아주면서 채소를 흔들어 씻는 과정을 반복하면 흙이 말끔히 씻겨 내려간답니다.

#074 단호박 껍질을 쉽게 벗기는 방법이 있을까요?

단호박 껍질은 너무 단단해서 벗길 때마다 힘이 많이 들지요. 그럴 때는 단호박을 통째로 전자레인지에 넣고 5~10분 정도 가열해 껍질 부분이 살짝 익으면 전자레인지에서 꺼내 반으로 갈라주세요. 그런 다음 편편한 쪽이 바닥에 닿게 두고 칼로 껍질을 따라 저미듯 둥근 모양으로 깎아내리면 쉽게 벗겨진답니다. 살짝 익히면 조직이 부드러워지므로 칼질하기가 한결 수월해요. 전자레인지 대신 끓는 물에 5분 정도 담갔다 꺼내도 껍질이 잘 벗겨져요.

#075 중국요리에 죽순이 자주 쓰이는데, 손질이 어려워요.

생죽순일 경우에는 밑동을 잘라내고 껍질에 칼집을 길게 골고루 넣어 깨끗이 씻으세요. 껍질에 칼집을 넣어야 껍질 속 죽순이 잘 익거든요. 이렇게 손질한 죽순은 마른 홍고추와 함께 냄비에 넣고 쌀뜨물을 부어 뚜껑을 덮고 익히세요. 이때 반드시 쌀뜨물을 사용해야 죽순의 떫은맛이 빠져나온답니다.
죽순이 어느 정도 익으면 젓가락으로 찔러 죽순이 익었는지 확인하세요. 쑤욱 들어가면 죽순이 다 익은 거랍니다. 이렇게 삶은 죽순은 찬물에 담가 1시간 정도 두면 떫은맛이 완전히 빠져요. 이제 껍질을 벗긴 후 깨끗이 씻어 조리하면 된답니다.
통조림 죽순을 사용할 때는 빗살무늬 사이에 있는 앙금을 젓가락으로 떼어내고 찬물에 담갔다가 사용하세요.

#076 버섯을 물에 씻어 사용했더니 맛도 없고 질척해졌어요. 버섯은 물에 씻으면 안 되나요?

버섯은 물에 씻지 않고 톡톡 두드려 흙이나 지저분한 부스러기만 제거해서 사용하세요. 물에 씻게 되면 영양분이 빠져나갈 뿐 아니라 고유의 맛과 향도 빠지거든요. 특히 물기가 생기기 쉬운 볶음요리에는 더 주의를 기울여야 한답니다.

쫄깃쫄깃 깔끔한 맛

버섯볶음

준비하세요

표고버섯 3개
새송이버섯 200g
양파 1개, 들기름 1큰술
들깨 1작은술, 소금 조금

이렇게 만드세요

1 표고버섯은 버섯기둥을 분리해 저며 썰고 새송이버섯은 적당한 크기로 자른다. 양파는 채썬다.

2 팬에 들기름을 두르고 채썬 양파를 살짝 볶는다.

3 어느 정도 야채가 익으면 버섯을 넣고 버무리듯 볶은 뒤 소금으로 간을 맞춘다.

4 들깨를 솔솔 뿌려 완성한다.

#077 당근을 채썰었는데 모양이 너무 삐뚤삐뚤해요. 당근을 일정하고 예쁘게 채써는 방법이 궁금해요.

보기 좋게 채썰려면 일단 길이와 굵기를 일정하게 자르는 것이 비결이에요. 먼저 길이를 일정하게 자르되 가능한 한 얇게 써세요. 채썰 때는 자른 당근을 조금씩 겹쳐 끝에서부터 얇게 자르되 길이와 굵기가 균등해야 예쁘답니다.

plus tip

피망 예쁘게 채써는 법

울퉁불퉁한 피망을 가지런히 썰려면 먼저 세로로 반을 나눠 꼭지를 자른 다음 씨를 털어 주세요. 그런 다음 껍질 안쪽이 위를 향하도록 도마에 올려놓고 왼손으로 윗부분을 지그시 누르세요. 피망 안쪽에 칼날이 닿게 되면 미끄러지지 않고 예쁘게 썰린답니다.

#078 샐러드에 넣으려고 양배추를 썰었는데 모양새가 영 엉성해요. 가늘고 예쁘게 채써는 노하우를 알려주세요.

먼저 양배추를 1장씩 벗겨 차곡차곡 겹친 다음 2~3등분하세요. 이것을 다시 차곡차곡 겹친 다음 양끝을 안쪽으로 돌돌 말아 주세요. 말아

놓은 양배추를 왼손으로 지그시 누르고 오른쪽 끝에서부터 가늘게 채썰면 된답니다.
깻잎도 비슷한 방법으로 말아 채썰면 쉽고 고르게 채썰 수 있어요.

plus tip

양배추 네모썰기

양배추를 한 장씩 떼어 차곡차곡 겹쳐 놓고서 3cm 폭으로 길게 썰어 주세요. 그런 다음 길게 썬 잎을 모아 여러 겹 겹쳐 놓고 90도로 돌려 다시 3cm 폭으로 자르면 사각형이 완성된답니다.

#079 물에 담갔다가 사용해야 하는 재료에 이떤 것이 있나요?

요리를 하기 전에 물에 담가두는 것은 재료 자체에서 쓴맛이나 떫은맛이 나는 경우, 껍질을 벗기면 색깔이 쉽게 변하는 경우, 특유의 냄새가 강해 거슬리는 경우, 조직이 딱딱해 먹기 어려운 경우, 지저분한 것을 제거하기 어려운 경우 등입니다.

고구마 – 썰자마자 물에 담가두면 갈변을 막을 수 있어요.

양파 – 용도에 맞게 잘라 찬물에 담그면 매운맛이 빠져요.

감자 – 감자는 전분기가 있어 찬물에 담가 놓아야 끈적거리는 것을 막을 수 있답니다. 감자볶음을 하기 전에 찬물에 잠시 담갔다 꺼내면 부서지는 것도 막을 수 있어요.

콩 – 하룻밤 정도 물에 푹 담가 불리면 딱딱하지 않고 부드러워요.

말린 나물 – 조리 전 물에 충분히 담가 놓으면 질기지 않고 부드러워져요.

#080 더덕이나 도라지에서 나는 쓴맛은 어떻게 빼야 할까요?

더덕은 껍질을 벗기고 찬물에 담가두면 쓴맛이 대부분 빠져요. 담가두는 시간은 더덕에 따라 쓴맛의 정도가 다르므로 더덕에 맞게 조절하면 된답니다. 조금씩 떼어 먹어보면서 쓴맛이 거의 빠져나왔을 때 조리하세요.

도라지는 껍질을 벗겨 얇게 찢은 다음 소금을 넣고 물을 자작하게 부어 빨래하듯이 바락바락 주무르는 과정을 여러 번 반복해주면 쓴맛이 대부분 빠져나온답니다. 그래도 쓴맛이 많이 남았다면 도라지를 찬물에 1시간 정도 담가두었다가 다시 소금을 넣고 빨래하듯이 바락바락 주물러 씻으세요. 그럼 쓴맛이 한결 쉽게 빠져나간답니다.

plus tip

환상의 더덕구이 양념장

마늘 1큰술, 청주 1큰술, 고추장 2큰술, 간장 3큰술, 꿀 2큰술, 다진 양파 2큰술, 다진 파 3큰술, 참기름 1큰술 반, 깨소금 1큰술, 고춧가루 1큰술을 넣고 쓱쓱 버무려 주세요.

COOKING KNOW-HOW

치즈 향이 솔솔

브로콜리 치즈구이

준비하세요

브로콜리 200g, 새우 150g
청주 · 소금 조금씩
치즈소스 밀가루 4큰술
버터 4큰술, 우유 2컵
치즈 100g, 소금 조금

이렇게 만드세요

1 브로콜리는 먹기 좋게 작은 송이로 떼 내고 전자레인지에 살짝 익힌다.

2 새우는 묽은 소금물에 깨끗이 씻어 청주를 뿌리고 10분 정도 재운다.

3 프라이팬에 버터를 두르고 밀가루를 넣어 중불에서 타지 않도록 볶는다. 어느 정도 볶아지면 우유를 조금씩 넣어가며 멍울을 풀어주고 걸쭉해지면 치즈를 넣고 끓이다 소금으로 간을 맞춰 치즈소스를 완성한다.

4 청주에 재워 둔 새우는 랩을 씌우고 전자레인지에 3분간 익힌다.

5 데친 브로콜리와 새우, 치즈소스를 부어 4분 정도 전자레인지에 익힌다.

#089 봄나물을 무칠 때 향긋한 맛과 영양을 유지하고 싶어요.

어떻게 데쳐야 잘 데쳤다고 소문이 날까요?

나물을 맛있게 무치려면 알맞게 데쳐야 해요. 물이 끓기 시작하면 소금을 조금 넣고 뚜껑을 연 상태에서 재빨리 데치세요. 후다닥 데쳐야 비타민도 덜 파괴되고 무르지 않는답니다. 또, 많은 양을 데칠 때는 조금씩 나눠 데치세요. 많은 양을 한 번에 넣게 되면 물의 온도가 낮아져 시간도 걸리고 색도 탁해지거든요.
알맞게 데쳤으면 설탕, 소금, 식초, 참기름 순으로 넣고 조물조물 무쳐 향긋한 봄나물을 완성하세요.

mini tip!
나물이나 생채는 제철에 먹어야 싱그러운 맛과 향을 느낄 수 있어요.
봄철 대표적인 나물은 달래, 냉이, 씀바귀, 취, 두릅, 쑥, 돌나물 등이죠. 이 나물을 초고추장이나 된장 양념, 겨자소스 등에 조물조물 무치면 밥 한 공기는 뚝딱 이랍니다.

#090 가지를 찌다 보면 물러지는 경우가 있어요.

그렇다고 좀 덜 찌면 제대로 익지가 않고요. 어떻게 쪄야 할까요?

가지는 일정시간까지는 계속 덜 익은 듯 보이지만 어느 시점에 순식간에 무르므로 주의를 기울여야 한답니다.
우선 가지를 반으로 길게 가르고 가지 안쪽에 소금을 조금 흩뿌린 뒤 물기가 생기면 살짝 짜주세요. 그리고 찜통에 물이 끓어오르기 시작하면 가지를 얹는데 이때, 가지 껍질이 아래를 향하도록 놓아야 무르지 않고 잘 쪄진답니다. 가지 안쪽에 수증기가 직접 닿게 되면 가지가 물컹해지거든요.
이렇게 가지를 찜기에 올려놨으면 뚜껑을 닫고 5~7분 정도 찐 후 채반에 올려 식히세요. 언뜻 익지 않은 것 같지만 여열 때문에 가지가 골고루 익는답니다.

#091 오이무침에 물이 생겨서 양념이 싱거워졌어요. 어떻게 해야 물이 생기지 않을까요?

생오이를 양념에 그냥 무치면 당장 먹을 때는 괜찮지만 시간이 지나면서 맛이 밍밍해져요. 이는 오이에서 수분이 빠져나와 양념이 묽어지기 때문이죠.
오이에서 물이 생기는 것을 방지하려면 단촛물을 이용하세요. 먼저 오이를 썰어서 식초 2큰술, 설탕 1큰술, 소금 1/3큰술을 넣고 잘 버무린 다음 20~30분 정도 재워두세요. 이렇게 단촛물에 초절이를 해서 무치면 물도 생기지 않고 새콤달콤한 맛도 살아난답니다.

#092 채소를 전자레인지에 넣고 데칠 때 주로 비닐을 사용하는데 환경호르몬 때문에 걱정이 돼요. 다른 방법은 없을까요?

비닐 대신 집에서 흔히 쓰는 그릇과 접시, 젖은 수건을 이용해도 데칠 수 있답니다.
먼저, 전자레인지용 그릇에 젖은 채소를 넣고 큰 접시로 덮어주세요.

물에 촉촉하게 젖은 수건을 그릇 위에 덮어도 괜찮아요. 그런 다음 전자레인지를 돌려주면 비닐이나 랩을 사용한 것과 같은 효과를 볼 수 있답니다.

plus tip

냉동한 떡을 전자레인지로 방금 찐 떡처럼 만들기

냉동실에 보관한 떡을 찜기에 넣고 다시 찌면 수분이 골고루 배어 떡이 부드럽게 데워지지만 전자레인지로 데울 경우는 수분을 빼앗겨 딱딱해지고 건조해지기 쉬워요. 이럴 때는 전자레인지용 오목한 그릇에 떡을 넣고 물기가 있는 수건을 그릇 위에 살짝 덮어주세요. 그럼 수건의 수분이 떡이 마르는 것을 방지해 촉촉하게 데울 수 있답니다.

랩이나 비닐 없이 전자레인지로 고구마, 감자 찌기

오목한 그릇에 물에 젖은 감자나 고구마를 넣고 젖은 수건을 덮어주면 랩이나 비닐 없이도 전자레인지에서 고구마, 감자를 찔 수 있답니다. 단, 익는 동안 수건의 수분이 쉽게 마르므로 4~5분 정도 돌린 후에는 다시 수건에 물을 적셔주세요.

#093 오이나물을 볶았는데 물컹거려요. 아삭하게 볶는 방법이 없을까요?

먼저 오이에 소금을 솔솔 뿌려 버무려 놓으세요. 그런 다음 30분 정도 지나 오이를 있는 힘껏 꽉 짜면 물기가 빠져나오면서 오이가 투명해진답니다. 이때 간을 한번 살짝 보세요.
만약 간이 너무 짜면 오이를 물에 살짝 담갔다 다시 한 번 꽉 짜세요. 이때 염분이 조금 빠져나온답니다. 이렇게 절여서 물기를 짜낸 오이는 팬에 기름을 두르고 센 불에서 재빨리 후다닥 뒤적이며 볶으세요. 마지막에 통깨와 참기름을 솔솔 뿌려 버무려주면 아삭아삭한 오이나물이 완성된답니다.

plus tip

오잉~ 오이는 이렇게 써는구나

오이를 무칠 때는 둥근썰기를 많이 사용하지만 어슷썰기, 채썰기도 많이 쓰여요.

어슷썰기 오이를 가지런히 놓은 다음 칼을 비스듬하게 놓고 잘라주세요.
채썰기 넓적하게 편으로 썬 오이를 겹쳐 놓고 오른손으로 칼을 밀면서 길쭉하고 가늘게 써세요.
둥근썰기 왼손으로 오이를 누르고 똑바로 일정한 두께로 써세요. 얇게 썰 때는 왼쪽 손가락에 칼등을 대고 썰어야 다치지 않고 고르게 썰 수 있어요.

#094 소금에 절이거나 데친 채소의 물기를 쉽고 가지런하게 짜는 방법 없을까요?

물기를 짠 후 야채가 가지런하기를 바란다면 김발을 이용하세요. 김발은 말 때 약간의 공간이 생겨 뭉크러지지 않거든요. 김밥 싸듯 데친 야채를 가지런히 놓고 돌돌 말아서 꼭꼭 눌러주기만 하면 물기가 쉽게 빠진답니다.

mini tip!
물기를 꼭 짜야 할 때는 거즈로 싼 다음 김발로 물기를 짜주세요.

#095 알감자를 조렸는데 윤기도 나지 않고 간도 속까지 배지 않았어요. 방법이 없나요?

알감자는 냄비에 물을 부어 삶거나 전자레인지나, 팬에 미리 익힌 다음 팔팔 끓는 양념장에 넣고 뒤적이며 서서히 조려야 간이 잘 밴답니다.
보통 조청이나 물엿은 윤기를 내고자 마지막 조림장이 거의 졸아들었을 무렵 넣어주는 경우가 많죠? 하지만 알감자조림은 처음부터 물엿을 넣고 조려야 껍질에 주름이 자글자글 잡히고 감자가 무르지 않고 단단해진답니다.
마지막으로, 양념장이 거의 졸아들었을 때 센 불에서 우르르 끓여주세요. 이렇게 수분을 빨리 증발시키면 윤기도 자르르 흐르고 감자껍질의 주름도 선명하게 잡힌답니다.

COOKING KNOW-HOW

동글동글 귀여운

알감자조림

준비하세요

작은 알감자 300g

청 · 홍고추 1개씩

통깨 조금

양념

다시마물 1컵

간장 3큰술, 쪽마늘 4쪽

설탕 · 청주 2큰술씩, 물엿 1큰술

이렇게 만드세요

1 알감자는 껍질째 깨끗이 손질해 키친타월로 물기를 제거하고 전자레인지에 넣어 5분 정도 돌린다.

2 청고추와 홍고추는 반을 갈라 씨를 털어내고 다진다.

3 다시마물에 간장, 쪽마늘, 설탕, 청주, 물엿을 넣고 양념장을 만든다.

4 냄비에 익힌 감자를 넣고 양념을 자주 끼얹어가며 약한 불에서 은근히 조린다.

5 어느 정도 졸았으면 감자조림에 잘게 썬 청고추, 홍고추를 넣고 우르르 조린 다음 통깨를 뿌린다.

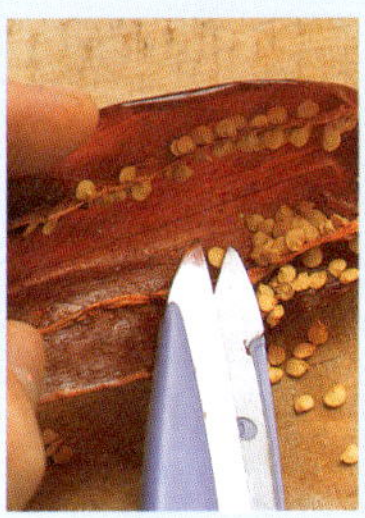

#096 맛있는 고추장떡을 만들려고 여러 가지 채소를 넣었는데 오히려 찐득해졌어요. 무엇이 문제일까요?

고추장떡을 만들 때 호박, 양파 등 물기가 많은 채소를 넣게 되면 채소에서 수분이 빠져나와 장떡이 잘 부쳐지지 않고 눌어붙기 쉬워요. 이럴 때는 반죽할 때 평소보다 물을 조금만 넣으면 훨씬 나아진답니다. 된장도 알맞게 넣어야 짜거나 질척하지 않아요.

고추장떡을 부칠 때는 윗면이 살짝 익을 때까지 느긋하게 기다렸다 한 번만 뒤집어 노릇노릇하게 구워내세요. 이러저리 뒤집게 되면 기름이 많이 스며들어 느끼하고 맛도 떨어진답니다.

plus tip

부추깻잎고추장떡을 만들어 볼까요

재료 _ 밀가루 1컵반, 물 2/3컵, 고추장 1큰술반, 된장 1큰술, 부추 80g, 깻잎 10장, 풋고추 5개, 식용유 적당량

1 밀가루에 물과 고추장, 된장을 넣고 골고루 저어준다.
2 부추와 깻잎은 손질해서 채썰고, 풋고추는 다져서 준비한 반죽에 넣어 섞는다.
3 식용유를 넉넉히 두르고 반죽을 노릇하게 부친다.

#097 깻잎간장절임을 감칠맛 나게 요리하는 비법이 있나요?

깻잎간장절임의 맛은 간장물이 좌우해요. 간장물을 만들 때 맹물 대신 멸치국물이나 다시마물을 넣으면 짠맛도 덜하고 한결 감칠맛이 난답니다.
깻잎찜을 할 때는 양념한 깻잎을 대접에 담아 중탕으로 찌거나 밥물이 끓을 때 밥 위에 얹어 찌면 훨씬 쉬워요.

plus tip

깻잎간장절임을 만들어 볼까요

재료_깻잎 400g, 양파 1/2개, 생강 20g, 청·홍고추 2개씩, 마늘 5쪽 **간장물** 다시마국물 1컵, 간장 4큰술, 통후추 6개, 설탕 1큰술, 물엿 2큰술, 소금 1작은술, 대파 3뿌리

1 깻잎은 한 장씩 깨끗이 손질한다.
2 양파와 생강은 채썰고 마늘은 저며 썬다. 청·홍고추는 송송 썰어 깻잎에 켜켜이 넣는다.
3 분량대로 섞은 간장물을 끓여서 깻잎 위에 붓는다.
4 하루가 지난 뒤 깻잎 간장물을 따라내 다시 끓여 반 으로 분량이 졸아들면 불을 끈다. 졸인 간장물을 식혀 깻잎 위에 붓는다.

#098 가지를 맛있게 무치는 요령을 알고 싶어요.

보통 나물이나 볶음을 할 때 바로 기름에 볶는 경우가 많지요. 하지만 가지는 기름을 빨아들이는 성질이 있어 기름을 두르고 볶으면 스펀지처럼 기름을 모조리 흡수해요. 그래서 가지요리는 미리 찌거나 데쳐서 물기를 제거한 다음 양념장에 무친답니다.

plus tip

유용한 가지 손질법

가지는 써는 즉시 연한 소금물에 담가두세요. 가지를 썰어 공기 중에 그냥 두면 산소와 접촉해 색이 변하거든요. 물에 담가두면 갈변도 막고 떫은맛도 제거할 수 있어요.

#099 호박볶음을 하면 물기가 생겨 아삭하고 살캉한 맛이 안 나요.

애호박의 빛깔도 살리고 살캉살캉 씹히는 맛도 느끼려면 얇게 저며 썬 호박에 소금을 솔솔 뿌려 살짝 절였다가 사용하세요. 절인 호박은 물기를 꼭 짜서 볶는데, 이때 미리 팬을 뜨겁게 달군 후 호박을 재빨리 볶아야 무르지 않는답니다.

호박을 볶았으면 바로 넓은 접시에 쏟아 열기를 식히세요. 참고로 가지나 무를 볶을 때도 같은 방법을 사용하면 아삭한 질감을 느낄 수 있답니다.

COOKING KNOW-HOW

살캉살캉 감칠맛 나는

애호박 마른새우볶음

준비하세요

애호박 1/2개, 마른 새우 1/2컵
홍고추 1개, 다진 파 1/2큰술
다진 마늘 1작은술
깨소금 1작은술
소금 · 참기름 · 식용유 조금씩

이렇게 만드세요

1 애호박은 반달로 썰어 소금에 절이고 고추는 반으로 갈라서 채썬다.

2 마른 새우는 면 보자기에 싸서 살살 비벼 잡티를 털어낸다.

3 팬에 마른 새우를 넣고 약한 불에서 살살 볶는다.

4 키친타월로 팬을 닦고 식용유를 조금 두른 다음 애호박 썬 것을 넣어 볶다가 반 정도 익으면 마른 새우를 넣어 볶는다.

5 어느 정도 익으면 홍고추 채썬 것, 다진 파, 다진 마늘, 깨소금, 소금을 넣어 간을 하고 마지막에 참기름을 솔솔 뿌려 고루 섞는다.

 ▶  ▶ 

TO-NIGHT'S
No. 9519.—Vol. LXI.
SOLD BY ALL TOBACCONISTS
TOBACCO AND CIGARETTES.
PLAYER'S
NAVY CUT

#100 감자는 무조건 찬물에 담가 전분기를 빼고 조리해야 하나요?

예외는 없나요?

일반적으로 감자는 써는 즉시 찬물에 담가 전분기를 빼는 것으로 알고 있지요. 실제로 감자요리의 경우 약 80% 정도는 감자의 전분기를 제거하고 요리를 한답니다.

감자볶음이나 감자양념조림 등이 대표적인 예지요. 국, 찌개에 넣을 때도 마찬가지고요. 단, 된장찌개에 넣는 감자는 예외랍니다. 전분기를 제거하지 않고 그대로 넣지요. 그래야 전분기가 된장과 어우러지면서 웃물이 생기는 것을 막아주고 구수해지거든요. 스위스식 감자 부침개인 '뢰스티' 도 전분기를 빼지 않고 요리한답니다. 이 요리는 전분기가 있어야 서로 잘 들러붙어 모양도 예쁘고 쫀득쫀득 맛도 있답니다.

plus tip

쫀득한 뢰스티를 만들어 볼까요

재료 _ 감자 2개, 베이컨 6장, 양파 1/2개, 피사치즈 1/3컵, 소금 · 후춧가루 조금씩, 버터 적당량

1 감자와 양파는 최대한 가늘게 채썰고 베이컨은 잘게 잘라 골고루 섞고서 소금으로 간을 맞춘다.
2 팬에 버터를 두르고 얇게 편다.
3 감자가 어느 정도 지글지글 구워지면 뒤집는데 그 위에 피자치즈를 솔솔 뿌려 녹인다.

#101 지난 가을 시골에서 보내준 묵은나물로 상을 차리려고요. 묵은나물 볶을 때 주의해야 할 점이 있나요?

mini tip!
말린 도라지는 천식이나 기관지가 좋지 않은 사람에게 약용으로 많이 쓰여요. 말린 도라지를 냄비에 넣고 물을 부어 중불에서 뭉근하게 끓인 뒤 그 물을 마시면 목이 한결 나아진답니다.

묵은나물은 묵나물로도 불리며 가을에 말려 묵혀 두었다가 나중에 삶아 먹는 나물을 가리킨답니다. 특히, 정월대보름날이면 여러 종류의 묵나물을 먹는 풍속이 있지요. 이렇게 제철에 말려둔 묵은나물이나 도라지, 고사리 등 줄기를 먹는 나물은 살짝 무르도록 삶아야 제 맛이 난답니다. 씹는 질감도 부드럽고요.

또 식용유보다는 가능하면 참기름이나 들기름으로 볶아야 맛이 훨씬 좋답니다. 일반적으로 흰색 나물에는 소금을, 다른 나물에는 간장을 써서 볶는데 묵나물에는 국간장을 써야 감칠맛이 납니다.

#102 시래기된장나물을 맛있게 무치는 방법이 궁금해요.

마른 시래기는 찬물에 담가 충분히 불렸다가 쌀뜨물을 넣어 푹 삶으면 잡맛도 사라지고 질감도 부드러워져요. 이렇게 삶은 시래기는 된장과 다진 마늘, 생강즙을 넣어 조물조물 무친 후 예열된 팬에 들기름을 두르고 충분히 볶아주세요.

이렇게 볶은 시래기에 쌀뜨물을 부어 조리다가 파와 고추를 넣어 뒤섞은 후 마지막으로 들깨가루를 넣어 무치면 아주 고소하고 맛있는 시래기 된장나물이 완성된답니다.

#103 양파장아찌를 담글 때 양파의 아삭한 맛을 살리는 방법이 있나요?

손질한 양파는 바로 간장에 절이지 말고 식초와 물을 1:1 비율로 섞은 식촛물에 하루 정도 절이세요. 그러면 양파의 아삭한 맛이 한결 살아난답니다.
양파를 간장에 절일 때도 중간 중간 뒤집어 주면 간장 양념이 골고루 배어 맛도 좋고 색도 예뻐요.

plus tip

살캉살캉 씹히는 양파장아찌를 만들어 볼까요

재료 _ 양파 5개, 식초 · 물 1컵씩, 진간장 2컵, 설탕 1/4컵, 마른 홍고추 2개

1 양파는 껍질을 벗기고 십자형으로 자른다.
2 자른 양파를 그릇에 담고 식조와 물을 1:1 비율로 섞어 하루 정도 절인다.
3 마른 홍고추는 거즈로 먼지를 닦고 2~3등분으로 어슷하게 썬다.
4 분량대로 식초, 물, 진간장, 설탕을 섞어 바글바글 끓인다.
5 식촛물에서 건진 양파 위에 끓여 놓은 양념을 붓는다.
6 밀폐용기에 담아 홍고추를 띄워 2~3일 정도 삭힌다.

#104 무가 주재료인 무조림은 맛을 내기가 너무 어려워요. 무조림에 감칠맛을 내는 방법 없을까요?

무를 조릴 때 멸치를 몇 개 넣어주면 별다른 재료 없이도 감칠맛이 난답니다. 먼저 무를 깨끗이 씻은 다음 먹기 좋은 크기로 썰어 간장, 설탕, 청주, 다시마, 멸치, 물을 넣고 조리면 짭조름하면서도 입맛 당기는 무조림이 완성되지요. 칼칼한 맛을 내고 싶다면 청양고추를 송송 썰어 넣어주세요.

#105 고사리를 하룻밤 불리고 푹 삶았는데도 질겨요. 어떻게 해야 부드러운 고사리를 먹을 수 있을까요?

먼저 고사리 밑동을 잘랐는지 확인하세요. 고사리 밑동이란 손으로 눌러 줄기 끝의 비틀어진 단단한 부분이죠. 이것을 잘라내지 않고 삶으면 아무리 불리고 볶아도 부드러워지지 않는답니다.
생고사리를 이용할 때는 다듬어 놓은 고사리를 소금물에 담갔다 체에 건져 무치거나 볶고, 말린 고사리를 이용할 때는 따뜻한 물에 하루 정도 담갔다가 끓는 물에 삶은 뒤 찬물에 한참 담가두면 부드러워져요. 그래도 뻣뻣하다면 단단한 줄기를 칼편으로 두들긴 다음 국간장을 넣고 양념할 때 물을 조금 더 넣어 은근한 불에서 좀 더 익히면 고사리가 한결 부드러워진답니다.

COOKING KNOW-HOW

입맛 돋우는 별미 반찬

고사리나물

준비하세요

고사리 200g
국간장 · 참기름 2큰술씩
다진 마늘 2작은술
다진 파 1작은술
소금 · 통깨 조금씩
식용유 2큰술

이렇게 만드세요

1 연한 고사리를 준비해 미지근한 물에 담가 불린 다음 팔팔 끓는 물에 데친다.
2 데친 고사리는 소금물에 헹궈 억센 줄기는 잘라내고 먹기 좋은 크기로 자른다.
3 고사리를 그릇에 담고 국간장과 참기름, 다진 파, 다진 마늘을 넣고 무친 뒤 잠시 재운다.
4 팬에 기름을 두른 다음 재운 고사리를 넣고 뚜껑을 닫아 잘 볶는다.
5 고사리에 소금을 넣어 간을 맞춘 다음 통깨를 솔솔 뿌린다.

#106 콩나물을 삶은 다음 찬물에 담갔다가 시어머님께 혼이 났어요.

뭐가 잘못된 걸까요?

콩나물의 주 영양소는 수용성 비타민인 비타민 C로 열에 약할 뿐 아니라 물에 쉽게 녹아요. 따라서 데친 콩나물을 찬물에 헹구면 영양소가 2번 파괴되지요. 만약 아삭한 맛을 즐기고 싶다면 뜨거운 상태에서 건진 콩나물을 채반에 넓게 펴서 열기가 빨리 빠져나가도록 하세요.

또 한 가지 방법은 머리를 떼고 아삭할 정도로 살짝 익히는 방법이에요. 비린내가 나는 머리 부분을 떼면 굳이 오래 익힐 필요가 없거든요. 그래서 아귀찜 같은 찜 요리는 콩나물의 머리를 떼고 익힌답니다.

plus tip

콩나물 머리 쉽게 떼는 방법

콩나물 적당량을 손에 쥐고 깨끗한 빗을 콩나물 머리 밑에 끼운 뒤 당겨주세요. 콩나물 머리가 우수수 떨어진답니다.

#107 콩나물무침을 하려고 콩나물을 삶았는데 푹 퍼졌어요.

콩나물을 아삭하게 삶는 방법이 있나요?

콩나물을 데칠 때 지나치게 푹 삶으면 콩나물 속의 수분이 많이 빠져나와 콩나물이 푹 퍼져요. 콩나물을 데칠 때는 냄비에 물을 조금만 넣고 콩나물을 넣어 뚜껑을 닫은 채 끓이다가 김이 솟아오르면 바로 불을 끄고 뚜껑을 덮은 채 남은 열로 5분에서 7분 정도 뜸을 들이세요.

익힌 콩나물은 건져내 물기를 빼고 재빨리 식히면 통통하고 아삭한 콩나물이 된답니다.

#108 오이피클같이 초절임에 어울리는 오이가 따로 있나요?

초절임을 할 때는 껍질이 얇고 물이 많은 백오이가 좋아요. 백오이는 조선오이라고도 불리며 아삭아삭 씹히는 맛도 좋고 설탕이나 식초가 잘 배어들어 오이지나 오이피클, 물김치 등에 많이 이용된답니다.

plus tip

아삭아삭 오이피클을 만들어 볼까요

재료 오이 10개, 굵은 소금 3큰술, 설탕 · 식초 1/4컵씩, 물 6컵, 마른 홍고추 2개

1 오이는 굵은 소금으로 껍질을 박박 문질러 씻은 다음 소금을 살짝 뿌려 절인 후 물기를 대충 짠다. 이때 취향에 따라 오이를 잘라주면 훨씬 먹기 편하다.
2 냄비에 설탕과 식초, 물, 마른 홍고추를 넣어 한소끔 팔팔 끓인 후 식힌다.
3 손질한 오이에 끓인 촛물을 부어 실온에서 하루 정도 삭힌다.
4 밀폐용기에 오이를 차곡차곡 담아 보관한다.

#109 마른 취나물과 고사리나물은 그냥 물에 불렸다가 볶으면 되는 건가요?

어느 정도 불리면 되나요?

바짝 마른 나물은 불렸다가 삶는 과정을 몇 번 반복해줘야 부드러워진답니다. 먼저 마른 나물은 찬물에 푹 담가 하룻밤 정도 불린 후 다음 날 1~2시간 정도 푹 삶아서 뚜껑을 덮은 채로 3~4시간 정도 두세요. 그리고 물을 갈아 다시 한 번 삶은 후 앞에서와 마찬가지로 3~4시간 정도 그냥 두세요. 이런 과정을 몇 번 반복하다 보면 나물이 무르고 부드러워지는데, 그때 그 과정을 멈추고 달달 볶으세요.
다소 번거롭고 인내심이 필요한 과정이니 한꺼번에 많이 삶아두었다가 한 번 먹을 분량씩 비닐봉지에 넣어 냉동실에 넣어두고 그때그때 사용하는 것이 좋아요.

mini tip!
나물을 삶을 때 쌀뜨물을 사용하면 더욱 맛이 좋지요.

plus tip

먹고 남은 나물을 이용해 나물밥전을 만들어 볼까요

재료 _ 각종 나물 1컵, 밥 2공기, 녹말가루 2큰술, 달걀 1개, 빵가루 적당량, 소금 · 식용유 조금씩

1 각종 나물은 2cm 정도로 잘게 썬다.
2 밥에 잘게 썬 나물과 달걀, 녹말가루, 빵가루, 소금을 넣고 골고루 섞이도록 치댄다.
3 재료를 골고루 섞은 밥은 동그랗게 모양을 만들어 넓은 팬에 식용유를 두르고 노릇노릇하게 굽는다.

#110 무생채를 만들려고 무를 사왔는데, 조금 먹어보니 아린맛이 나요.

아린맛을 없애는 방법이 없을까요?

mini tip!
맵고 아린 무로 조림이나 국을 만들 때는 팔팔 끓는 물에 2~3분 정도 데친 후 찬물에 헹궈 사용하면 신기하게 매운맛이 사라진답니다.

무에서 아린맛이 나면 조리하기 전 찬물이나 사이다에 1시간 정도 담가 두었다가 사용하세요. 이렇게 담가놓은 무로 생채나 깍두기를 담그면 톡 쏘는 알싸한 맛이 살아있어 맛도 한결 좋아요.
취향에 따라 식초, 설탕, 소금을 넣고 초벌로 버무려도 아린맛이 줄어들고 새콤달콤한 맛이 난답니다.

plus tip

무 채썰기
무는 적당한 크기로 토막을 내고 수세미로 문지르거나 칼로 껍질을 벗기세요. 그런 다음 측면 일부를 잘라 편평하게 하고 도마 위에 세워 움직이지 않도록 놓아야 다치지 않고 쉽게 자를 수 있답니다. 그 다음 왼손으로 무를 꼭 잡고 칼을 수직으로 내려 0.2cm 두께로 썰어 두세 장씩 가지런히 겹쳐 늘어놓으세요. 마지막으로 섬유질 방향을 따라 칼날을 끝부터 수직으로 내리면 채가 고르게 썰린답니다.

#111 더덕구이를 했는데 양념 맛이 겉돌고 밍밍해요. 양념이 잘 배게 굽는 방법이 궁금해요.

맛이 겉돌지 않고 더덕에 양념이 푹 배게 하려면 굽기 전에 양념고추장을 발라서 적어도 20분간 재우세요. 그래야 구웠을 때 맛이 충분히 배어들어 제 맛을 느낄 수 있어요.
또는 자근자근 두드려 편 더덕에 참기름과 소금을 섞어 발라 애벌구이한 다음 그 위에 양념고추장을 발라 구우면 양념도 타지 않고 간도 잘 밴답니다. 더덕 양념이 타지 않도록 약한 불에서 은근히 굽는 것도 요령이에요.

mini tip!
더덕 400g 기준일 때 고추장 1큰술반, 간장 1/2큰술, 다진 파 1큰술, 다진 마늘 1/2큰술, 설탕 1큰술, 깨소금 1/2작은술, 참기름 1작은술을 골고루 섞어주면 매콤달콤한 양념장이 완성된답니다.

#112 무말랭이를 물에 담가 두었더니 푹 퍼졌어요. 무말랭이는 어느 정도 불려야 적당하게 꼬들꼬들해지죠?

무말랭이는 너무 오래 불리면 무가 퍼져 오돌오돌한 맛이 없어요. 무말랭이를 불릴 때는 양념장의 수분까지 고려하여 찬물에 약 15~20분 정도 살짝 불리세요.
기호에 따라 불리는 시간을 살짝 가감하는 것도 방법이죠. 이렇게 불린 무말랭이는 물기를 꼭 짠 다음 양념에 무쳐야 꼬들꼬들하답니다. 참고로 많은 양을 무칠 때는 참기름을 미리 넣지 말고 먹을 때마다 조금씩 넣어 무치세요.

COOKING KNOW-HOW

꼬들꼬들 고향의 맛
무말랭이무침

준비하세요
무말랭이 3줌, 말린 고춧잎 2줌
풋고추 1~2개

양념장
고춧가루 2큰술반
고추장 1큰술, 간장 1큰술
까나리액젓 2큰술
쌀엿 3~4큰술, 다진 마늘 1큰술,
참기름 1큰술, 통깨 적당량

이렇게 만드세요

1 무말랭이는 꼬들꼬들한 질감이 살아 있도록 적당히 불린 다음 건져내 바락바락 문질러 씻은 뒤 물기를 짠다.

2 고춧잎은 2시간 정도 불린 다음 물기를 꼭 짠다.

3 고춧가루, 고추장, 간장, 까나리액젓, 쌀엿, 다진 마늘, 참기름, 통깨를 넣고 조물조물 섞는다. 이때 너무 질척하면 쌀엿을 줄이고 설탕을 넣는다.

4 양념장에 풋고추를 다져 넣고 무말랭이와 고춧잎을 넣어 골고루 버무린다.

#113 생강 껍질을 벗기다 보니 지나치게 알맹이가 작아졌어요. 생강 껍질을 얇고 수월하게 벗기는 방법이 있나요?

생강이 가진 특유의 향은 껍질 바로 아래가 가장 강해요. 따라서 칼로 껍질을 두껍게 벗기면 향도 없어지고 생강 크기도 작아지죠.
생강의 독특한 향도 유지하면서 껍질도 쉽게 벗기려면 위생 젓가락의 각을 눕혀 생강 껍질에 대고 안쪽에서 바깥쪽으로 밀어주세요. 싹싹 잘 벗겨진답니다. 망사로 된 천을 이용해도 잘 벗겨져요. 거친 망사 조각을 손끝에 감거나 접어 생강 껍질에 대고 수세미처럼 박박 문질러주세요. 감쪽같이 잘 벗겨진답니다.

plus tip

생강 사용하기

생강은 독특한 향이 있어 고기나 생선의 누린내를 제거하는 데 특효예요. 그러나 덩어리가 씹히면 오히려 입맛을 상하게 하므로 곱게 다지거나 얇게 저미는 것이 좋답니다. 경우에 따라서 강판에 갈아 즙만 사용하기도 하지요.

#114 무침요리를 맛있게 하기 위해 기억해야 할 핵심 포인트는 뭔가요?

무침요리에는 생으로 무치는 방법, 소금에 절여 무치는 방법, 데쳐서 무치는 방법이 있는데, 이러한 무침요리의 포인트는 꼭 먹기 직전에 무쳐야 한다는 점이에요. 미리 무쳐두면 시간이 지날수록 재료에서 수분이 빠져나와 간도 밍밍해지고 맛도 없답니다. 무치기 전에 물기를 없앤 후 밑간을 하는 것도 좋은 방법이에요. 무칠 때는 젓가락보다는 손으로 조물조물 무쳐야 간이 제대로 밴답니다.

#115 볶음 요리에 향을 내려고 마늘을 자주 사용하는데 가끔 쓴맛이 나요. 이유가 뭘까요?

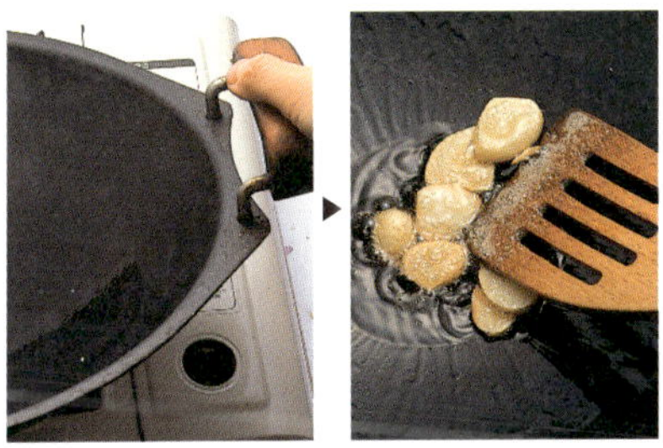

마늘을 너무 센 불에 볶지 않았나요? 마늘을 센 불에 볶으면 금방 타서 쓴맛이 나거든요. 이때 쓴맛이 기름에 배면 볶음 요리에서도 쓴맛이 나게 됩니다.

마늘을 충분히 볶아주지 않았을 때도 쓴맛이 날 수 있어요. 마늘은 약한 불에서 충분한 시간을 두고 뭉근히 볶아냈을 때 가장 좋은 향을 낸답니다. 볶음 요리를 할 때는 기름을 두른 팬에 마늘을 넣고 은근한 불에서 충분히 볶아 마늘 향이 잘 우러나도록 한 뒤 다른 재료를 넣고 같이 볶으세요.

plus tip 야채 볶을 때 소금 넣는 타이밍

소금으로 채소의 간을 맞출 때는 요리하기 전 날것인 상태에서 넣으세요. 채소가 익은 다음 소금을 넣게 되면 채소에서 물기가 나와 음식이 처져요.

#116 국이건 반찬이건 두부를 넣으면 맛이 밋밋해져요. 왜 그럴까요?

음식 맛이 밍밍해지는 것은 두부에서 나오는 수분 때문이에요. 이럴 때는 두부를 미리 전자레인지에 넣고 살짝 가열하거나 조리 전에 소금을 훌훌 뿌려 두면 수분이 나오는 것을 막을 수 있어요. 특히 볶음이나 튀김을 할 때는 미리 소금을 뿌려 두면 간도 배고 물기도 잘 빠진답니다.

plus tip

두부 으깨기

두부를 도마에 올려놓고 칼을 비스듬히 눕혀 칼배로 지그시 눌러 으깨세요. 두부 입자가 부드러워 잘 으깨진답니다. 만두속이나 완자를 만들 때는 깨끗한 행주를 이용해 비틀어 짜면 물기도 쏙 빠지고 곱게 부서져요.

#117 무나물을 볶으면 색이 누렇게 변해요. 희고 깨끗하게 볶는 방법은 없을까요?

채친 무를 처음부터 기름에 둘러 볶게 되면 색이 누렇게 변해요. 직접 기름에 볶지 말고 냄비에 무만 넣고 소금을 솔솔 뿌린 뒤 살짝 익혀주세요. 이렇게 익힌 다음 볶으면 깨끗하게 볶을 수 있답니다.

COOKING KNOW-HOW

깔끔하고 담백한 맛

무나물

준비하세요

무 200g, 식용유 1큰술
소금 1작은술, 다진 파 1작은술
다진 마늘 1/2작은술
깨소금 1/4작은술
참기름 1/2작은술

이렇게 만드세요

1 무는 납작하게 썬 뒤 일정한 길이로 채썬다.

2 냄비에 무를 넣고 소금을 뿌린 뒤 무가 투명해질 때까지 중불로 살짝 익힌다.

3 팬에 무와 식용유, 소금, 다진 파, 다진 마늘을 넣고 달달 볶는다.

4 깨소금과 참기름을 넣고 가볍게 섞어준다.

▶

▶

#118 야채를 볶을 때 물이 자꾸 생겨요.

물기 없이 맛있게 볶는 방법 없을까요?

야채볶음의 포인트는 커다란 냄비에 적은 양을 넣고 센 불에서 재빨리 볶는 것이랍니다. 그래야 채소가 지닌 맛과 영양을 그대로 유지할 수 있어요. 그리고 가능한 넓은 철제 프라이팬이나 철제 중국 냄비를 사용하세요. 열전도율이 빠르고 냄비 표면적이 커 야채에서 물기가 나올 시간도 없이 빨리 조리할 수 있답니다.

한 번에 볶는 양은 약간 적다 싶을 만큼 넣으세요. 특히 여러 종류의 야채를 볶을 때는 한 번에 다 볶지 말고 첫 번째 채소를 넣은 후 프라이팬 온도가 올라갈 때까지 기다렸다가 다음번 채소를 넣어야 맛있는 야채볶음을 만들 수 있답니다.

#119 손님 초대메뉴로 고추잡채를 했는데 맛도 없고 물도 많이 생겼어요.

왜 그럴까요?

야채가 많이 들어간 볶음 요리는 단시간에 고온에서 조리해야 아삭아삭 씹히는 맛을 유지할 수 있어요. 하지만, 집에서 쓰는 가스레인지의 화력은 업소용보다 훨씬 약하기 때문에 많은 양을 볶을 때는 아무리 뜨겁게 예열한 팬이라도 음식에 열이 충분히 전달되지 못하죠. 이는 많은 재료가 들어가면서 팬 온도를 금방 떨어뜨리기 때문이에요. 이렇게 미적지근한 열로 장시간 조리하면 고기도 질겨지고 야채에서 물이

나와 맛도 떨어지게 된답니다.
많은 양을 볶을 때는 뜨겁게 달궈진 팬에 고기를 먼저 단시간에 볶아 내고 다른 그릇에 옮겨 놓으세요. 그리고 그 팬에 채소를 넣고 다시 고온에 단시간에 볶아내면 풍미도 더해지고 물도 생기지 않는답니다. 이렇게 각각의 재료를 따로 볶은 다음 다시 합쳐서 버무리면 많은 양의 볶음 요리도 물기 없이 맛있게 볶을 수 있지요.

plus tip

고기에 녹말가루를 넣는 센스~

고추잡채를 만들 때 고기에 녹말가루를 조금 넣어 같이 재워두면 고기도 부드러워지고 볶으면서 생기는 수분도 흡수되어 훨씬 맛이 좋답니다. 게다가 윤기까지 자르르 흐르고요. 고기를 양념에 재울 때는 꼭 녹말가루를 넣어주세요!

#120 상추겉절이를 하면 너무 숨이 빨리 죽어서 모양이 예쁘지가 않아요. 좋은 방법 없을까요?

상추를 마지막으로 씻을 때 찬물에 참기름 1큰술을 넣고 그 물에 상추를 담갔다 꺼낸 다음 체에 밭쳐 물기를 제거하세요. 상추 표면에 기름막이 얇게 형성되어 양념을 넣고 버무려도 금세 숨이 죽지 않는답니다. 반질반질 윤기도 나고요.
참기름을 넣고 헹군 상추는 반드시 먹기 직전에 무치세요. 또, 겉절이를 무칠 때 한 번에 먹을 만큼만 무치세요. 그럼 오랫동안 생생한 맛을 즐길 수 있답니다.

#121 콩자반을 만들었는데 콩이 돌처럼 딱딱해요. 뭐가 잘못된 걸까요?

콩이 덜 익은 상태에서 간장을 넣으면 콩이 돌처럼 딱딱해져요. 콩은 꼭 다 익은 다음에 양념을 넣고 조려야 한답니다.

plus tip

부드러운 콩자반을 만들어 볼까요

재료 _ 검은콩 1컵, 물 2컵, 간장 6큰술, 설탕 · 물엿 2큰술씩, 술 2큰술, 참기름 1작은술, 통깨 1작은술

1 콩은 지저분한 불순물을 제거하고 하룻밤 불린다.
2 콩에 물을 넣고 약한 불로 삶되 콩이 완전히 익을 때까지 뚜껑을 열지 않는다.
3 콩이 완전히 익었으면 간장과 설탕, 술을 넣고 조린 다음 불을 끄고 물엿과 참기름, 통깨를 넣고 버무린다.

#122 고추를 삭혀두면 두루두루 활용하기 좋아요. 고추는 어떻게 삭히나요?

우선 꼭지부분까지 무르지 않고 단단하게 잘빠진 고추를 고르세요. 고추를 잘 골랐으면 꼭지를 떼지 않고 그대로 깨끗하게 씻은 후 물기를 잘 닦으세요. 꼭지를 떼면 그 부분으로 물기가 스며들어 나중에 쉽게 무른답니다. 고추를 삭힐 때는 물과 소금을 10:1 비율로 넣고 팔팔 끓인 다음 고추가 소금물에 푹 잠기도록 부어 주세요. 이때 고추가 떠오르지 않도록 무거운 것으로 지그시 누른 뒤 그늘지고 서늘한 곳에 이틀 정도 삭혀두세요. 이틀 후 소금물만 따라내고 팔팔 끓인 다음 식혀서 다시 고추에 붓고 3~4일 정도 삭히세요. 이 과정을 3번 정도 반복해 한 달간 삭히면 맛있는 삭힌 고추가 완성된답니다.

삭힌 고추는 동치미를 담을 때 넣거나 무쳐 먹으면 맛이 아주 좋답니다. 밥반찬으로 그만이지요.

plus tip

삭힌 고추가 된장을 입다!

삭힌 고추를 된장에 박아 한 달 정도 두면 그 맛이 된장에 배어 칼칼하면서도 독특한 맛이 난답니다. 된장찌개를 끓일 때 넣어 주면 따로 고추를 넣지 않아도 매콤하지요. 또 박아 둔 고추는 양념을 털어내고 장아찌처럼 먹거나 송송 썰어 각종 나물에 넣고 버물버물 무쳐도 아주 맛있어요.

#123 고추를 삭혔는데 국물 색이 탁해지더니 이내 물러버렸어요.

무엇이 문제일까요?

먼저 고추 자체가 단단하고 싱싱한 것이었는지 아니었는지 확인하세요. 혹은 소금물이 덜 짠지, 보관해둔 곳이 따뜻했는지 체크하세요. 이러면 고추가 무르고 국물이 탁해지거든요. 고추를 삭히려고 담아둔 용기가 꽉 밀봉되지 않거나 고추를 무거운 것으로 눌러놓지 않아 고추가 둥둥 떠도 그런 경우가 생길 수 있어요.

우선 늦여름이나 초가을에 나오는 고추로 단단하고 싱싱한 것을 구입하세요. 소금물은 물과 소금의 비율이 10:1 혹은 9:1 정도로 아주 짜게 만들어야 상하지 않는답니다.

끓는 소금물을 고추에 부을 때는 고추가 소금물에 푹 잠기도록 충분히 부어주세요. 또 고추에 부은 소금물이 식으면 돌이나 다른 무거운 그릇으로 눌러 고추가 떠오르지 않게 하세요.

마지막으로 고추를 삭힐 때는 뚜껑으로 공기가 들어가지 않도록 꽉 조여 시원한 곳에 보관해야 한답니다.

#124 언 두부를 실온에 녹였더니 스펀지 같은 느낌이 나네요. 얼었던 두부를 맛깔나게 요리하는 방법이 없을까요?

얼었다 녹은 두부는 수분이 빠져나와 식감이 질기고 거칠지요. 바로 그 스펀지 같은 거친 느낌을 살리려고 일부러 얼리는 경우도 있답니다.

먼저 얼었다 녹은 두부를 먹기 좋은 크기로 썰어 녹말가루를 살짝 입히세요. 그런 다음 바삭하게 튀겨 탕수육이나 깐풍기처럼 고기 대신 소스에 버무리면 맛이 아주 좋답니다.

혹은 불고기 양념이나 닭갈비 양념에 재워 고기 대신 볶아도 좋아요. 마지막으로 조금 색다른 방법인데요. 언 두부를 녹여 마른 수건으로 수분을 제거한 뒤 길게 채썰어 달콤한 양념에 조리면 김밥 속 재료로 아주 훌륭하게 쓰일 수 있답니다.

COOKING KNOW-HOW

두부 소 넣은
아이디어김밥

준비하세요
얼린 두부 1모, 소금 조금
식용유 적당량

양념장
물 · 간장 4~5큰술씩
청주 · 참기름 1큰술씩
설탕 1큰술, 다진 마늘 1/3큰술
다진 파 2큰술

이렇게 만드세요

1 얼린 두부는 완전히 해동하고 소금을 솔솔 뿌려 재웠다가 도톰하게 썬다.

2 팬에 기름을 두르고 약한 불에서 두부를 오래 지진다.

3 지진 두부는 김밥용 햄처럼 길게 자른다.

4 바닥이 넓은 팬에 길게 자른 두부를 넣고 양념장을 끼얹어 국물이 완전히 졸아들 때까지 바글바글 끓인다. 식힌 뒤 김밥 속 재료로 이용한다.

▶

▶

Vegetable
Salad!!

#125 연두부를 썰면 자꾸 부서져요. 부서지지 않게 써는 노하우 없나요?

상자 모양의 팩에 콩즙과 응고제를 넣고 가열해 만든 연두부는 수분 함량이 높아 매우 부드럽고 야들야들하지요. 부드러운 겔 상태로 이루어져 칼질을 조금만 잘못해도 부스러지기 쉽답니다. 그럴 때는 플라스틱 통 안에 든 연두부를 구입해 플라스틱 통에서 꺼내지 말고 통 안에 든 채로 칼날을 세워 자르세요. 그런 다음 그대로 접시나 도마 위에 놓고 뒤집으면 모양이 깨지거나 부스러지지 않는답니다.

plus tip

토마토연두부샐러드를 만들어 볼까요

재료 _ 토마토 2개, 연두부 1모
드레싱 올리브유 6큰술, 식초 3큰술, 레몬즙·꿀 1큰술씩, 다진 마늘 1작은술, 바질 다진 것 2큰술, 소금·후춧가루 조금씩

1 토마토는 깨끗하게 손질해 0.5cm 두께로 일정하게 자른다.
2 연두부는 플라스틱 통 안에 그대로 둔 채 토마토와 같은 크기로 썬다.
3 그릇에 올리브유, 식초, 레몬즙, 꿀, 바질 등 드레싱 재료를 분량대로 넣고 골고루 섞은 뒤 냉장고에 차게 보관한다.
4 접시에 토마토와 두부를 한 쪽씩 번갈아 놓고 드레싱을 뿌린다.

#126 콩나물무침에 매운 콩나물무침과 담백한 콩나물무침이 있잖아요. 콩나물무침에 고춧가루를 넣을까요? 말까요?

요리를 잘하려면 융통성이 필요합니다. 사람마다 입맛이 달라서 완벽한 공식이란 존재하지 않지요. 취향대로 자신의 요리본능에 따르세요.
콩나물무침이 융통성을 발휘할 수 있는 대표적인 예지요. 콩나물에 파, 마늘, 소금, 깨소금, 참기름을 넣어 살살 무치면 담백한 맛이 입 안에 가득 퍼지는 담백한 콩나물무침이 완성된답니다. 깔끔하고 고소한 맛이 일품이죠. 칼칼한 것이 당긴다면 양념할 때 고춧가루를 솔솔 뿌려 무쳐주세요.

plus tip

고소한 콩나물무침을 만들어 볼까요

재료 _ 콩나물 200g, 물 1컵
양념 소금 1작은술, 다진 파 1작은술, 다진 마늘 1/2작은술, 깨소금 · 참기름 1작은술씩

1 콩나물을 손질해 냄비에 물을 붓고 끓인다.
2 물이 끓으면 불을 끄고 뚜껑을 덮은 채 5분 정도 그대로 둬서 남은 열로 익힌다.
3 삶은 콩나물은 체에 밭쳐 물기를 뺀다.
4 콩나물에 다진 파, 다진 마늘, 소금, 깨소금, 참기름을 넣고 조물조물 무친다.

#127 파채를 무치면 금방 생생한 맛이 사라지고 축 처져요.
어떻게 하면 생생하게 무칠 수 있을까요?

파채는 간이 들어가면 금세 숨이 죽어버려 아삭한 맛이 떨어지고 축 처져요. 따라서 파절이는 먹기 직전에 무친 다음 상에 내야 제 맛을 느낄 수 있답니다. 만약 소금, 참기름, 고춧가루로만 깔끔하게 무친다면 먹기 직전 무쳐서 상에 내도 금방 숨이 죽지 않아요. 하지만 식초, 설탕 등이 들어간 양념으로 무친다면 파채와 양념장을 따로 상에 낸 후 개인 접시에 담아 양념을 끼얹어 먹는 것이 좋지요. 이 방법이 가장 생생하게 파절이를 먹는 비결이랍니다.

plus tip

새콤달콤한 파절이양념

식초 5큰술, 설탕 2큰술, 간장 1큰술, 참기름 1큰술, 통깨 1/2큰술, 소금 1/5큰술, 고춧가루 적당량을 잘 섞어 차게 두었다가 파채와 곁들여 내고 먹을 때마다 조금씩 뿌려 버무리세요.

#128 파를 채썰었는데 모양이 투박하고 볼품없어요. 생생한 모양새를 살리면서 예쁘게 써는 방법 없나요?

대파는 뿌리를 잘라내고 흙을 씻어 낸 후 5cm 정도로 길게 썰어주세요. 그런 다음 파를 반으로 갈라 납작한 면을 도마 위에 대고 채를 일정하게 썰어주면 파채가 가늘고 예쁘게 썰려요. 하지만 일일이 이렇게 썰면 시간이 오래 걸리고 수고스럽지요. 이럴 때는 시중에 파는 채칼을 구입해서 썰면 시간과 힘이 절약됩니다.
다 썬 파는 찬물에 담가 바락바락 주무르며 여러 번 헹궈주세요. 그럼 파를 손질하는 과정에서 보이지 않던 파 속의 흙들도 떨어져 나오고 파의 진액도 빠져서 파가 생생해지고 또르르 말려 먹기에도 좋아요. 참고로 몇 번 헹군 파채는 찬물에 30분~1시간 정도 담가두면 매운맛도 빠지고 아삭해진답니다.

#129 은행나무에서 은행을 땄어요. 많은 양의 은행껍질을 쉽게 벗기는 방법 없을까요?

많은 양의 은행을 쉽게 벗기려면 끓는 물을 이용하세요. 팬에 볶는 대신 끓는 물을 이용하면 담백한 맛까지 살릴 수 있답니다. 물이 펄펄 끓기 시작하면 은행을 넣고 주걱으로 뒤적뒤적 저어주세요. 그럼 은행껍질이 물 속에서 저절로 벗겨지기 시작하거든요. 이때 데친 은행을 체에 건져내면 껍질이 흐물흐물해져 나머지 껍질도 깔끔하게 벗겨진답니다.

COOKING KNOW-HOW

바다내음 물씬 풍기는

은행전복구이

준비하세요

전복 3개, 은행 15개
식용유 조금
양념장 간장 2/3큰술
설탕 1작은술, 다진 파 2작은술
다진 마늘 1작은술
후춧가루 1/3작은술
깨소금 1작은술
참기름 1큰술

이렇게 만드세요

1 전복은 껍질과 살을 분리하고 껍질은 깨끗이 씻는다.

2 전복은 살에 붙어 있는 내장을 제거하고 가장자리의 단단한 부분을 잘라서 오그라들지 않도록 잔칼집을 넣는다.

3 양념장을 만든 다음 전복에 고루 끼얹어 재워 두고 은행은 소금물에 데쳐서 껍질을 제거한다.

4 달군 팬에 식용유를 두르고 양념에 재운 전복을 넣어 센 불에서 후다닥 익힌다.

5 익힌 전복은 껍질에 하나씩 담아 은행으로 장식한다.

▶

▶

#130 두부를 깔끔하고 노릇하게 부치는 요령이 궁금해요.

밑간한 두부에 녹말가루를 솔솔 뿌려주세요. 녹말을 뿌린 뒤 종이타월로 수분을 거둬주면 더욱 좋답니다. 그런 다음 프라이팬에 기름을 두르고 두부를 지지면 물기가 제거되어 노릇노릇하게 잘 부쳐져요.

plus tip

담백한 두부조림을 만들어 볼까요

재료 _ 두부 1모, 소금 · 후춧가루 조금씩, 녹말가루 적당량, 식용유 적당량, 다시마국물 1/2컵
양념 간장 4큰술, 고춧가루 2작은술, 설탕 1큰술, 파 조금, 마늘 2쪽, 생강 1/2쪽, 술 1큰술, 깨소금 1큰술, 참기름 2큰술

1 두부는 적당한 크기로 일정하게 썬 다음 앞뒤로 소금과 후춧가루를 뿌린다.
2 두부에 녹말가루를 솔솔 뿌린 뒤 종이타월로 물기를 제거한다.
3 팬에 기름을 두르고 두부를 노릇하게 지져 식힌다.
4 파와 마늘, 생강은 곱게 채썬 뒤 양념 재료를 섞어 조림양념장을 만든다.
5 냄비에 양념장을 끼얹어가며 두부를 켜켜이 담고 다시마국물을 넣어 간이 밸 때까지 조린다.

#131 모둠꼬치구이에 마늘을 끼우려는데 잘 들어가지 않고 부서져요.

깔끔하게 마늘을 끼울 방법은 없나요?

단단한 마늘을 막무가내로 꼬치에 끼우려고 들면 표면이 부서지고 잘 끼워지지 않아요. 이럴 때는 깐 마늘을 전자레인지에 넣고 살짝 익히거나 끓는 물에 살캉거리게 데치세요. 그러면 꼬치가 쑥쑥 잘 들어간답니다. 물론 마늘 고유의 매끈한 모양도 유지되어 보기에도 먹음직스러워요.

plus tip

술안주용 마늘꼬치구이를 만들어 볼까요

재료 _ 마늘 4통, 식용유 적당량
양념 간장 4큰술, 물 1컵, 설탕 · 물엿 2큰술씩, 맛술 1큰술, 후춧가루 조금, 마른 고추 1개

1 끓는 물에 소금을 넣고 마늘을 살캉거리게 데쳐 헹군 뒤 꼬치에 끼운다.
2 양념장 재료를 분량대로 골고루 섞어 냄비에 넣고 센 불에서 끓이다 보글보글 끓어오르면 불을 서서히 줄여 조린다.
3 식용유를 두른 팬에 마늘 꼬치를 올리고 양념장을 끼얹어가며 양념이 고루 배도록 조린다.

#132 마늘종볶음을 하면 마늘종이 잘 안 익어요. 방법이 없을까요?

마늘종을 생것 그대로 볶으면 간이 잘 배지 않고 잘 익지도 않아요. 속까지 익힌다고 장시간 조리하면 겉만 타는 수도 있답니다. 이럴 때는 마늘종을 끓는 물에 살짝 데치거나 기름에 미리 튀기듯 익혀내세요. 그럼 마늘종이 타거나 덜 익는 것을 막을 수 있답니다. 물에 데치면 담백한 맛이 살아나고 기름에 튀기듯 익히면 고소하고 풍미가 있어요.

plus tip

마늘종 오래 보관하는 방법

마늘종은 깨끗이 손질한 다음 지퍼백에 넣어 냉동실에 얼려두면 오랫동안 먹을 수 있어요.

#133 생채에 고소한 향을 내려고 참기름을 넣었는데 맛이 이상해요. 왜 그런 걸까요?

생채에는 보통 식초를 넣어 새콤달콤한 맛을 내죠. 그런데 여기에 참기름을 넣으면 오히려 맛이 떨어진답니다. 참기름은 식초의 산뜻하고 새콤한 맛을 줄이고, 식초는 참기름의 고소한 맛을 떨어뜨려요. 따라서 특별한 경우가 아니라면 식초와 참기름은 함께 사용하지 마세요. 단, 회무침이나 파절이 같은 음식을 할 때는 식초와 참기름을 함께 사용하기도 해요. 궁합이 맞는 식품은 아니지만 많은 양을 넣는 경우가 아니라면 기호에 따라 함께 넣기도 한답니다.

#134 열무김치를 담갔는데 너무 쓰고 맛이 없어요. 쓴맛을 없앨 수 있을까요?

열무김치에서 쓴 맛이 날 때는 찹쌀가루를 물에 개어 찹쌀풀을 되직하게 쑨 다음 식혀 열무김치에 버무린 다음 좀 더 익히면 쓴맛이 가셔요. 이때 찹쌀풀의 농도는 물 1컵당 찹쌀가루 2큰술이 적당해요.

혹은 양파를 분쇄기에 갈아 열무김치에 넣고 버무리거나 붉은 고추, 물과 설탕을 분쇄기에 넣고 함께 갈아 고춧물을 만든 뒤 열무김치에 섞어 익혀 먹으면 쓴맛이 줄어든답니다.

#135 표고전을 부쳤는데 고기와 표고버섯이 분리됐어요. 서로 착 밀착되게 하는 방법 없을까요?

표고버섯에 고기반죽을 넣어 표고전을 부칠 때, 물기가 있는 표고버섯에 고기 반죽을 넣으면 붙어 있지 않고 떨어져버립니다.

버섯과 고기가 떨어지지 않게 하려면 먼저 불린 표고버섯의 물기를 적당히 제거하고 표고버섯 안쪽까지 밀가루를 꼼꼼하게 묻혀 주세요. 그런 다음 고기 반죽을 채워 넣으면 밀가루의 점성 때문에 쉽게 분리되지 않아요.

#136 배추전은 잎 부분은 부드럽지만 줄기 부분은 두껍고 단단해서 먹기가 불편해요. 어떻게 하면 좋을까요?

배추 줄기 부분에 소금을 뿌려 절인 다음 전을 부치면 되지만, 배추까지 절였다 하려면 시간이 많이 걸리지요.
이럴 때는 배추 줄기 부분을 칼등으로 두드려 부드럽게 펴거나 줄기 부분에 길게 칼집을 내 편편하게 편 뒤 반죽을 묻히세요. 단단한 배추 줄기 사이로 열기가 전해져 숨도 금방 죽고 익는 시간도 빨라진답니다.

plus tip

쉽고 간단한 배추전을 만들어 볼까요

재료 _ 배추 1포기, 밀가루 · 물 적당량씩, 참기름 1작은술, 소금 조금

1 배추의 물기를 제거하고 줄기의 두꺼운 부분을 두드려 간단히 손질한다.
2 손질한 배추에 마른 밀가루를 살짝 묻히고 탁탁 털어낸다.
3 밀가루에 소금과 참기름, 물을 넣고 반죽한 다음 마른 밀가루를 묻힌 배추에 반죽을 입힌다.
4 팬에 기름을 두르고 노릇하게 부친다.

#137 오이소박이를 담갔는데 오이가 물컹거려요. 어떻게 해야 아삭한 오이소박이를 담글 수 있을까요?

오이를 팔팔 끓는 소금물에 푹 담갔다 꺼내세요. 이렇게 뜨거운 물 충격을 가해주면 오이김치를 오래 보관해도 아삭한 질감을 유지할 수 있답니다.

일단 오이는 열십자로 칼집을 넣어 썰어 놓고 물 5컵에 꽃소금 1/2컵을 넣고 물이 팔팔 끓어오르면 오이를 냄비에 넣어 1분간 끓여주세요. 이때 오이를 한꺼번에 많이 넣으면 오이를 넣자마자 물이 끓지 않으므로 냄비 바닥에 살짝 깔릴 정도만 넣어서 끓여 주세요. 그리고 1분이 지나면 체에 건지세요.

모든 오이를 다 한 번씩 소금물에 데쳤으면 그대로 체에 올려놓고 1시간 30분 정도 소금에 절이세요. 그럼 아주 아삭한 오이김치를 즐길 수 있답니다.

#138 집에서 깍두기를 담그면 맛이 없어요. 아삭아삭한 맛이 환상적인 설렁탕집 깍두기의 비결을 알려주세요.

설렁탕 하면 탁 떠오르는 찰떡궁합 환상의 파트너 깍두기! 매콤하면서도 달콤한 것이 감칠맛 나잖아요.

우선 무를 큼직큼직하게 썬 다음 감미료를 탄 사이다에 1시간 정도 담갔다가 건져 소금에 절이세요. 그런 다음 물기를 쏙 뺀 후 양념을 넣고 버무린답니다. 그럼 아삭아삭하면서도 뒷맛이 톡 쏘거든요.

설렁탕집에서는 설탕 대신 감미료를 사용해요. 그래서 더욱 감칠맛이 난답니다.

부득이하게 설탕을 쓸 때는 미리 넣지 말고 깍두기를 다 버무리고 나서 맨 마지막에 넣어주세요. 설탕을 먼저 넣게 되면 설탕과 양념들이 서로 뒤엉겨 진득해지고 걸쭉해지거든요. 무도 간이 제대로 배지 않고요. 먼저 고춧가루로 빨갛게 물들인 다음 나머지 양념을 조르륵 넣고 설탕으로 마무리하세요.

#139 고추를 오래 두고 먹을 수 있는 조리법이 있나요?

고추는 풋고추부각으로 만들어 놓으면 오래 두고 먹을 수 있지요.

먼저 풋고추는 물에 씻어 찹쌀가루나 밀가루에 버무린 다음 소금을 뿌리고 찜통에 쪄서 말리세요.

말린 고추는 먹을 때 기름에 살짝 튀기거나 기름에 바짝 볶아 설탕을 솔솔 뿌리면 맛이 아주 좋답니다.

COOKING KNOW-HOW

바삭바삭 사계절 밑반찬
꽈리고추튀각

준비하세요
꽈리고추 300g
찹쌀가루 1컵, 물 조금
식용유 4컵
소금 · 설탕 조금씩

이렇게 만드세요

1 고추는 맵지 않은 것을 골라 꼭지를 떼고 깨끗이 씻어 채반에 밭친 다음 물기를 뺀다.

2 찹쌀가루에 소금과 물을 넣고 잘 섞어서 손질한 고추를 버무린다.

3 찹쌀로 버무린 고추는 찜통에 넣어 찐 다음 햇볕에 말린다.

4 170℃ 기름에 말린 고추를 튀긴 다음 건져 기름을 빼고 설탕을 솔솔 뿌린다.

▶

▶

#140 겉절이를 만들면 고춧가루나 양념이 둥둥 떠다녀요. 양념이 겉돌지 않게 버무리는 노하우 좀 알려주세요.

배추 속에 들어가는 무는 미리 양념에 버무려 놓아야 배추와 섞을 때 붉은 빛깔이 예쁘게 돈답니다. 미리 무에 양념을 해두면 무에서 수분이 빠져나오면서 빽빽하던 양념도 부드러워지고 양념도 고르게 배거든요. 좀 부족하다 싶으면 붉은 고추를 갈아 넣어주세요. 먹음직스럽기도 하고 칼칼하니 맛도 좋아요.

plus tip

겉절이를 만들 때 싱싱하고 아삭한 맛을 살리는 방법

겉절이에 들어가는 채소는 씻을 때 식촛물에 잠깐 담가 두세요. 살균 효과가 있을 뿐 아니라 싱싱하고 아삭한 맛이 살아나거든요.
버무릴 때도 너무 세게 치대면 채소가 무르기 쉬우므로 젓가락으로 살살 버무리는 것이 좋아요.

#141 상추겉절이를 좋아하는데 집에서 만들면 늘 실패해요. 상추겉절이 맛있게 무치는 방법이 궁금해요.

상추를 식촛물에 잠시 담가 흙이 씻겨나가도록 여러 번 헹군 뒤 샐러드 스피너에 돌려 물기를 제거하세요. 탁탁 털어 물기를 제거한 뒤 마른 수건 위에 살짝 올려두는 것도 좋은 방법이랍니다. 물기를 확실하게 제거해야 양념이 겉돌지 않아요. 상추가 준비되면 냉장고에 넣어 차게 두고, 양념장을 만들어 먹기 직전에 무쳐내세요. 상추는 숨이 금방 죽기 때문에 먹기 직전에 무쳐내야 상추가 축 처지지 않고 맛있어요.

plus tip

고기와 잘 어울리는 상추겉절이

새콤달콤 상추겉절이 양념
고춧가루 1큰술, 간장 2큰술, 식초 1큰술, 설탕 1큰술, 참기름 1큰술, 다진 마늘 1/3큰술, 깨소금 1큰술을 넣고 무치세요.

칼칼한 액젓 상추무침 양념
고춧가루 1큰술, 까나리 혹은 멸치액젓 1큰술반, 식초 1/2큰술, 설탕 1/3큰술, 참기름 1큰술, 다진 마늘 1/3큰술, 깨소금 1큰술, 송송 썬 파를 조금 준비하세요. 이렇게 준비한 양념장에 상추를 듬성듬성 떼어 넣고 아린맛을 제거한 양파채를 같이 버무리면 맛있는 겉절이가 완성된답니다.

#142 김치를 담글 때 배추는 얼마나 절여야 적당한가요?

배추를 잘 절였다면 이미 김치 담그는 것은 반 이상 끝났다고 봐도 좋아요. 그만큼 중요한 일이죠. 배추를 너무 오래 절이면 아삭한 맛이 떨어지기 쉽고 덜 절이면 물이 많이 생겨 간이 싱거워지고 쉽게 익기 때문이에요. 약간 덜 절여진 듯 아삭한 질감이 살아있으면서도 하느작거리는 것이 잘 절여진 배추랍니다.
보통 배추 절이는 시간은 배추의 양이나 온도에 따라 다른데 김장김치를 하는 늦가을이나 초겨울에는 8시간 정도가 좋답니다.
많은 양을 담그더라도 여름에는 4시간, 가을에는 6시간 정도가 적당하며 10포기 정도를 담글 때는 5시간, 4포기 정도는 3시간쯤 절이는 것이 정석이에요.

plus tip

배추를 칼로 자르면 안 되는 이유

보통 배추김치를 담글 때 밑동에 5cm 정도 칼집을 넣어 쭉쭉 벌려 찢잖아요. 이렇게 손으로 쭉쭉 벌려 찢는 이유는 연한 속잎이 부서지는 것을 막고 균일하게 자를 수 있기 때문이에요. 칼로 자르면 오히려 부서지기 쉽고 모양도 지저분해지기 쉽답니다.

#143 김치를 담글 때 시원하고 개운한 맛을 살리고 싶은데 어떤 방법이 있을까요?

김치를 담글 때 신선한 굴이나 싱싱한 새우 등 해산물을 넣으면 시원하면서도 개운한 맛을 얻을 수 있답니다. 굴이나 생새우를 넣을 때는 소금물에 흔들어 씻고 낙지는 밀가루를 사용해 바락바락 주물러 씻어 주세요. 이렇게 손질한 해물은 체에 밭쳐 물기를 없앤 다음 김치속을 버무릴 때 마지막에 넣어주면 그야말로 환상적이지요. 단, 해산물이 들어간 김치는 빨리 쉬므로 2~3일 이내에 먹는 것이 좋답니다. 오래 저장해놓고 먹으면 비릿한 맛이 날 수 있어요.

#144 김치를 담갔는데 너무 짜요. 짠맛을 중화시킬 방법이 없을까요?

김치가 지나치게 짤 때는 무를 가로 · 세로 5cm 정도 크기로 큼직하게 썰어서 고춧가루를 조금 넣고 버무린 후 김치 사이사이에 끼워주세요. 김치의 짠맛이 무에 흡수되어 전체적으로 염도의 균형이 잡힌답니다. 무 대신 오이를 넣어도 시원한 맛이 나 괜찮아요. 단, 오이는 쉽게 무를 수 있으니 적은 양일 경우에만 사용하는 것이 좋답니다.

#145 김장김치가 너무 시었어요. 버리기는 아까운데 신맛을 완화하는 방법은 없나요?

김치 포기 사이사이에 솔잎, 치커리, 감잎 등 쓴맛이 나는 채소를 넣거나 삶은 달걀껍데기를 깨끗이 씻어 넣어주세요. 두 포기에 한 개 정도면 적당하답니다. 만약 신 김치의 강도가 입맛을 자극해 먹기 곤란한 경우라면 날달걀을 깨끗이 씻어 김치 속에 파묻어 주세요. 한 접시 분량에 하나 정도로 넣어 두었다가 12시간이 지난 다음 꺼내면 먹을 만하답니다. 참고로 이때 꺼낸 날달걀은 다른 요리에 써도 아무 문제가 없어요. 껍데기가 흐물흐물하지만 아무 이상이 없으니 안심하세요.

plus tip

싱싱한 배추가 왔어요!

배추는 속이 꽉 차고 연하며 연녹색을 띠는 것이 좋아요. 배추를 들어 보았을 때 묵직하고 흰 줄기 부분에 윤기가 흐르는 것이 좋은 배추랍니다.

#146

배추김치를 이틀 정도 상온에 두었더니 하얗게 곰팡이가 피었어요.
뭐가 잘못된 걸까요?

배추를 충분히 절이지 않았거나 양념이 부족해 생긴 현상이에요. 지방마다 사용하는 젓갈이나 짠 정도가 조금씩 다르지만 배추를 잘 절이려면 먼저 배추를 소금물에 담갔다 꺼낸 뒤 밑동 쪽에 소금을 뿌려 충분히 절여야 한답니다.

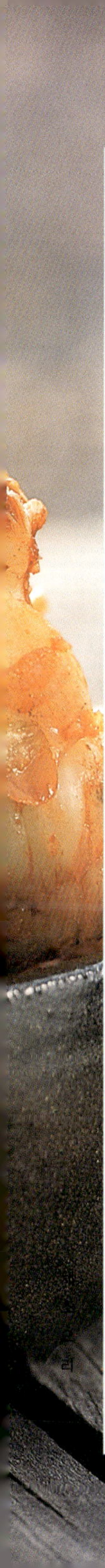

COOKING KNOW-HOW

대한민국 대표반찬

배추김치

준비하세요

통배추 4포기, 굵은 소금 3컵, 물 6컵, 무 1/3개, 부추 · 실파 100g씩, 대파 2뿌리, 마늘 150g, 생강 1쪽, 고춧가루 4컵, 따뜻한 물 1컵, 새우젓 · 멸치액젓 1/2컵씩, 소금 · 설탕 적당량씩

이렇게 만드세요

1 통배추는 겉잎을 떼어내고 칼집을 넣어 반으로 자른 뒤 소금을 반 정도 넣은 소금물에 흠뻑 적신다. 남은 소금은 배추 줄기 사이에 골고루 뿌린 다음 3~4시간 정도 충분히 절이고 물에 헹궈 소쿠리에 밭쳐 물기를 뺀다.

▶

2 무는 채썰고 부추와 실파는 3~4cm 길이로 고르게 썬다. 파는 어슷하게 썰고 마늘과 생강은 곱게 다진다.

3 고춧가루에 따뜻한 물을 붓고 불린 뒤 새우젓과 멸치액젓을 넣는다.

4 넓은 그릇에 채썬 무를 담고 만들어 놓은 고춧가루로 물들인 다음 나머지 속 재료와 양념을 모두 넣고 쓱쓱 버무린다.

▶

5 물기를 뺀 배추 사이사이에 김치 속을 잘 채운 뒤 겉잎을 둥글게 말아 밀폐용기나 항아리에 차곡차곡 담는다.

#147 잡채를 만들려고 당면을 삶았는데 푹 퍼졌어요. 당면을 부드럽고 쫄깃하게 삶는 비결이 있나요?

잔칫상이나 손님상에 빠지지 않고 등장하는 잡채는 면발의 쫄깃함이 맛을 좌우한답니다. 먼저 당면을 적당한 길이로 잘라 찬물에 불리세요. 당면이 어느 정도 풀어지면 끓는 물에 간장 1큰술과 식용유 1큰술을 넣고 삶아주세요. 그럼 당면이 부드럽고 쫄깃쫄깃해진답니다. 삶은 당면은 체에 밭쳐 물기를 뺀 뒤 참기름으로 조물조물 버무린 후 팬에 살짝 볶아주면 윤기가 흐르면서 탄력이 생긴답니다.

mini tip!
오랫동안 당면의 쫄깃한 맛을 유지하려면 기름에 볶아 무치세요. 담백한 맛은 덜하지만 쫀득하고 쫄깃하답니다.

#148 재료를 일일이 볶는 잡채는 일이 너무 많아요. 간단하게 만들 방법이 없을까요?

당면을 불리는 데 걸리는 시간만 제외하면 10분이면 충분히 만들 수 있지요. 우선 당면 200g을 찬물에 담가 1시간 30분 정도 불리세요. 쇠고기와 표고버섯은 채썰어서 불고기 양념에 재워두고 양파와 당근, 오이는 채썰어 기름 두른 팬에 넣고 소금을 살짝 쳐서 센 불에서 볶아 다른 그릇에 담아두세요. 같은 팬에 쇠고기와 표고버섯을 바짝 볶아 건져낸 후 같은 팬에 물 1/2컵, 간장 3큰술, 설탕 1큰술, 참기름 2큰술을 넣고 바글바글 끓여주세요. 그리고 여기에 불린 당면을 넣어 조림간장이 다 졸고 당면에 윤기가 날 때까지 뒤적이며 볶아주세요. 이제 모든 재료를 한데 섞고 깨소금을 넣어 버무리면 완성이랍니다.

#149 휴게소에서 파는 구운 감자는 고소하면서도 향긋하잖아요. 집에서 만들면 왜 그 맛이 안 나죠?

mini tip!
탄수화물이 풍부하고 비타민 C와 칼륨 함량이 높은 감자는 햇볕이 강하게 내리쬐는 7~8월에 가장 맛이 좋답니다.

우선 감자 껍질을 깨끗이 벗기고 냄비에 감자가 충분히 잠길 정도로 물을 부어주세요. 이때 적당량의 소금을 넣고 삶으면 감자의 색이 또렷해질 뿐 아니라 솔라닌 독소가 제거되어 맛도 훨씬 좋답니다. 감자가 어느 정도 익었다 싶으면 물을 따라 버리세요. 마지막으로 식용유를 몇 방울 떨어뜨려 감자를 사정없이 굴려주세요. 그리고 5분간 뜸을 들이면 껍질은 바삭하고 속은 부드러운 구운 감자가 완성됩니다.

#150 샐러드를 만들었는데 레스토랑에서 사먹는 것과 맛이 달라요. 특별히 소스도 주문했는데 왜 그 맛이 안 날까요?

샐러드 맛을 결정하는 것은 소스라고 생각하기 쉽지요. 하지만 소스보다는 채소의 물기제거가 가장 중요하답니다. 채소를 넣기 전에 물기를 잘 제거하지 않으면 채소 사이로 수분층이 형성되어 소스의 결합을 방해하거든요. 게다가 수분은 채소의 아삭한 맛까지 빼앗아 간답니다. 요즘은 샐러드스피너라고 해서 씻은 채소를 안에 넣고 윙윙 돌리면 물기가 말끔히 제거되는 주방용품도 있어요.
만약 샐러드스피너가 없다면 물기를 탁탁 털어내고 체에 올린 다음 30분에서 1시간 정도 냉장고에 넣어 두세요. 냉장고 속의 냉기가 물기를 흡수하고 채소도 차갑게 해줘 맛이 한결 좋아집니다.

고기 요리

저녁 식탁 위에 푸짐하게 올라온 고기 요리는 피곤하고 지친 몸에 기운을 불어넣지요. 우리 몸에 꼭 필요한 단백질 공급원으로도 손색이 없답니다. 요즘에는 쇠고기, 돼지고기, 닭고기는 물론이고 색다른 맛과 영양이 있는 오리고기, 양고기 등 다양한 고기를 손쉽게 구할 수 있지요. 지글지글 구운 부드러운 고기 한 점의 유혹. 입안에서 살살 녹는 육질의 깊고 풍부한 맛에 빠져보세요.

#151 정육점에서 고기를 샀는데 너무 질겨요. 어떻게 하면 연하게 먹을 수 있을까요?

김빠진 맥주나 와인, 마시다 남은 청주 등에 고기를 미리 재워두면 잡냄새도 사라지고 연해지죠. 와인에 식용유, 소금, 후춧가루를 넣고 각종 육류나 부속물, 생선을 재워도 감칠맛이 나고 잡냄새가 사라진답니다. 쇠고기에는 붉은포도주가, 돼지고기와 닭고기에는 백포도주가 잘 어울려요.

또, 양파나 셀러리를 갈아 재우거나 키위나 사과, 배, 파인애플, 떠먹는 요구르트에 고기를 재워도 부드러운 맛을 느낄 수 있답니다. 단, 키위나 파인애플은 산이 다량 함유되어 있으므로 지나치게 많이 넣으면 조직이 끊어져 흐물흐물해질 수 있으니 조금만 넣어주세요.

쉽고 간단한 방법을 원할 때는 고기 자체에 붙어 있는 힘줄을 끊고 칼등이나 텐더라이저로 두들겨 조직을 연하게 만드세요. 이렇게 하면 구울 때 오그라드는 것도 막을 수 있답니다.

#152 쇠고기는 센 불에서 단시간에 익히잖아요. 그럼 돼지고기는 어떻게 조리하나요?

쇠고기는 지나치게 굽게 되면 육질이 단단해지므로 단시간에 익힌답니다. 물론 돼지고기도 처음에는 센 불에서 익히지요. 하지만, 센 불로 굽다가 겉면이 어느 정도 익으면 불을 줄여 충분히 익혀주는 것이 달라요. 돼지고기는 타기 직전까지 시간을 두고 충분히 익혀야 제 맛이 난답니다. 돼지고기는 덜 익히면 기생충 감염의 위험이 있으므로 완전히 익혀 맛있고 안전하게 드세요.

plus tip

고기의 누린내 제거하기

쇠고기나 돼지고기는 아무리 적은 양이라도 핏물을 빼주세요. 그렇지 않으면 누린내가 나고 끓일 때 거품도 많이 생겨 지저분해지거든요. 핏물을 뺄 때는 고기 본연의 맛이 빠지지 않도록 약 30분 정도 찬물에 담가두세요.

파나 마늘, 생강, 양파 같은 향신채소를 넣고 끓이거나 된장을 넣어도 누린내 제거에 효과적이랍니다.

#153 돼지고기를 냉동실에 두었더니 찝찝한 냄새가 나요.

냄새를 제거할 방법이 없을까요?

냉동실에 보관한 돼지고기는 가능한 2주 이내에 먹는 것이 좋아요. 만약 돼지고기를 냉동실에 오래 두었거나 잘못 보관해 다른 냄새가 고기에 배어 불쾌한 냄새가 날 때는 밑손질을 해주세요.

돼지고기에 맥주나 소주, 청주를 넣은 다음 월계수잎을 띄워 주면 냄새가 싹 가신답니다. 양파즙이나 우유에 담가도 효과만점이지요.

덩어리 고기일 때는 녹차에 담가둬도 냄새가 사라져요. 단, 고기를 잘라 손질한 경우라면 고기의 맛과 영양이 녹차의 수분 때문에 빠져나갈 수 있으므로 녹차에 담가 두는 것은 피하세요.

COOKING KNOW-HOW

매콤한 맛이 일품

제육볶음

준비하세요

돼지고기 300g, 양파 1/2개

홍고추 1개, 파 1뿌리

양념

고추장 3큰술

고춧가루 1큰술반

간장 · 설탕 1큰술씩

다진 마늘 1큰술

다진 생강 · 참기름 1작은술씩

깨소금 1/2작은술, 식용유 1큰술

이렇게 만드세요

1 돼지고기는 먹기 좋은 크기로 썬다.

2 양파는 채썰고 홍고추와 파는 어슷썬다.

3 고추장, 간장, 설탕, 고춧가루, 다진 마늘, 다진 생강, 깨소금, 참기름을 잘 섞어 양념장을 만든다.

4 양념장에 고기를 무친 뒤 야채를 버무린다.

5 팬에 기름을 두르고 양념한 고기를 완전히 익힌다.

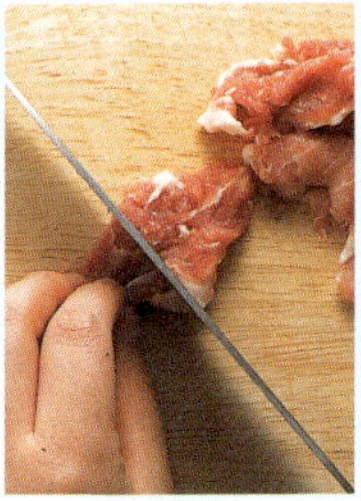

#154 갈비를 양념에 재워서 구웠는데 고기가 너무 질겨요.

갈비는 양념에 재우기 전에 미리 초벌양념에 재워두는데 양파와 과일을 갈아 청주와 섞으면 됩니다. 이렇게 갈비를 2~3시간 정도 재워두면 고기가 한결 부드러워져요. 이렇게 연육과정을 한번 거친 고기는 간장, 설탕, 마늘, 참기름 등을 넣은 양념장에 버무려 24시간 정도 재워두세요. 부드러운데다 고기 맛이 제대로 산답니다.
고기를 연하게 하는 데 좋은 과일을 추천할게요. 취향에 따라 다른 과일을 사용할 수 있지만 돼지갈비에는 사과를, 쇠갈비에는 배를 추천해요. 만약 이미 재워둔 갈비가 질기다면 키위를 조금 갈아 넣고 하룻밤 정도 재워두세요. 꽤 부드러워진답니다.

mini tip!
키위는 너무 많이 넣게 되면 고기 조직이 끊어져 부스러질 수 있으므로 조금만 사용하세요. 고기 1kg에 키위 1/2개 정도가 적당하답니다.

plus tip 냉장고에 보관한 갈비구이 데우기

구워 놓은 갈비를 전자레인지에 넣고 돌리면 수분이 증발해 딱딱하고 맛이 없어요. 이럴 때는 갈비에 물을 조금 넣고 물이 다 졸아들 때까지 끓여주면 고기가 다시 부드러워지면서 윤기가 자르르 흐른답니다.

#155 집에서 스테이크를 맛있게 굽고 싶은데 요령이 있나요?

구워진 정도는 어떻게 알 수 있나요?

스테이크는 살짝 덜 익혀야 연하고 맛있답니다. 여러 번 뒤집지 말고

한쪽 면이 익으면 한 번만 뒤집어 구우세요.

먼저 센 불에서 2분 정도 한쪽을 구운 다음 육즙이 배어 나오면 뒤집어 2분 정도 굽는 것이 요령이지요. 그래야, 육질이 부드럽고 입에서 살살 녹는답니다. 하지만, 식성이나 기호에 따라 좀 더 익히거나 덜 익힐 수도 있어요.

그렇다면 구워진 정도는 어떻게 알 수 있을까요? 구워진 정도는 단면을 잘라보면 알 수가 있지만 보통 터치테스트를 많이 써요. 고기를 손가락으로 눌러보았을 때 부들부들 푸딩 같은 질감이면 레어, 푸딩보다 조금 단단한 질감이면 미디엄, 아주 단단한 질감이면 웰던이랍니다. 고기의 표면만 살짝 익힌 레어는 따뜻한 육즙이 그대로 남아 고기 속에 피가 고여 있는 상태로 맛이 매우 부드럽지요. 고기를 절반 정도 익힌 미디엄은 단면이 핑크빛을 띠며 부드럽고 탄력이 있답니다. 고기를 완전히 익힌 웰던은 육즙이 거의 없고 단단해요.

보너스 팁! 스테이크를 구울 때는 미리 소금을 뿌리지 말고 굽기 직전 소금을 솔솔 뿌려 구워야 육즙이 빠져나오지 않고 부드러운 맛을 느낄 수 있어요.

plus tip

냉장고에서 꺼낸 스테이크용 고기 손질법

냉장고에서 고기를 꺼내자마자 구우면 육질이 단단할 뿐 아니라 겉과 속의 온도 차이가 커서 고르게 익지 않아요. 따라서 스테이크 요리를 하기 30분 전쯤 미리 냉장고에서 꺼내 두세요. 이때 칼등이나 해머를 이용해 고기 표면을 두드려주면 육질도 연해지고 오그라드는 것도 막을 수 있답니다.

#156 흔히 쇠고기로 장조림을 하는데, 돼지고기로도 장조림을 만들 수 있을까요?

보통 장조림은 쇠고기로 만든다고 생각하는데요, 돼지고기로 장조림을 만들어도 맛이 참 좋답니다. 발상을 조금만 전환하면 저렴하면서도 맛있는 요리를 만들 수 있지요.

돼지고기로 장조림을 만들려면 일단 기름기가 별로 없는 안심이나 등심을 준비하세요. 고기를 먼저 충분히 익힌 다음 양념장을 넣고 졸여야 고기가 질기지 않고 부드럽답니다. 이때 생기는 기름은 모두 걷어내는 것이 좋고요. 양념장은 쇠고기와 마찬가지로 마늘, 생강, 간장, 청주, 설탕 등을 넣으세요. 뭉근한 불에 은근하게 졸였으면 마늘, 생강은 건져내고 매운 꽈리고추와 달걀을 넣고 연한 갈색을 띨 때까지 조금 더 조리세요. 맛있는 돼지고기 장조림이 완성된답니다.

#157 쇠고기장조림을 했는데 육질이 딱딱하고 간장 맛만 느껴져요. 부드럽고 맛있는 쇠고기장조림은 어떻게 만드나요?

장조림을 할 때 쇠고기를 물에 충분히 익히지 않고 처음부터 간장을 넣고 졸이면 고기가 단단하고 질겨져요. 꼭 고기는 찬물에 넣어 완전히 익힌 다음 간장을 넣어 조려야 한답니다.

또, 장조림에서 간장 맛만 느껴진다면 혹시 설탕과 간장 위주로 맛을

내진 않았는지 체크하세요. 사태나 홍두깨, 우둔살을 장조림용으로 준비한 다음 찬물에 파, 양파, 마늘, 생강, 통후추 등의 향신재료를 넣고 고기를 넣어 부드럽게 삶은 다음 양념하세요. 고기가 부드럽게 익으면 향신재료와 기름을 건져내고 간장과 설탕을 넣고 조리면 맛과 풍미가 있는 장조림이 완성된답니다.

마지막으로 장조림은 고기 결대로 쭉쭉 찢어서 양념장에 담가두세요. 찢은 고기를 양념장에 담가두면 양념장이 쏙쏙 배어 더 맛있답니다.

#158 불고기를 볶았는데 물이 흥건해요. 고기를 잘못 산 걸까요?

프라이팬 크기에 비해 고기를 지나치게 많이 넣고 조리한 것은 아닌지 확인하세요. 충분히 예열된 팬을 사용해도 한꺼번에 고기를 많이 넣게 되면 전달되는 열에 한계가 있어 볶을 때 물이 많이 생긴답니다. 즉, 낮은 열로 조리한 것과 비슷한 상태가 되지요. 고기 양이 많을 때는 여러 번 나누어 볶으면 물이 거의 생기지 않아요.

plus tip 1인분 고기분량 정하기

고기만 먹을 때는 보통 200g 정도를 1인분으로 잡아요. 하지만 고기뿐 아니라 여러 요리와 함께 먹는 경우라면 100g 정도가 알맞죠. 단, 갈비는 뼈가 있으므로 두 배로 양을 정해야 적당하답니다.

#159 갈비찜에 무나 당근을 넣으면 쉽게 부서져 지저분해져요. 깨끗하고 먹음직스럽게 요리하는 방법은 없나요?

갈비찜같이 은근하게 오래 끓여야 제 맛이 나는 요리에는 무, 당근 같은 부재료의 모서리를 둥글게 깎아줘야 부서지지 않아요. 재료가 끓는 동안 야채나 부재료가 서로 부딪쳐 뭉그러지기 쉽거든요. 먼저 재료를 큼직하게 썰고 서로 부딪쳐도 부서지지 않도록 가장자리를 동글동글하게 깎아 주세요. 그래야 조리하는 동안 재료가 부서지지 않고 보기 좋게 완성돼요.

mini tip!
야채를 끓는 물에 데쳐 두었다가 갈비가 어느 정도 조려진 뒤 넣어도 모양이 깔끔하게 완성된답니다.

#160 돼지불고기를 좋아하는데 기름기가 신경 쓰여요. 기름기가 쏙 빠지게 볶을 수는 없을까요?

우선 센 불에 고기를 익혀서 육즙이 빠져나오는 걸 막아주세요. 그런 다음 고기 표면이 익으면 은근한 불에 완전히 익히세요. 그럼 고기에서 기름이 빠져나오면서 기름끼리 서로 뭉쳐 쉽게 녹아나온답니다. 이렇게 고기에서 나온 기름으로 충분히 볶으면 돼지고기 육질이 더 쫀득하고 맛있어요. 어느 정도 시간이 지나면 팬 바닥에 고기 기름이 양념과 분리되면서 흥건히 고이는데요, 이때 고기를 건져내면 기름기가 어느 정도 제거된답니다.

COOKING KNOW-HOW

쫀득쫀득 씹히는 맛
삼겹살데리야끼

준비하세요
삼겹살 300g, 청경채 2포기
애기당근 6개, 다진 마늘 1큰술
소금 · 후춧가루 조금씩
데리야끼소스
간장 · 청주 3큰술씩, 물엿 2큰술
마늘 2쪽, 마른 홍고추 2개
생강 1/2톨, 물 1/4컵

이렇게 만드세요

1 통삼겹살은 손질한 다음 소금, 후춧가루, 다진 마늘을 넣고 2시간 정도 재워둔다.

2 청경채는 끓는 물에 데친 다음 물기를 빼내고 데리야끼소스는 모두 섞어 바글바글 끓인다.

3 재워둔 삼겹살을 200℃로 예열된 오븐에 앞뒤로 구운 다음 0.5cm 두께로 썰어 예열된 팬에 모든 재료를 넣고 달달 볶는다.

▶

▶
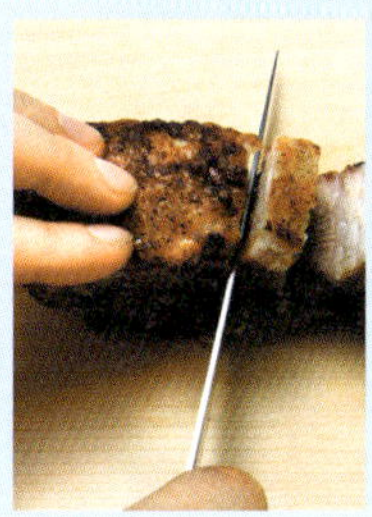

0
500g
Diet Scale
400g
300g
200g
DULTON CO., LTD.
NOT LEGAL FOR USE IN TRADE

#161 불고기를 만들었는데 맛이 없어요. 불고기 양념의 황금비율을 찾아주세요.

mini tip!
불고기감에 양파와 배 간 것, 청주를 섞어 초벌로 재워 두었다가 불고기양념을 넣고 재우면 한결 부드러운 맛을 낼 수 있답니다.

시판되는 양념불고기도 맛있지만 집에서 만들어 먹는 양념불고기가 영양도 만점, 맛도 만점이지요.

불고기용 고기 200g 기준으로 간장 2큰술, 설탕 1큰술, 청주 1/2큰술, 참기름 1/2큰술, 갈아놓은 배 1큰술, 다진 양파 1큰술, 다진 마늘 1/3큰술, 후춧가루 조금 넣고 버무려주세요.

plus tip

불고기감 고르기

불고기감으로는 쇠고기 등심이 최고예요. 등심은 고기 사이에 얇은 지방이 고르게 퍼져 맛이 부드럽고 연하거든요. 하지만, 가격이 좀 비싼 게 흠이지요. 앞다리살이나 채끝살을 이용해 보세요. 등심보다 가격도 저렴하고 맛도 좋답니다.

#162 돼지고기, 쇠고기, 닭고기를 이용해 찜이나 구이를 할 때 모두 같은 양념을 사용해도 괜찮은가요?

매운양념이나 간장양념 등 기본적인 양념은 비슷비슷해요. 물에 30분 정도 담가 고기의 핏물을 제거하면 누린내가 덜 난다는 점도 비슷하지요. 하지만 돼지고기는 쇠고기보다 특유의 누린내가 심하므로 양념에 생강을 넉넉히 넣는 것이 좋아요.

돼지고기 수육을 만들 때나 돼지불고기, 돼지갈비 등을 할 때도 다진 생강이나 생강즙을 넣어주면 누린내가 잡히고 생강 향이 돼지고기에 배어 맛도 훨씬 좋아진답니다.

닭고기도 닭매운찜이나 닭불고기 같은 요리에 생강을 넣어주면 풍미를 더해주지요.

반면 쇠고기는 갈비찜, 갈비탕 혹은 수육을 만들 경우에만 아주 적은 양의 생강편을 사용한답니다. 몇몇 음식에만 생강을 사용해 특유의 누린내를 잡아주지요. 불고기, 갈비구이 같은 볶음이나 구이를 할 때 생강을 넣으면 오히려 깔끔한 맛이 줄어들어요. 강한 생강 향이 거슬릴 수 있거든요.

mini tip!
닭갈비 양념장은 고춧가루 2~3큰술, 설탕 1큰술, 다진 마늘 1큰술반, 청주 2큰술, 물엿 2큰술, 간장 4큰술, 까나리액젓 1/2큰술, 참기름 1큰술, 다진 생강 1/3큰술, 후추 조금을 섞어 30분 이상 숙성시켜 사용하세요.

#163 돈가스나 치킨가스를 만들면 자꾸 튀김옷이 벗겨져요.

어떻게 하면 고기에 튀김옷이 안 떨어지고 착 달라붙을까요?

일반적으로 돈가스 튀김옷은 밀가루, 달걀 순으로 옷을 입힌 뒤 빵가루를 꾹꾹 눌러 입히는데요, 이 과정에서 튀김옷이 착 달라붙게 하려면 밀가루를 입힌 채 적어도 15~20분 정도 그냥 두세요. 그럼 고기에서 수분이 빠져나오면서 밀가루가 착 달라붙게 되지요. 그런 다음 달걀물에 담갔다가 빵가루를 묻혀 튀겨내면 빵가루도 뭉개지지 않고 튀김옷도 잘 달라붙는답니다.

#164 고기완자를 만들었는데 뻑뻑하고 맛이 없어요. 부드럽고 고소한 맛을 살리는 방법이 따로 있나요?

고기완자는 재료가 골고루 섞일 정도로만 치대는 것이 좋아요. 너무 많이 치대면 고기 속에 들어 있는 기름기가 빠져나와 뻑뻑해지거든요.

고기완자를 치댈 때 으깬 두부를 넣어줘도 완자를 익혔을 때 부드러워진답니다. 단, 으깬 두부는 물기가 없도록 꼭 짜주세요.

plus tip

돼지고기완자를 만들어 볼까요

재료 _ 돼지고기 간 것 2줌, 으깬 두부 적당량, 다진 양파 · 다진 마늘 · 우스터소스 · 생강가루 · 소금 조금씩

소스 케첩 2큰술, 우스터소스 · 굴소스 · 핫소스 1큰술씩, 맛술 3큰술, 물 5큰술

1 돼지고기는 곱게 갈아 다진 양파, 다진 마늘, 우스터소스, 생강가루, 후춧가루, 소금을 넣고 밑간한 다음 으깬 두부를 넣고 치댄다.
2 동글동글하게 모양을 만들어 다시 녹말가루를 입힌다.
3 팬에 소스 재료를 모두 넣고 바글바글 끓이고서 불을 끈다.
4 기름 두른 팬에 고기완자를 노릇하게 튀긴 다음 소스를 끼얹는다.

#165 집에서 고기 요리를 했더니 누린내가 나요. 뭐가 잘못된 걸까요?

요리책에 나오는 대로 재료를 손질해도 누린내가 풀풀 나는 것은 밑손질 때문이에요. 혹시 핏물 빼는 단계를 생략하지 않았나요?
고기 요리를 할 때는 붙어 있는 기름기를 떼어내고 찬물에 약 30분 정도 담가 핏물을 빼야 누린내가 나지 않고 맛이 담백하답니다. 특히 감자탕같이 등뼈를 이용한 음식은 핏물을 뺀 다음 끓는 물에 생강과 양파를 넣고 애벌로 삶아내야 잡냄새가 사라져요.

#166 편육을 삶으면 모양새가 너덜너덜하고 고기 맛도 없어요. 모양이 흐트러지지 않고 맛있게 삶는 노하우를 알려주세요.

접시에 가지런히 담겨 있는 편육은 왠지 먹음직스러워요. 여기에는 숨은 노하우가 있는데요, 편육을 삶을 때 덩어리 고기를 면실로 돌려가며 동여매면 살이 흐트러지지 않고 모양이 잡힌답니다.
먼저 큰 냄비에 물을 넉넉히 붓고 된장을 푼 다음 돼지고기를 넣고 젓가락으로 찔러 맑은 물이 나올 때까지 푹 삶아 내세요. 단, 얇게 저민 고기라면 물이 보글보글 끓을 때 고기를 넣어야 고기 속의 육즙이 빠져나오지 않는답니다. 고기가 다 삶아졌으면 면 보자기에 싸서 무거운 것으로 단단히 눌러두세요. 그럼 모양이 가지런해져 썰 때도 편하고 보기 좋답니다.

COOKING KNOW-HOW

진한 국물 맛이 일품

갈비탕

준비하세요

갈비 1kg, 생강즙 1작은술
다진 마늘 · 다진 생강 1작은술씩
양파 1/2개, 대파 1/3뿌리
무 5토막, 통후추 조금, 물 15컵
국간장 · 맛술 1작은술씩
소금 조금, 후춧가루 적당량
참기름 1작은술

이렇게 만드세요

1 갈비는 찬물에 30분 정도 담가 핏물을 제거한 다음 물기를 빼 칼집을 넣는다.

2 큰 냄비에 갈비와 물을 붓고 대파, 다진 마늘, 양파, 통후추, 생강즙을 넣는다.

3 센 불에서 10분 정도 끓이다가 불을 줄여 중간불로 30분 정도 우려낸 후 불을 끄고 갈비를 건진다.

4 건진 갈비는 국간장, 맛술, 다진 생강, 참기름, 후춧가루, 소금을 넣고 버무린 다음 살짝 볶고 국물은 거품과 기름기를 걷어내 식힌다.

5 국물에 볶은 갈비와 무를 넣고 중간불로 뭉근하게 40분 정도 더 끓인다.

#167 고기철판구이를 했더니 고기가 철판에 자꾸 달라붙어요. 해결 방법이 없나요?

철판구이를 할 때는 고기나 다른 재료를 굽기 전에 철판에 미리 기름칠을 해서 충분히 달구세요. 기름칠을 하고 뜨겁게 예열한 뒤 구워야 재료가 바닥에 달라붙지 않고 맛과 모양이 살아요. 또, 철판은 얇은 것보다 두툼한 것을 사용하는 것이 좋답니다.

#168 쇠고기에 팽이버섯을 말아 튀기는데 고기가 풀어져 팽이버섯이 빠져요. 풀어지지 않게 튀기는 방법 없을까요?

쇠고기에 팽이버섯이나 야채를 넣고 돌돌 말아 튀긴 다음 새콤달콤한 소스를 끼얹어 내면 술안주나 별미반찬으로 아주 인기가 좋지요.
야채를 감싼 고기가 떨어지지 않게 튀기려면 우선 얇게 저민 쇠고기에 손질한 팽이버섯을 넣고 돌돌 말아주세요. 이때 팽이버섯의 양이 지나치게 많으면 튀기는 중간에 풀어질 수 있으므로 적당량만 넣으세요. 또, 돌돌 만 쇠고기 가장자리에 물녹말을 묻혀서 단단히 고정해야 잘 풀어지지 않는답니다. 그런 다음 달걀흰자와 녹말을 섞은 반죽을 입혀 녹말가루에 한 번 굴려주면 튀김옷이 부풀지 않아요.
특별히 주의를 기울이지 않고도 풀어지지 않게 튀기려면 쇠고기말이 양쪽 끝에 이쑤시개를 꽂아 튀기세요. 튀기는 동안 여러 번 휘저어도 절대 풀어지지 않는답니다.

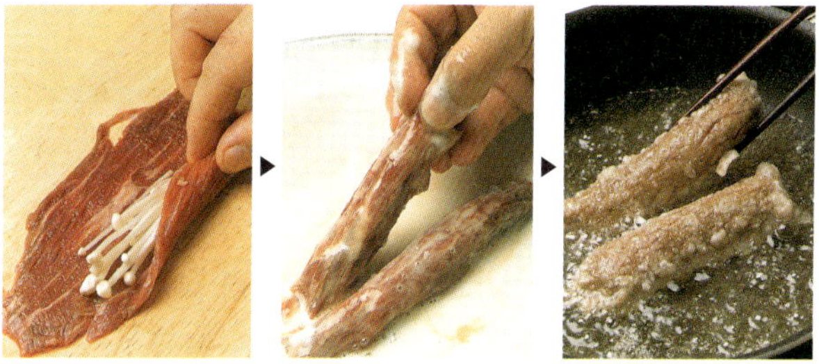

#169 떡갈비를 만들었는데 고기가 뭉쳐지질 않고 부서져요. 방법이 없을까요?

갈빗살을 다져 동그랗게 빚은 다음 구워먹는 떡갈비는 요령이 있어야 고기를 잘 뭉칠 수 있어요.

고기를 다질 때 지나치게 곱게 다지면 씹는 맛이 떨어지고 너무 굵게 다지면 고기가 잘 뭉쳐지지 않는답니다.

고기의 결속력을 좋게 하려면 고기를 다질 때 반은 굵직하게, 나머지 반은 아주 곱게 다져 골고루 섞어주세요. 그런 다음 양념장과 찹쌀가루를 넣고 치댄 뒤 동그랗게 모양을 만들면 쉽게 부서지지 않고 맛있는 떡갈비가 됩니다.

#170 아이들이 돈가스를 너무 좋아해요. 돈가스를 잘 튀기는 비결이 있나요?

돈가스는 아이들이 좋아하는 1등 메뉴지요. 담백하게 소스만 끼얹어도 좋고 돈가스 위에 쫀득한 모짜렐라 치즈로 멋을 부려도 아주 맛있답니다. 주의할 것은 돼지고기 속까지 완전히 익도록 중온에서 바삭하게 튀겨야 해요. 너무 높은 온도에서 튀기면 속은 익지 않고 겉만 탈 수 있답니다.

plus tip

▶

▶

돈가스를 만들어 볼까요

재료 _ 돼지고기(등심) 150g, 소금 · 후춧가루 조금씩, 밀가루 20g, 달걀 1개, 빵가루 50g, 파슬리 · 양배추 적당량씩, 튀김기름 적당량

소스 _ 우스터소스 2큰술, 토마토케첩 1컵, 스테이크소스 5큰술, 사과즙 1큰술, 설탕 3큰술, 소금 1작은술

1 돼지고기는 1~1.5cm 두께로 준비해 칼등으로 두드려 편 다음 소금, 후춧가루로 밑간한다.

2 밑간한 돼지고기에 밀가루를 얇게 묻히고 달걀물을 묻힌 다음 구석구석 빠짐없이 빵가루를 입힌다.

3 기름을 160~170℃로 달군 후 빵가루를 입힌 돼지고기를 넣어 튀기고, 체에 걸렀다가 고온의 기름에서 다시 바삭하게 튀긴다.

4 냄비에 불을 켜고 우스터소스, 토마토케첩, 스테이크소스, 사과즙, 설탕, 소금을 넣어 걸쭉하게 끓인다.

5 접시에 돈가스를 담고 소스를 끼얹은 뒤 양배추와 파슬리를 곁들인다.

#171 갈비찜을 했는데 먹음직스럽지도 않고 질겨요.

부드럽고 윤기 있는 갈비찜은 어떻게 만드나요?

갈비는 찬물에 담가 핏물을 1시간 정도 빼주세요. 그런 다음 파, 양파, 마늘, 생강 등 향신재료와 함께 끓는 물에 넣어 갈비가 어느 정도 익을 때까지 초벌로 삶아주세요. 그럼 갈비에 간이 고루 배면서 부드럽게 익는답니다. 초벌로 삶은 갈비는 한김 식히고 육수는 기름기와 찌꺼기, 향신채소를 걸러낸 뒤 양념장을 만드세요. 그런 다음 냄비에 손질한 갈비와 식힌 육수, 양념장을 넣고 자글자글 조려주면 반짝반짝 윤기 나는 갈비찜이 완성된답니다. 단, 고기가 푹 익기 전에 간장을 넣은 양념장을 부어주면 고기가 단단해질 수 있으므로 주의하세요.

#172 뚝배기불고기를 만들었는데 정체불명의 국이 되어버렸어요.

뭐가 문제일까요?

국물이 많고 건더기가 적거나 혹은 불고기 양념이 싱거우면 뚝배기불고기는 일단 실패예요. 뚝배기불고기는 찌개나 국처럼 국물을 많이 잡으면 맛이 없답니다. 국물이 모자라면 나중에 추가로 넣어도 좋으니 국물은 적게 잡으세요. 이때 국물은 가능하면 쇠고기육수나 맛국물을 넣어주세요. 물을 넣는 것보다 훨씬 감칠맛이 돌고 맛도 풍부해진답니다.

또, 뚝배기불고기는 양념이 국물로 빠져나와 싱거워질 수 있으므로 양념을 조금 강하게 하세요. 팬에 그냥 불고기를 볶아 먹을 때와는 조금 달라요. 좀 짜지 않을까 싶지만 뚝배기에서 국물과 함께 어우러지면서 간이 딱 맞게 됩니다.

plus tip

뚝배기불고기를 만들어 볼까요

재료 _ 불고기 1컵, 쇠고기육수 2/3컵, 느타리버섯 1/2컵, 표고버섯 2개, 팽이버섯 1/3봉, 양파 1/3개, 대파 1/4뿌리, 국간장 · 참기름 적당량씩, 당면 조금, 후춧가루 조금

양념장 간장 2큰술, 설탕 1큰술, 청주 · 참기름 1/2큰술씩, 배 간 것 1큰술, 다진 양파 1큰술, 다진 마늘 1/3큰술, 후춧가루 조금

1 불고기감은 깨끗이 손질하여 준비된 양념장에 미리 재워놓는다.
2 당면은 찬물에 불려 먹기 좋게 잘라둔다.
3 느타리는 손으로 쭉쭉 찢고 표고버섯은 편썰고 대파와 양파는 채썬다.
4 뚝배기에 참기름을 살짝 두르고 재운 불고기를 볶은 다음 쇠고기육수를 붓고 손질한 느타리버섯, 표고버섯을 넣어 팔팔 끓인다.
5 한소끔 끓으면 양파, 불린 당면을 차례로 넣고 어느 정도 익으면 국간장으로 간을 맞춘다.
6 마지막에 어슷썬 파와 팽이버섯을 넣고 한소끔 우르르 끓인다.

COOKING KNOW-HOW

푸짐한 보신요리
갈비찜

준비하세요
갈비 1kg, 감자 2개, 당근 1/2개
마늘 6쪽, 대추 3~4개
깨소금 · 참기름 적당량씩
양념 진간장 4큰술, 설탕 2큰술
다진 양파 · 다진 마늘 1/2큰술씩
청주 1큰술, 소금 1/2작은술
후춧가루 1/4작은술

이렇게 만드세요

1 갈비는 기름기를 제거하고 찬물에 하룻밤 정도 담갔다가 헹군 뒤 양념이 잘 배도록 군데군데 칼집을 넣는다.
2 감자와 당근은 도톰하게 잘라 둥그렇게 가장자리를 다듬는다.
3 핏물 뺀 갈비는 끓는 물에 살짝 무르도록 푹 삶는다.
4 준비한 양념을 모두 섞어 갈비양념장을 만든다.
5 손질한 갈비를 냄비에 담고 물과 양념장 반 분량을 붓고 골고루 익도록 뚜껑을 덮어 센 불에서 끓인다.
6 국물이 끓으면 불을 약하게 줄이고 감자와, 당근, 마늘, 대추를 넣고 남은 양념장을 붓는다.
7 국물이 졸아들면서 전체적으로 간이 고루 배고 윤기가 돌면 참기름과 깨소금을 넣고 뒤적여 접시에 담는다.

▶

#173 햄버거스테이크를 만들면 고기가 너무 퍽퍽하고 맛이 없어요.

맛있게 만드는 비결 없을까요?

햄버거스테이크를 만들 때는 쇠고기와 돼지고기를 반씩 섞으세요. 쇠고기만 가지고 만들면 퍽퍽하고 돼지고기만 사용하면 풍미가 떨어지거든요. 두 가지를 섞어 쓰면 부드러운 맛과 질감을 모두 느낄 수 있답니다. 이때 더욱 부드러운 맛을 느끼고 싶다면 가능한 지방층을 떼고 살코기만 두 번 갈아 사용하세요.

mini tip!

스테이크 고기에 양파 다진 것을 볶아 넣어줘도 맛이 아주 좋답니다.

plus tip

햄버거스테이크를 만들어 볼까요

재료 _ 다진 쇠고기 200g, 다진 돼지고기 200g, 양파 1/2개, 빵가루 40g, 우유 4큰술, 달걀 1개, 소금 · 후춧가루 조금씩, 식용유 적당량

1 다진 양파는 식용유를 두르고 연한 갈색이 될 때까지 볶는다.
2 볼에 빵가루를 넣고 우유를 살짝 흡수시킨다.
3 다진 쇠고기, 다진 돼지고기, 달걀, 소금, 후춧가루를 넣고 섞은 다음 볶은 양파와 빵가루를 넣어 살짝 치댄다.
4 스테이크를 동그랗게 빚어 프라이팬에 굽는다.

#174 돼지고기와 잘 어울리는 야채에 어떤 것이 있나요?

돼지고기와 표고버섯은 찰떡궁합이에요. 표고버섯을 돼지고기와 함께 조리하면 돼지고기에서 나는 고유의 냄새를 줄여주고 콜레스테롤이 체내로 흡수되는 것을 막아준답니다. 이는 표고버섯에 들어 있는 양질의 섬유질 때문이지요. 게다가 표고버섯의 독특한 향이 돼지고기와 어우러져 풍미를 돋워주고 맛과 영양도 더해준답니다.

plus tip

돼지고기와 찰떡궁합 새우젓

돼지고기를 새우젓에 찍어 먹으면 고기 맛도 한결 좋아지고 소화도 잘돼요. 이는 새우젓 속에 들어 있는 단백질 분해 효소인 프로테아제와 강력한 지방 분해 효소인 리파아제 때문이죠.

#175 불고기를 하는데 간장이 떨어졌어요. 소금으로 맛을 내도 되나요?

보통 불고기를 할 때는 간장으로 양념을 하시요. 하지만, 간장이 없을 때는 꽃소금을 사용해도 근사한 맛을 낼 수 있답니다. 간장을 넣어 양념할 때보다 깔끔하고 담백한 맛이 나지요.

소금으로 양념할 때는 꽃소금, 다진 마늘, 다진 파, 청주, 참기름, 다진 양파를 넣어주세요. 이때 설탕이나 물엿 대신 꿀을 넣으면 맛이 훨씬 부드러워집니다. 짭조름하면서도 감칠맛이 나지요.

#176 레스토랑의 비프화이타를 집에서 만들어 먹고 싶은데

토르티야 만드는 법을 모르겠어요.

밀가루나 옥수수가루 125g, 버터 2큰술, 우유 1큰술, 소금 1/2작은술을 준비해 밀가루와 버터, 소금을 넣고 골고루 섞으세요. 잘 섞였으면 우유를 조금씩 넣어가며 반죽을 만들면 됩니다. 다 된 반죽은 롤러로 얇게 밀어 오븐에 굽거나 기름을 두르지 않은 팬에 적당한 크기로 구우면 토르티야 완성이랍니다.

인스턴트 토르티야는 온라인 사이트(www.tacohouse.co.kr, www.nhtortilla.com, www.n-cook.co.kr)나 지역매장, 수입품 취급매장에서도 쉽게 구할 수 있어요.

COOKING KNOW-HOW

돌돌 말아 싸먹는

김치비프화이타

준비하세요

쇠고기 등심 100g, 김치 100g, 청피망 · 홍피망 1/2개씩, 양파 1/2개, 토르티야 8장, 식용유 조금

쇠고기 양념 굴소스 · 레드와인 2큰술씩, 물엿 · 깨소금 1/2큰술씩, 소금 · 후춧가루 조금씩

머스터드소스 마요네즈 1/2컵, 머스터드 · 꿀 · 레몬즙 1큰술씩, 파인애플통조림국물 2큰술

 ▶  ▶ 

이렇게 만드세요

1 쇠고기는 해머로 두드려 부드럽게 만든 다음 쇠고기양념에 재운다.

2 김치는 속을 털어 송송 썰고 양파와 피망은 채썬다.

3 머스터드소스에 들어가는 재료를 모두 넣어 골고루 섞는다.

4 달군 팬에 고기를 익히고 김치를 넣어 볶은 다음 쇠고기는 먹기 좋은 크기로 길쭉하게 썬다.

5 쇠고기양념이 남아 있는 팬에 양파와 피망을 살짝 볶는다.

6 기름을 두르지 않은 팬에 토르티야를 살짝 구워내 쇠고기와 김치, 볶은 야채, 머스터드소스를 넣고 돌돌 만다.

#177 닭 날개는 맛있지만 발라 먹기가 불편해요.

살만 쏙쏙 발라먹는 방법이 없을까요?

닭 날개 부분을 요리할 때 살을 한 군데로 모아 봉 형태로 만들어 주면 살만 쏙쏙 발라 먹기 쉬워요.

1 닭 날개를 관절 바로 밑에서 잘라낸다.

2 잘라내고 남은 넓적한 날개에 길게 칼집을 넣어 벌린다.

3 두 개의 뼈 중 가는 뼈 주위를 빙 돌려 칼집을 넣는다.

4 살을 훑어가면서 가느다란 뼈 한 개를 뽑아낸다.

5 남은 뼈 주변의 살을 한쪽 끝으로 모아 뒤집어서 모양을 만든다.

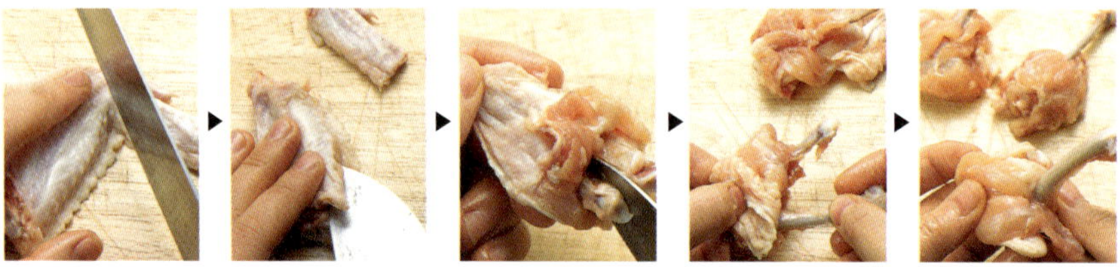

#178 바삭한 닭튀김을 만드는 요령이 궁금해요.

닭튀김은 묽은 튀김옷을 입히는 것보다 마른 가루를 그대로 쓰는 것이 좋아요. 묽은 튀김옷을 입히게 되면 닭 껍질에서 나오는 기름이 충분히 빠져나오지 못해 바삭한 맛을 느낄 수 없거든요. 닭에서 나온 기름이 튀김

mini tip!
마늘가루, 양파 가루가 없을 때는 시즈닝 솔트나 허브솔트를 이용해도 맛과 향이 좋아요.

옷에 그대로 배어 느끼한 맛까지 난답니다.
먼저 닭은 우유에 재워 특유의 누린내를 제거해 주세요. 그런 다음 전분과 밀가루를 반반씩 섞어 후춧가루, 마늘가루, 양파가루, 소금을 넣고 튀김가루를 잘 섞어주세요. 손질한 닭은 탁탁 두드리며 튀김가루를 골고루 입힌 다음 닭에서 빠져나온 수분이 가루에 흡수되도록 30분 정도 그대로 두세요. 그리고 다시 한 번 가루옷을 입히고 30분 정도 그대로 뒀다가 기름에 튀겨주면 겉면이 바삭해지면서 속까지 익는답니다. 한번 튀긴 닭은 조금 식도록 잠시 두세요. 닭이 어느 정도 식었을 때 겉면이 단단해질 정도로 다시 한 번 튀기면 튀김옷에 흡수된 수분이 증발하면서 아주 바삭한 닭튀김이 완성됩니다.

#179 닭 가슴살을 요리하면 밖에서 사먹는 것과 달리 퍽퍽한 맛이 나요.

어떻게 하면 부드러운 맛이 날까요?

닭고기는 껍질과 살 사이에 기름기가 있을 뿐, 살 자체에는 기름기가 섞여 있지 않아 퍽퍽한 맛을 느끼기 쉬워요. 살이 두툼한 닭 가슴살은 특히 그런데, 여기에 수분을 첨가해주면 부드러운 맛을 느낄 수 있답니다.
먼저 물에 소금을 조금 넣고 닭 가슴살을 담근 다음 하룻밤 냉장고에 재워두세요. 그럼 닭 가슴살에 탄력이 생기면서 부드러운 질감을 느낄 수 있답니다.
혹 하룻밤 재워둘 여유가 없다면 소금과 후추로 밑간한 닭 가슴살을 올

리브유로 살살 버무려 1~2시간 정도 냉장고에 넣어두세요. 닭 가슴살 겉면에 기름층이 형성되어 수분이 빠져나가는 것을 막을 수 있답니다. 바로 조리하는 경우 매우 요긴한 방법이지요.

plus tip

커리치킨가스

1 닭 가슴살은 소금, 후추, 청주를 뿌려 30분 정도 재워 둔 후 밀가루, 달걀물, 빵가루 순으로 옷을 입힌다.
2 빵가루를 입힌 닭 가슴살을 노릇하게 튀겨낸다.
3 카레를 믹서에 곱게 갈아 냄비에 넣고 우유를 조금씩 넣어가며 농도를 조절한다.
4 튀겨 낸 치킨가스에 따끈한 카레소스를 끼얹는다.

#180 닭고기의 누린내는 어떻게 없애죠?

닭고기 특유의 냄새는 여러 가지 방법으로 제거할 수 있어요.
누린내를 제거하려면 기름기가 뭉쳐있는 볼록한 꽁지는 미리 잘라내고 조리하세요. 닭을 통째로 삶거나 요리할 때 마늘, 생강, 파 등 향신채소를 넣고 끓여도 누린내가 제거된답니다.
닭에서 나는 독특한 잡냄새를 제거하려면 닭을 손질한 뒤 잔칼집을 넣고 우유에 2시간 정도 푹 담가두거나 닭을 삶을 때 재래된장을 1큰술 정도 풀어줘도 냄새가 감쪽같이 사라져요. 냄새 제거는 물론 맛도 훨씬 담백해진답니다.

#181 닭찜을 하면 항상 기름이 많이 흘러나와요. 미리 기름을 제거할 방법은 없나요?

닭은 껍질 안쪽에 기름이 모여 있기 때문에 몇 가지 요령만 알아두면 오히려 기름기를 제거하기 쉬운 재료랍니다. 우선 눈에 보이는 누런 지방층을 떼어내고 닭 껍질 쪽에 칼집을 내주세요. 그리고 팬에 기름을 살짝 둘러 앞뒤로 노릇노릇 구워주면 칼집 난 곳 사이로 닭 기름이 꽤 많이 녹아나온답니다. 닭을 물에 삶아내는 방법도 있지만 기름은 물보다는 기름 속에서 용해가 더 빨리 이루어지므로 팬에 구워주는 편이 더 많은 기름을 녹여낼 수 있지요. 또 삶아 내는 것보다 구워내면 닭 속의 수분도 덜 빠져나온답니다. 고기의 풍미도 높아져 요리가 한층 맛있어요.

#182 닭고기 요리를 할 때 쫄깃한 맛을 살리려면 어떻게 하죠?

닭고기의 퍽퍽한 맛보다 쫄깃쫄깃한 맛을 좋아한다면 소금물에 데치세요. 소금물에 데치면 삼투압 현상에 의해 닭고기에 들어 있는 불필요한 수분이 빠져나오므로 한층 쫄깃해진답니다. 영양까지 빠져나오지 않으므로 걱정할 필요는 없어요. 이렇게 소금물에 데친 다음 볶으면 토종닭같이 쫄깃쫄깃한 질감을 느낄 수 있답니다.

#183 닭다리에 양념을 발라 오븐에 구웠는데 양념이 속까지 안 배서 맛이 없어요.

어떻게 해야 양념이 속까지 잘 밸까요?

닭다리에 양념을 발라 바로 오븐에 구우면 간이 속까지 배어들지 않아요. 닭다리는 손질할 때 살집이 있는 두둑한 쪽에 칼집을 두세 번 깊이 넣어줘야 속까지 고르게 익고 간도 잘 뱁니다. 껍질에 포크로 군데군데 구멍을 내주면 껍질도 오그라들지 않고 간도 쉽게 배지요. 오븐에 구울 때는 굽는 중간에 양념장을 한 번 더 발라 구우면 보기에도 훨씬 먹음직스럽고 맛도 좋아요.

#184 닭찜을 했는데 잡냄새도 나고 맛이 없어요. 무엇이 문제일까요?

손질한 닭은 먼저 마늘과 마른 고추를 넣어 달달 볶아주세요. 그런 다음 양념장을 넣어 닭을 볶으면 닭냄새가 덜 나요. 특히 양념장을 만들 때 마른 고추를 넣어주면 냄새도 제거되고 마늘 고추의 붉은색이 간장에 우러나 곱게 물들지요. 얼큰하고 개운한 맛도 더해진답니다.

참고로 닭찜을 할 때는 양념장에 물을 넣지 마세요. 닭 자체에서 수분이 빠져나와 물을 넣으면 맛이 희석된답니다.

COOKING KNOW-HOW

푸짐한 주말 별미
안동찜닭

준비하세요
닭다리살 400g,
감자 · 양파 1개씩, 대파 1/2뿌리
당면 50g, 마른 홍고추 3개
청양고추 1개, 참기름 조금
양념장 간장 5큰술
꿀 · 흑설탕 1큰술씩
생강 · 후춧가루 조금씩
청주 3큰술, 마늘 5쪽

이렇게 만드세요

1 당면을 찬물에 담가 부드러울 때까지 불리고 야채를 썬다.

2 양념장 재료를 섞어서 믹서나 블렌더에 간다.

3 닭은 우유에 담갔다가 먹기 좋은 크기로 자른다.

4 팬에 기름을 두르고 마른 홍고추를 잘라 넣어 볶다가 닭을 넣어 같이 볶는다.

5 닭 표면이 익으면 양념장과 감자, 양파를 넣고 물을 자작하게 부어 바글바글 끓인다.

6 닭과 야채들이 익고 국물이 자작하게 졸아들면 청양고추, 파, 당면을 넣고 볶은 다음 마지막에 참기름을 두른다.

▶

▶

#185 닭 속에 음식물을 채워 통째로 구웠는데 내용물이 다 빠져버렸어요.

닭을 통째로 구울 때는 정갈한 느낌이 나도록 묶어야 먹음직스러워요. 특히 닭 뱃속에 찹쌀이나 야채를 넣고 구울 때는 음식물이 튀어나오지 않게 단단히 묶어줘야 내용물이 빠지지 않는답니다. 다리가 벌어져 있거나 음식물이 튀어나오면 우스꽝스러워 보여요. 먼저 실로 닭다리 부분을 묶은 다음 다리에서 가슴을 지나 날개에 오도록 잡아당긴 후 날개를 고정한 뒤 십자 모양으로 동여매면 모양이 가지런해진답니다.

plus tip

오리엔탈 로스트치킨을 만들어 볼까요

재료 _ 닭 1마리, 레몬즙 1큰술, 소금 · 후춧가루 조금씩, 버터 5큰술, 찹쌀 1/2컵, 대추 5개, 은행 20알, 잣 · 황설탕 1큰술씩, 땅콩 2큰술, 밤 5개, 수삼 2뿌리, 간장 2큰술, 육수 1컵, 녹차잎 조금

1 닭은 손질해 소금과 후추로 간하고 레몬즙을 뿌린다.
2 찹쌀은 충분히 불리고 대추는 씨를 발라내고 은행과 땅콩, 밤은 껍질을 벗긴다. 수삼은 어슷하게 썬다.
3 전자레인지용 그릇에 찹쌀, 밤, 대추, 은행, 땅콩, 수삼, 잣, 설탕을 넣고 전자레인지에서 5분 정도 가열한다.
4 닭 뱃속에 속 재료를 넣고 다리를 묶은 다음 내열용기에 녹차잎을 깔고 닭을 올린 후 육수를 붓고 버터를 발라 220℃로 예열된 오븐에서 1시간 정도 굽는다.
5 닭이 노릇해지면 소금과 후춧가루로 간을 맞춘다.

#186 닭 날개를 튀기면 겉은 새까만데 속은 안 익을 때가 많아요.

도대체 이유가 뭘까요?

불 조절에 실패했군요. 처음부터 센 불로 튀기면 겉은 새까만데 속은 익지 않는 경우가 생긴답니다.

닭을 튀길 때는 중간 불이나 약한 불에서 좀 오래 튀긴다는 생각이 들 정도로 충분히 튀겨주세요. 그래야 속까지 잘 익고 닭 껍질에 있는 기름이 빠져나와 바삭바삭하답니다. 그런 다음 튀김이 어느 정도 식으면 다시 한 번 튀겨주세요. 바삭하고 고소한 맛을 느낄 수 있답니다.

plus tip

맛있는 프라이드 치킨의 비밀

전 세계적으로 사랑받는 프라이드 치킨은 야식이나 간식, 술안주로도 손색이 없지요.

집에서 닭을 튀길 때는 다음 몇 가지 요령을 기억해야 맛있는 프라이드 치킨을 만들 수 있어요.

첫째, 다진 마늘, 생강, 레몬즙, 후춧가루 등을 넣고 밑간한 닭고기에 밀가루나 감사 전분을 묻히세요. 촉촉한 본래의 맛을 느끼려면 밀가루를 선택하는 것이 좋고 바삭바삭한 맛은 원하면 감자전분을 묻히면 된답니다. 취향에 따라 두 가지를 섞거나 튀김가루를 사용해도 좋아요.

둘째, 닭을 튀길 때 저온에서 한 번 고온에서 한 번 튀겨주세요. 튀김요리는 보통 두 번 튀기는 것이 훨씬 바삭하답니다. 처음 튀길 때는 170℃ 온도에서 3~4분 정도 튀기고 두 번째는 190℃에서 파삭파삭 소리가 날 때까지 튀겨주면 겉은 바삭하면서도 속은 부드럽게 익어 맛이 아주 좋아요.

생선★해물 요리

살이 통통 오른 생선과 해물은 지방질이 적고 단백질이 풍부하며 담백한 맛이 일품입니다. 특히 제철에 나온 싱싱한 생선은 살이 매우 부드럽고 맛이 아주 좋지요. 손질이 조금 까다롭기는 하지만 구이, 조림, 튀김, 찜 등 얼마든지 다채로운 요리를 만들 수 있어요. 몸에 좋고 입맛 당기는 맛있는 생선·해물 요리로 식탁을 풍성하게 채우세요.

#187 생선을 튀길 때마다 기름이 튀어 주변이 기름바다가 돼요.
얌전하게 생선을 튀길 수 있는 방법은 없나요?

생선을 튀기다 보면 기름이 여기저기 튀어 주방이 지저분해지거나 손이나 얼굴에 가벼운 화상을 입기도 하지요.

프라이팬에 생선을 튀기는 경우에는 생선 앞·뒷면에 밀가루를 묻혀 튀겨주세요. 기름도 튀지 않고 바삭한 맛도 살아난답니다. 비린내도 많이 제거되지요.

펄펄 끓는 기름에 생선을 풍덩 넣어 튀길 경우에는 기름에 소금을 한 줌 넣어주세요. 그럼 신기하게도 기름이 튀지 않는답니다.

#188 냉동 보관한 생선을 해동시킬 때
가장 좋은 방법이 무엇인가요?

생선은 쉽게 상하기 때문에 깨끗이 닦은 다음 내장과 아가미를 손질해 냉동 보관하지요. 생물 상태보다 싱싱함과 맛은 떨어지지만 두고두고 먹을 수 있으니 집집마다 흔히 이용하는 방법입니다.

냉동된 생선을 해동할 때는 냉장고에서 서서히 녹이세요. 온도 차가 커지면 생선 속에서 수분이 빠져나오면서 맛과 영양 성분도 함께 빠져나온답니다.

만약 구이용으로 손질해서 냉동 보관한 것이라면 해동하지 말고 바로 팬에 구우세요. 그래야 생선살이 퍽퍽하지 않고 맛있답니다.

#189 생선 특유의 비릿한 냄새가 싫어요. 비린내가 나지 않게 생선을 구울 수는 없을까요?

생선 특유의 비릿한 냄새가 거슬릴 때는 구운 즉시 마늘가루를 뿌려주세요. 생선 표면에 여열이 남아 있을 때 마늘가루를 뿌리면 생마늘과는 또 다른 부드러운 맛과 향을 느낄 수 있답니다.

굽기 전에 레몬즙을 뿌려주는 것도 방법이지요. 상큼한 맛과 향이 비린내를 제거해주고 살을 단단하게 해줘 모양이 유지된답니다.

plus tip

생선 비린내 나지 않게 씻기

요즘 생선을 구입하면 대부분 용도에 맞게 내장과 비늘을 손질해주지요. 이렇게 밑손질이 끝난 생선은 배를 벌린 다음 흐르는 물에 남은 내장과 피를 깨끗이 제거해주세요. 마지막으로 가운데 뼈를 따라 내장을 둘러싼 막을 손가락으로 문질러 씻어내면 비린내도 제거되고 깨끗이 닦인답니다.

#190 갈치를 손질할 때 은백색의 비늘을 꼭 벗겨내야 하나요?

일반적으로 갈치는 손질할 때 은백색의 비늘을 긁어내지요. 갈치 표면을 덮고 있는 은백색의 비늘은 구아닌이라는 유기염기로 이루어져 있어 소화도 되지 않고 영양 가치도 없기 때문이지요. 게다가 조리할 때 국물을 지저분하게 하므로 말끔하게 긁어내고 조리하는 게 좋아요.

COOKING KNOW-HOW

질리지 않는 그 맛

갈치무조림

준비하세요

갈치 200g, 무 1/4개

양념

고춧가루 1큰술반

간장 5큰술, 설탕 1큰술

청주 2큰술, 참기름 1작은술

다진 마늘 1큰술

마른 홍고추 1개

저민 생강 1쪽, 물 1컵

이렇게 만드세요

1 갈치는 비늘을 긁어내고 먹기 좋게 7cm 길이로 토막 낸 뒤 내장을 정리한다.

2 토막 낸 갈치는 옅은 소금물에 씻어 물기를 닦아준다.

3 무는 은행잎 모양으로 큼직하게 자른다.

4 양념장 재료는 냄비에 담아 한소끔 끓인다.

5 냄비에 무를 깔고 그 위에 손질한 갈치를 올린 다음 끓여놓은 양념장을 부어 자작하게 끓인다.

6 조림국물을 끼얹어가며 갈치를 조린 뒤 접시에 담아낸다.

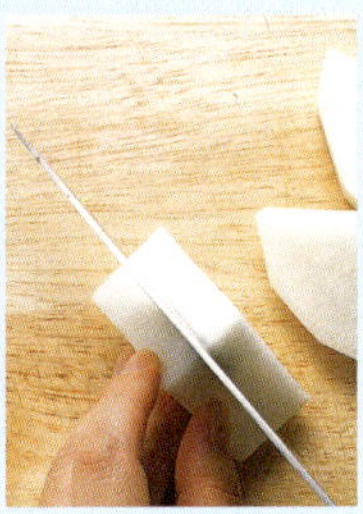

#191 고등어자반을 선물로 받았는데 구워 먹어보니 너무 짜네요. 생선의 짠맛이나 떫은맛은 어떻게 제거하나요?

입맛이 없을 때 짭짤하게 간이 밴 생선구이는 입맛을 돋우는 별식이죠. 하지만, 지나치게 염도가 높은 생선은 몸에도 좋지 않고 탄수화물 섭취량도 늘리므로 피하는 것이 좋답니다.

간이 지나치게 짜게 밴 생선은 쌀뜨물에 30분 정도 담가 소금기를 빼주세요. 동시에 비린내도 제거되는 아주 효과적인 방법이랍니다. 게다가 쌀뜨물은 물보다 점도가 높아 생선의 영양분이 빠져나오는 것을 막아준답니다. 단, 쌀뜨물에 담가두면 생선의 탄력이 떨어지는 경우가 있으므로 채반에 올려놓고 약간 겉면이 꾸덕꾸덕 마를 때까지 두었다 구우세요. 그럼 살이 탱탱하고 맛있는 생선구이를 즐길 수 있답니다. 지방이 산화되어 생기는 말린 생선의 떫은맛도 쌀뜨물에 불리면 생선살이 부느러워지면서 떫은맛이 빠져요. 쌀뜨물 안에 들어 있는 콜로이드성 성분이 떫은맛을 흡착하기 때문이랍니다.

plus tip

토막 낸 생선 비린내 제거하기

토막 낸 생선은 바닷물과 비슷한 농도의 소금물에 담가두면 생선 특유의 비린내도 사라지고 생선살도 야들야들해진답니다. 이때 소금물은 물 3컵에 소금 1큰술 정도면 적당하지요.

#192 도미처럼 비늘이 크고 단단한 생선은 손질이 너무 어려워요. **생선 비늘을 쉽게 벗기는 방법 없나요?**

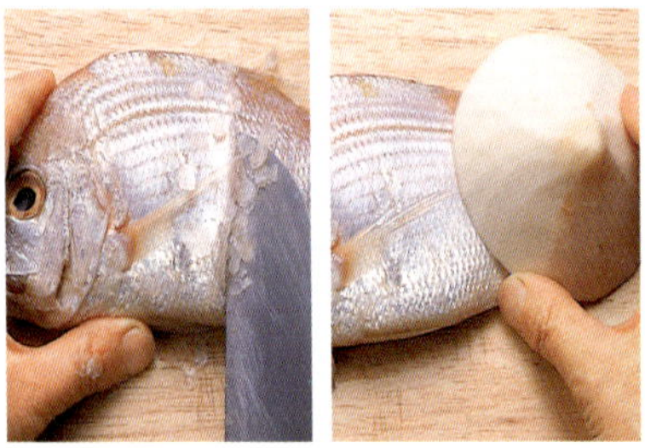

도미처럼 비늘이 큰 생선은 꼼꼼한 손질이 필요해요. 먼저 칼로 비늘을 벗길 때는 왼손으로 머리를 꼭 잡고 비늘 방향과 반대로 꼬리에서 머리를 향해 긁어내세요. 이때 등, 배, 지느러미 부분까지 꼼꼼하게 긁어내야 먹을 때 껄끄럽지 않답니다.

다음은 무 토막을 이용하는 방법이에요. 도미같이 비늘이 단단한 생선은 무를 토막 내어 비늘에 대고 문지르면 생선 비늘이 무에 꽂혀 생선살에 상처도 생기지 않고 손질할 때 비늘이 튀는 것도 막아준답니다.

마지막으로 필러를 이용하는 방법이에요. 비늘 벗기는 전용도구가 없다면 감자 껍질을 벗기는 필러를 이용해도 잘 벗겨진답니다.

#193 **생선을 튀기면 자꾸 튀김옷이 벗겨져요.** 튀김옷도 벗겨지지 않고 비린내도 나지 않게 튀기는 방법이 없을까요?

생선은 수분을 함유하고 있어 물기를 잘 거두지 않고 튀기면 튀김옷이 벗겨져요. 먼저 준비한 생선의 물기를 잘 거두고 밀가루를 골고루 묻

혀 튀김옷을 입히세요. 생선 특유의 비린내가 거슬리면 생강즙, 술, 레몬즙을 넣어 밑간을 하면 냄새가 한결 줄어든답니다.
생선과 다른 여러 가지 재료를 함께 튀기는 경우라면 한꺼번에 튀기지 말고 담백한 것, 냄새가 배지 않는 것부터 차례로 튀기고 간장이나 생강으로 밑간한 것은 맨 마지막에 튀기세요. 이때 기름을 넉넉히 두르세요.

#194 생선구이를 하면 생선살이 자꾸 부서져요.

깔끔하게 구울 수는 없을까요?

mini tip!
생선 단백질을 응고시키는 방법에는 석쇠를 미리 달궈 열로 응고시키는 방법, 생선을 소금에 절이는 방법, 석쇠에 식초를 발라 산에 의해 응고시키는 방법까지 세 가지가 있습니다.

생선을 구울 때는 생선 토막을 펼쳐 놓고 소금을 골고루 뿌린 뒤 간이 잘 배도록 20분쯤 두었다가 조리하세요. 생선 표면에 소금을 뿌려 두면 생선 속에 들어 있던 수분이 빠져나와 살이 단단해진답니다. 잘 부서지지 않을뿐더러 짠맛이 식욕을 돋워주지요. 단, 소금을 뿌린 뒤 시간이 너무 지나면 수분이 지나치게 빠지고 맛도 달아나므로 꼭 시간을 지키세요.

plus tip

석쇠구이를 할 때 생선 껍질이 들러붙는 경우

일반 팬으로 구울 때와 달리 석쇠로 구울 때는 먼저 석쇠를 충분히 달궈주세요. 석쇠가 충분히 달궈지면 생선 껍질에 있는 단백질이 바로 응고되면서 들러붙지 않거든요. 달군 석쇠에 기름을 발라주면 생선을 떼기 아주 쉬워요.

#195 생선을 맛있게 굽는 방법이 궁금해요. 불 조절은 어떻게 하나요?

생선을 구울 때는 센 불에서 10~15cm 정도 높이 간격을 두고 구우세요. 그래야 생선 전체에 불기운이 고루 미쳐 짧은 시간에 속살까지 빠르게 익는답니다. 이때 석쇠는 미리 달군 후 사용하세요. 달궈지지 않은 석쇠에 생선을 올려놓으면 생선살이 석쇠에 쩍 눌어붙어 살점이 다 떨어져 나가 보기도 흉하고 맛도 떨어집니다.

plus tip

생선에 맞는 불 조절 공식

고등어와 꽁치같이 붉은살 생선은 불길이 닿도록 바싹 구워야 바삭하면서도 입맛을 당겨요. 하지만 가자미같이 흰살 생선은 중간 불에서 은근하게 구워야 제 맛이 난답니다.

#196 고등어자반을 굽는데 모양이 자꾸 휘어져요. 굽는 방법이 틀린 걸까요?

고등어자반처럼 반으로 갈라 편 생선은 속부터 구워야 휘지 않아요. 생선 껍질에는 콜라겐 성분이 풍부하기 때문에 열에 의해 수축이 잘 됩니다. 따라서 껍질 부분부터 굽게 되면 껍질이 오그라들면서 모양이 휘게 되지요. 휘지 않고 반듯하게 구우려면 꼭 속부터 구우세요. 그래야 안쪽이 먼저 응고되면서 모양이 휘지 않아요.

mini tip!
생선 표면에 칼집을 넣으면 휘는 것을 막을 수 있답니다.

COOKING KNOW-HOW

사계절 밥반찬

고등어자반구이

준비하세요

고등어자반 1마리, 밀가루 2큰술
식용유 2큰술, 쌀뜨물 2컵

이렇게 만드세요

1 고등어자반은 토막을 낸 다음 30분 정도 쌀뜨물에 담가 비린내와 짠맛을 제거한다.

2 고등어 앞뒤로 밀가루를 묻히고 여분의 밀가루는 탁탁 털어준다.

3 팬에 기름을 두르고 노릇하게 익으면 뒤집어 반대쪽도 노릇하게 굽는다.

#197 생선양념구이를 할 때마다 겉이 타서 맛을 제대로 느낄 수가 없어요.

뭐가 잘못된 걸까요?

처음부터 양념을 발라 굽게 되면 양념이 먼저 타버려 제 맛을 느낄 수 없습니다. 생선을 살짝 애벌구이한 후 양념을 발라 약한 불에서 어느 정도 거리를 두고 구우세요. 속까지 잘 익을 뿐 아니라 양념이 잘 배어들어 맛이 훨씬 좋답니다. 그래도 자신이 없다면 양념을 바르지 않고 구운 뒤 상에 내기 직전에 소스를 묻히세요. 괜찮은 방법이랍니다.

#198 집에서 생선조림을 하면 간이 밍밍하고 맛이 없어요.

생선조림 맛내는 비결을 알려주세요.

우선 생선이 서로 겹치지 않도록 바닥이 넓고 편평한 냄비를 준비하세요. 그래야 조리하는 도중 생선살이 부서지지 않고 양념이 잘 배어든답니다. 생선을 조릴 때는 미리 조림국물을 만들어 끓이다가 팔팔 끓어오르면 생선을 냄비에 넣으세요. 조림국물이 끓기 전에 생선을 넣으면 생선의 고소한 맛이나 영양분이 국물 속에 녹아버릴 뿐 아니라 살이 부서지기 쉬워요.

또, 냄비보다 크기가 작은 속뚜껑을 덮어 두세요. 속뚜껑을 덮어 두면 조림장이 적더라도 양념이 잘 배어들고 재료가 흐트러지지 않아요. 굳이 생선을 뒤집지 않아도 속까지 잘 익기 때문에 보기에도 훨씬 좋지요. 조림을 하는 중간 중간 숟가락으로 조림국물을 끼얹어 주면 간이 훨씬 잘 배고 윤기도 자르르 흐른답니다.

plus tip

생선을 조릴 때 나는 비린내 제거하기

생선조림을 할 때 뚜껑을 열고 조리면 어느 정도 비린내가 사라져요. 그래도 냄새가 가시지 않을 때는 조림 양념장에 된장을 살짝 풀어줘도 비린맛을 완화할 수 있답니다. 좀 더 강력한 효과를 원한다면 마늘장아찌나 고추장아찌 국물을 청주 대신 넣어주세요.

#199 생선조림이나 두부조림에 간이 잘 배지 않고 양념이 겉돌아요.

간이 속까지 잘 배게 조릴 수 없을까요?

생선이나 두부는 간이 쉽게 배지 않는 재료예요. 생선이나 두부를 냄비에 올린 다음 양념장을 재료 위에 골고루 끼얹어 30분 정도 푹 재워두세요. 그럼 간이 어느 정도 배어든답니다. 그런 다음 양념장이 씻겨 내려가지 않도록 냄비 가장자리를 따라 물을 부어 주세요. 이때 물은 바닥에 살짝 깔릴 정도만 넣어주세요. 이렇게 조리면 양념장이 주재료 위에 고스란히 얹힌 채로 조려져서 양념이 재료에 쏙 밴답니다. 간혹 수분에 의해 양념장이 씻겨 내려가는 경우가 있으므로 맛이 고루 잘 배도록 조리는 중간 중간 국물을 숟가락으로 떠서 재료 위에 끼얹어 가며 조리세요.

#200 생선매운탕을 끓였는데 양념이 겉돌고 국물 맛은 밍밍해요. 맛있게 끓이는 비법을 알려주세요.

먼저 싱싱한 재료를 준비하세요. 아무리 맛있는 양념과 조리 방법이라도 생선이 신선하지 않으면 도로아미타불이랍니다. 다음은 알맞은 양의 물이에요. 국물이 너무 많거나 적으면 간이 맞지 않아요. 마지막으로 양념을 미리 섞어 맛이 어우러지도록 숙성시키세요. 고춧가루, 소금, 마늘 등 양념을 하나씩 국물에 풀어 넣으면 양념이 겉돌 수 있답니다. 하루 전 혹은 적어도 30분 전에는 양념을 미리 섞어 두세요. 그래야 각각의 재료가 어우러지면서 색도 예쁘게 풀어지고 국물과 양념이 어우러져 깊은 맛이 납니다.

생선매운탕에 들어가는 국물은 물 대신 멸치와 무, 다시마를 넣고 우린 국물을 사용하세요. 맛도 훨씬 진하고 감칠맛이 난답니다.

mini tip!
맛있는 생선매운탕은 멸치국물 3컵당 고춧가루 2큰술, 고추장 1/3큰술, 국간장 2큰술, 까나리액젓 1큰술, 다진 마늘 1/3큰술, 다진 생강 조금, 청주 1큰술, 후추 조금, 설탕 1/5큰술이 필요해요.

#201 고등어조림을 할 때 국물이 졸아붙을 때까지 끓여도 무가 안 익을 때가 있어요. 어떻게 해야 할까요?

고등어조림은 재료가 푹 잠기도록 물을 충분히 붓고 무가 익을 때까지 조리는 것이 일반적인 방법이지요. 하지만 무가 잘 익지 않을 때는 끓는 물에 무를 먼저 익히거나 따로 무를 데쳐 넣어주면 맛도 고르게 배고 잘 익는답니다.

COOKING KNOW-HOW

머리가 좋아지는

고등어조림

준비하세요

고등어 1마리, 무 200g, 양파 1/3개
대파 1/3뿌리, 풋고추 2개
홍고추 1개, 물 1컵

양념

간장 4큰술, 고추장·고춧가루 1큰술씩
다진 마늘 1/2큰술, 다진 생강 1/3큰술
청주 · 올리고당 1큰술씩
까나리액젓 1/2큰술

이렇게 만드세요

1 고등어는 먹기 좋은 크기로 토막 내고 무는 반달 모양으로 썰어 끓는 물에 익힌다.

2 볼에 조림장 재료를 모두 넣어 섞은 뒤 토막 낸 고등어를 조림장에 재운다.

3 고추와 파는 어슷하게 썰고 양파는 굵직하게 채썬다.

4 무가 익는 정도 익고 물이 반 정도로 줄면 무 위에 재운 고등어를 올리고 남은 양념을 싹싹 긁어 넣는다.

5 바글바글 끓으면 양파와 파, 풋고추, 홍고추를 넣고 자작할 정도로 조린다.

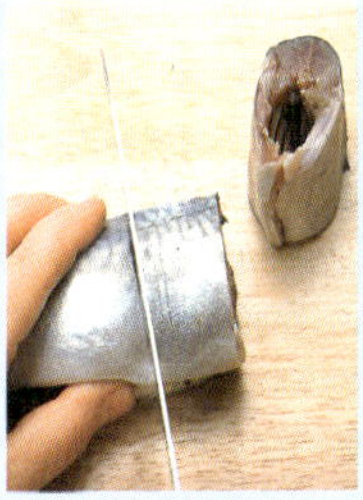

#202 가자미를 프라이팬에 튀겼더니 물이 생기면서 모양이 망가졌어요.

바삭한 가자미구이는 어떻게 만드나요?

프라이팬에 가자미를 넣고 튀길 때 간혹 부스러지는 경우가 있지요. 이는 가자미에서 나온 수분이 팬 밑바닥에 고여 증발하지 못했기 때문인데요, 이렇게 튀기는 동안 수분이 고이는 것을 막으려면 가자미 표면의 물기를 닦아준 뒤 밀가루를 입혀 기름에 지지세요.

밀가루가 가자미에서 나오는 수분을 흡수할 뿐 아니라 바삭한 맛도 살려준답니다.

가자미 표면에 묻히고 남은 밀가루는 설거지할 때 사용하면 아주 유용하답니다. 기름기와 비린내 제거에 효과가 탁월해요.

plus tip

색다른 가자미구이

밀가루와 카레가루를 섞은 다음 소금에 절인 가자미에 묻혀 두세요. 그런 다음 가자미 표면에 묻어 있는 여분의 가루를 털어준 뒤 15분 정도 지나 다시 가루를 입혀 10분 정도 그대로 두면 수분이 제거되어 조리 후 더욱 바삭한 맛을 느낄 수 있답니다. 기름을 두른 팬에 노릇노릇 구워내면 색다른 카레가자미구이가 완성되지요.

#203 통북어를 샀어요. 통북어는 어떻게 손질하나요?

잘게 찢어 파는 북어도 있지만 통북어를 사용하면 깊고 진한 맛을 즐길 수 있어요. 통북어를 손질할 때는 먼저 방망이를 이용해 두들겨주세요. 그런 다음 물에 6~7시간 정도 불리면 북어 살이 부드러워져요. 단, 물에 불릴 때는 북어가 물에 떠오르지 않도록 무거운 것으로 눌러야 잘 붇는답니다. 이렇게 불린 북어는 머리를 자르고 몸통을 토막 내어 뼈와 가시를 발라내면 손질이 끝나요. 손질한 통북어는 북어채볶음이나 북엇국을 끓일 때 넣어주면 담백하고 진한 맛을 느낄 수 있지요.

#204 뱅어포구이를 했더니 쓴맛이 나요. 이유가 뭘까요?

매콤달콤한 양념장을 고루 바른 뱅어포를 석쇠에 구워내면 맛도 있고 영양도 그만이지요. 그런데 너무 불 가까이에서 구우면 타서 쓴맛이 나요. 뱅어포를 맛있게 구우려면 석쇠에 뱅어포를 겹쳐 놓고 불에서 약간 떨어진 곳에서 타지 않도록 천천히 굽는 것이 포인트랍니다. 또 양념장을 바른 뒤 즉시 굽지 말고 잠시 햇볕에 말렸다 구우면 양념이 깊이 배어 더 맛있어요.

plus tip 뱅어포 고르기

뱅어포는 하얗고 조직이 촘촘하며 도톰한 것을 고르세요. 노랗게 변한 것은 오래되어 찌든 것입니다.

#205 조개는 어느 정도 해감을 해야 모래가 씹히지 않나요?

mini tip!
조개껍데기 속에 있는 이물질을 해감이라고 해요. 바닷물 정도 농도의 물에 조개를 푹 담가두면 호흡을 하면서 해감을 토해내지요.

조개는 바다와 비슷한 3% 정도의 소금물에 적어도 4~5시간 이상 담가야 모래가 씹히지 않아요. 물 5컵에 굵은 소금 3숟가락을 넣고 휘휘 저어주면 소금물이 완성되지요. 요리하기 전날 미리 소금물에 담가 신문지로 덮고 해감을 충분히 토해내도록 하는 것도 좋은 방법이에요. 요즘은 미리 해감시킨 조개를 소금물이 든 비닐봉지에 담아 팔기도 하지요. 이럴 때는 조개를 비닐봉지에서 꺼내 그대로 씻어 사용하면 된답니다.

plus tip

잘못 알고 있는 조개 해감 상식

조개는 무조건 소금물에 해감시키는 것으로 알고 있는데 이것은 잘못된 상식이에요. 모시조개같이 바다에서 나는 조개들은 소금물에 해감시키지만 바지락 같은 담수조개는 맹물에 해감시킨답니다. 조개가 살던 곳과 비슷한 환경을 만들어줘야 해감을 토해요.

#206 구입한 홍합이나 모시조개 중에 입을 벌리지 않는 조개들이 있어요. 신선한 조개와 상한 조개를 어떻게 구분하죠?

조개류는 자기 소화 작용이 활발해 부패하기 쉬우므로 꼭 신선한 것을 구입하세요. 껍질이 단단하고 광택이 있으며 파르스름한 빛을 띠는 것이 좋지요. 손으로 껍질을 톡 건드렸을 때 서서히 속살이 움츠러드는 것이 신선한 조개랍니다. 지나치게 입을 쩍 벌리고 있거나 건드리고 나서 2분이 지나도 입을 다물지 않는다면 이미 죽었거나 상한 조개예요.
싱싱한 조개류는 냄새를 맡았을 때 바닷물 냄새가 납니다. 상한 것은 쿰쿰한 냄새나 악취가 나지요. 따라서 구입할 때 냄새를 확인하는 것도 좋은 방법이랍니다.

mini tip!
조리했을 때 입을 굳게 다문 조개는 이미 죽은 것이에요. 반드시 건져내 버리세요.

#207 해산물은 비린내가 나서 요리를 하려면 걱정이 앞서요.

잡냄새를 날려버리는 조리법이 없을까요?

싱싱한 해물을 골라 꼼꼼하게 손질한 다음 향신채소를 적극적으로 활용하세요. 향과 맛이 강한 마늘, 생강, 고추, 대파, 미나리, 쑥갓 등을 넣고 끓이면 비린내 제거는 물론 맛도 개운하고 시원해진답니다. 향신채소는 불에서 내리기 직전 듬뿍 넣어주면 효과가 탁월하지요.

#208 새우에서 쓴맛이 나는 것 같아요.

뭐가 문제일까요?

새우 등의 중앙에는 쓴맛이 나는 내장이 있어요. 큰 새우일수록 실 같은 검은 내장도 커서 쓴맛도 강하고 씹는 감촉도 껄끄럽답니다. 새우를 요리할 때는 내장을 빼는 것이 좋아요.

먼저 껍질을 벗기지 않은 새우는 자연스럽게 등을 구부리세요. 그런 다음 등 쪽, 머리에서 2~3마디 부분에 이쑤시개를 찔러 넣어 검은 내장을 살짝 들어 올리듯 빼내세요. 이때, 녹색이나 누런색의 내장은 맛있는 성분이므로 굳이 제거할 필요가 없답니다.

#209 식당에서 먹는 새우튀김은 바삭한데, 집에서 만든 새우튀김은 눅눅하고 맛이 없어요. 바삭한 새우튀김 비법이 궁금해요.

mini tip!
새우에 튀김옷을 입힐 때 빵가루나 튀김가루 대신 콘플레이크를 잘게 다져 입혀주면 아이들이 무척 좋아한답니다. 바삭하면서도 달콤해 아이들에게 인기 만점이죠.

차가운 튀김옷과 두 번 튀겨주는 센스만 있으면 누구나 맛있는 새우튀김을 만들 수 있답니다.
먼저 계량컵에 달걀을 깨고 차가운 얼음물을 부어 후다닥 풀어준 뒤 볼에 옮겨 담으세요. 이때 볼을 차갑게 두면 점성이 생기기 어려워 튀김옷이 얇게 입혀진답니다. 여기에 박력분을 뿌리듯 넣고 젓가락으로 듬성듬성 두드리듯 저어 재빨리 튀기세요. 중온에서 새우를 한 번 튀긴 다음 불을 끄고 기름 온도가 좀 내려갔다 싶으면 다시 달궈 튀기면 새우에서 바삭거리는 소리가 들린답니다. 새우뿐 아니라 튀김 요리는 대부분 두 번 튀겨야 맛이 좋아요.

#210 새우튀김을 하려고 새우를 샀는데 생각보다 크기가 작아요.

큼직하게 보이게 할 방법이 없을까요?

새우를 손질할 때 배 부분에 칼집을 넣고 윗부분을 손가락으로 꾹꾹 눌러주면 새우가 1~2cm는 훌쩍 커져요. 구부린 등을 펴고 완벽한 라인을 뽐낸답니다.

먼저 새우의 머리, 꼬리, 내장을 제거한 다음 꼬리 부분의 물샘 부위를 잘라주세요. 그리고 새우의 배 부분에 잔칼집을 넣어 배 쪽이 도마에 닿도록 손가락으로 꾹꾹 눌러 주면 길게 뻗은 새우가 완성됩니다.

#211 새우를 질기지 않고 탱글탱글하게

요리하는 방법이 있을까요?

새우는 다른 해산물과 마찬가지로 너무 오래 조리하면 살이 질겨져요. 열을 가해 새우 색이 분홍색으로 변하면 이미 다 익은 것이지요. 조금 더 익히는 순간 단단해지고 단맛도 빠진답니다.

또 조리 직후에는 탱글탱글하다가도 미리 양념이나 소스에 무쳐두면 새우 속의 수분이 빠져나와 탱글탱글한 맛이 사라져요. 따라서 삶은 새우는 꼭 상에 내기 직전에 재빨리 무치도록 하세요.

새우를 볶을 때도 상에 내기 바로 직전에 볶아 내는 것이 좋답니다. 단, 새우를 볶을 때는 분홍빛을 띨 정도로 살짝 볶아야 오그라들거나 질기지 않아요.

COOKING KNOW-HOW

별미 중의 별미
대하볶음

준비하세요
대하 4마리, 청주 1작은술
소금 조금, 버터 1큰술
다진 양파 200g
다진 마늘 · 다진 파 조금씩
다진 생강 적당량
다진 홍고추 적당량
완두콩통조림 1큰술
참기름 · 후춧가루 조금씩

이렇게 만드세요

1 대하는 껍질을 벗기고 등 쪽에 칼집을 내어 내장을 제거한다.

2 손질한 새우에 소금, 청주를 뿌려 밑간을 한 다음 팬에 버터를 두르고 새우가 탱글탱글하게 익을 때까지 볶는다.

3 달군 팬에 버터를 두르고 완두콩, 마늘, 대파, 양파, 다진 홍고추, 생강을 넣고 볶다가 익힌 대하를 넣어 후다닥 버무린 다음 참기름, 후춧가루로 마무리한다.

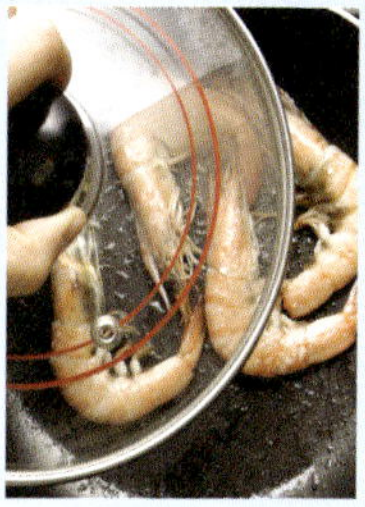

#212 오징어를 예쁘게 썰고 싶은데 방법을 모르겠어요.

오징어 요리를 할 때 꼭 알아둬야 할 것은 모양 썰기예요. 네모반듯하게 썬 것보다는 모양도 예쁘고 씹기 편한 것이 훨씬 돋보인답니다.

솔방울 썰기

1 오징어는 껍질을 벗기고 몸통 안쪽에서 사선으로 촘촘하게 칼집을 넣는다. **2** 사선으로 썬 방향과 엇갈리게 칼집을 넣어 준다. **3** 먹기 좋은 크기로 네모지게 썬 다음 익히면 오그라들면서 솔방울모양이 된다.

고리모양썰기

1 오징어를 깨끗이 씻어 내장을 빼내고 몸통 속을 깨끗이 씻는다. **2** 원통모양이 되도록 도마에 올려놓는다. **3** 원통모양을 살려 1cm 두께로 일정하게 자르면 고리모양이 된다.

해바라기모양썰기

1 오징어를 3cm 두께의 고리모양으로 썬다. **2** 테두리 부분의 끝 1cm를 남기고 가위로 빙 돌아가며 가위집을 넣는다. **3** 끓는 물에 소금을 넣고 살짝 데치면 해바라기모양이 된다.

빗살무늬썰기

1 오징어 안쪽에 세로로 길게 칼집을 넣는다. **2** 칼집 넣은 방향과 교차하도록 오징어를 90도 돌려 안쪽으로 칼집을 넣는다. **3** 알맞은 크기로 자른다.

#213 오징어채볶음을 했는데 너무 딱딱해요. 말랑말랑 부드럽고 맛있는 오징어채볶음은 어떻게 만드나요?

오징어채를 볶을 때 설탕 양이 많거나 오래 볶으면 딱딱해져요. 설탕 양을 줄이고 물엿이나 조청, 꿀을 사용하면 훨씬 부드러운 맛을 느낄 수 있답니다. 기름에 양념장을 넣고 바글바글 끓어오르면 불을 끄고 식힌 뒤 후다닥 양념으로 무쳐내면 부드러운 오징어채볶음 완성! 마지막에 마요네즈를 넣어 살짝 볶아주면 윤기도 자르르 흐르고 오래두고 먹을 수 있어요.

plus tip

말랑말랑 오징어채볶음을 만들어 볼까요

재료 _ 오징어채 200g, 고추장 2큰술, 간장 1큰술, 올리고당 2큰술, 쌀엿 1큰술, 설탕 2작은술, 다진 마늘 1큰술, 식용유 2큰술, 통깨 적당량

1 오징어채는 먹기 좋은 크기로 자르고 물에 살짝 씻은 뒤 체에 밭쳐 물기를 뺀다.
2 팬에 식용유를 두르고 고추장, 간장, 올리고당, 쌀엿, 설탕, 다진 마늘을 넣고 바글바글 끓인다.
3 양념장이 끓어오르면 불을 끄고 오징어채를 넣어 후다닥 버무리고 통깨를 뿌린다.

#214 오징어볶음을 하다가 깜빡 정신을 팔아 너무 오래 볶았어요. 질겨진 오징어를 부드럽게 만들 수는 없나요?

오징어는 살짝 볶아야 씹을 때 부드러우면서도 탱글탱글한 맛이 살아있어요. 자칫 방심하면 고무줄처럼 질겨질 수 있답니다.

하지만, 부득이하게 질겨졌을 때는 오래 볶아 다시 부드럽게 만들 수 있어요. 계속 열을 가하면 처음에는 오징어와 채소에서 물이 많이 나오지만 오래 볶다보면 오징어의 조직이 부드러워지면서 이내 수분도 증발한답니다. 후다닥 조리했을 때의 신선하고 탱글탱글한 맛은 떨어지지만 딱딱하고 질긴 맛은 피할 수 있어요.

#215 오랫동안 냉동실에 보관했던 반건조 오징어를 맛있게 먹는 방법이 있을까요?

건조된 오징어라도 냉동실에 오래 보관하면 찝찝한 냄새가 날 수 있어요. 이럴 땐 그냥 버리지 말고 물을 채운 그릇에 오징어를 담가두세요. 그럼 냄새도 날아가고 오징어가 불면서 통통해진답니다. 이렇게 불린 오징어는 적당한 크기로 잘라 튀김옷을 입히고 바삭하게 튀겨주세요.

plus tip 반건조오징어 맛있게 먹는 법

골뱅이와 함께 채썰어 무침으로 내거나 간장, 설탕 등을 넣고 조려도 밥반찬으로 좋아요.

COOKING KNOW-HOW

쫄깃하고 바삭한

오징어튀김

준비하세요

반건조오징어 1마리
청주 · 설탕 1큰술씩
튀김가루 1컵, 얼음물 적당량
튀김기름 적당량

이렇게 만드세요

1 물에 청주와 설탕, 반건조오징어를 넣고 살짝 불린다.

2 불린 반건조오징어를 건진 뒤 물기를 없애고 주방용 가위를 이용해 먹기 좋은 크기로 뚝뚝 자르고 튀김가루를 솔솔 뿌린다.

3 튀김가루에 얼음물을 조금 넣고 젓가락으로 톡톡 두드리며 날가루가 듬성듬성 보이도록 섞는다.

4 튀김기름이 170℃ 정도로 끓어오르면 튀김옷을 입힌 오징어를 넣고 튀긴다. 튀김옷이 어느 정도 식으면 다시 한 번 바삭하게 튀긴다.

#216 오징어에 칼집을 내고 데쳐서 양념을 했는데, 간이 잘 배질 않아요.

어떻게 하면 양념이 쏙 밸까요?

오징어는 섬유질이 직각으로 되어 있어 양념이 잘 배지 않는 재료예요. 따라서 조리할 때 칼집을 넣는 경우가 많아요. 만약 칼집을 넣어도 양념이 잘 배질 않는다면 조금 세다 싶을 만큼 양념을 팍팍 넣어주세요. 양념이 밴 채소와 함께 한입에 쏙 넣으면 한결 입맛이 당긴답니다.

plus tip

오징어 껍질 쉽게 벗기는 법

내장과 먹물 부위를 제거하고 왼손을 이용해 껍질을 단단히 잡아주세요. 오른손은 미끄러지지 않도록 마른 수건을 잡고 모서리부터 들어 올리면서 훌러덩 벗기세요. 마른 수건이 없을 때는 소금을 오징어 표면에 묻히고 표면이 굳으면 머리 부분부터 잡아당기면 쉽게 벗겨집니다.

#217 김을 석쇠에 구우면 가스레인지에 소금이 떨어져 지저분해져요.

깔끔하게 굽는 방법이 없을까요?

프라이팬이나 오븐을 이용하면 간편하고 빠르게 구울 수 있어요. 프라이팬을 이용할 때는 프라이팬을 약한 불보다 조금 센 불로 예열해

팬이 달궈지면 김을 10장 정도 올리세요. 그런 다음 무게가 무겁고 바닥이 편평한 냄비를 김 뭉치 위에 올려 꾹꾹 누르면서 구워주세요. 한쪽이 어느 정도 구워졌으면 김 뭉치를 뒤집어 반대쪽도 같은 방법으로 구우면 됩니다.

오븐을 이용할 때는 오븐온도를 섭씨 150~160℃ 정도로 낮게 예열한 다음 김을 10장 정도 넣어 3~4분 정도 구우면 알맞게 구워진답니다. 단, 집집마다 오븐 온도 차가 있으므로 지켜보면서 굽는 게 좋아요.

#218 해파리냉채를 하려는데 꼬들꼬들한 맛을 내고 싶어요. 비결을 알려주세요.

mini tip!
해파리 냉채에 잘 어울리는 마늘소스는 다진 마늘 3~4큰술, 식초 6큰술, 물 4큰술, 설탕 3큰술, 참기름 1큰술, 깨소금 1큰술, 소금 1/2큰술을 넣어 골고루 섞으세요.

보통 염장이 된 상태로 파는 해파리에는 소금이 많이 묻어 있지요.

먼저 해파리를 물에 비벼 깨끗이 씻은 다음 소금기가 모두 빠지도록 찬물에 담가 두세요. 이때 10분에 한 번씩 새로운 물로 갈아주면 잡맛도 사라지고 소금기도 쉽게 제거됩니다. 소금기를 없앤 해파리는 팔팔 끓는 물로 충격을 주면 오독오독해지는데요, 이때 뜨거운 물을 붓자마자 바로 찬물에 식혀야 꼬들꼬들한 맛을 살릴 수 있어요.

준비된 해파리는 냉장고에 차게 보관했다가 상에 내기 직전 소스에 무치세요. 그래야 먹는 내내 오독오독한 맛을 느낄 수 있답니다. 오랫동안 새콤한 소스에 무쳐놓으면 그 맛이 사라져요.

#219 낙지볶음을 하면 물이 너무 흥건하게 생겨서 맛이 없어요.

낙지볶음 성공 비법을 알려주세요.

낙지를 그냥 볶으면 물이 생겨 금방 질척해진답니다. 흥건해진 국물을 조린다고 오래 익히다 보면 낙지가 더욱 질겨지고요. 이런 경우를 피하려면 낙지를 미리 뜨거운 물에 한번 데친 뒤 체에 밭쳐 사용하세요. 물기를 제거한 낙지는 볶기 직전 양념장에 살짝 버무린 다음 센 불에서 후다닥 볶으면 물기가 생기지 않아요. 낙지의 야들야들한 질감도 그대로 살아 있답니다.

#220 멸치볶음이 너무 짜네요.

그냥 먹기는 그렇고 구제할 방법이 없을까요?

멸치볶음이 너무 짤 때는 호두나 잣, 땅콩 등 고소한 견과류를 섞어 함께 살살 버무리면 짠맛을 완화할 수 있답니다. 단, 소금처리가 된 견과류는 물에 씻어 소금기를 제거한 후 마른 수건으로 말끔히 물기를 제거한 뒤 프라이팬이나 오븐에 살짝 구워 사용하세요. 그러면 짠맛이 어느 정도 가신답니다.

plus tip

멸치가 너무 짜다?

마른멸치가 짤 때는 굳이 간장을 넣지 않아도 좋아요. 그냥 간장을 과감히 빼고 조리하세요.

COOKING KNOW-HOW

부드럽고 쫄깃한
낙지볶음

준비하세요
낙지 2마리, 양파 1/2개
호박 썬 것 1줌, 당근 조금
대파 1/2뿌리
풋고추 · 홍고추 1개씩
식용유 · 참기름 · 깨소금 조금씩

양념장
고추장 · 고춧가루 2큰술씩
간장 2큰술, 청주 1큰술
까나리액젓 1/2큰술
설탕 1큰술반, 다진 마늘 1큰술
다진 생강 1/5큰술

이렇게 만드세요

1 낙지는 내장을 빼고 밀가루로 바락바락 문질러 씻는다.

2 끓는 물에 낙지를 살짝 데친 다음 체에 밭쳐 물기를 쏙 빼고 4cm 크기로 자른다.

3 양념장을 만든 다음 데친 낙지에 2큰술 정도 넣고 살살 버무린다.

4 달군 프라이팬에 식용유를 넣고 당근과 양파, 호박을 넣어 살짝 익힌 다음 낙지와 파, 풋고추, 홍고추, 남은 양념장을 넣고 후다닥 볶아낸다.

5 참기름이나 깨소금을 솔솔 뿌려 완성한다.

#221 생선이나 해물이 들어간 요리에 된장을 넣는 이유가 뭘까요?

밑손질도 꼼꼼히 하고 향신채소도 넣어 조리했는데 생선이나 해물에서 비린내가 날 때는 된장이 특효랍니다. 특히 비린내가 강한 해물을 넣을 때 된장을 넣어주면 비린내도 없애주고 깊은맛을 내주지요. 하지만 된장은 맛이 느껴지지 않을 정도로 조금만 넣는 것이 좋아요.
참고로 된장을 넣어 시원하고 깊은맛을 낼 수 있는 탕은 꽃게탕, 해물탕, 아귀탕 정도랍니다. 생선만 넣는 매운탕에는 된장을 잘 넣지 않아요.

#222 김간장볶음을 만들었는데 비린맛이 나네요.

비린맛이 나지 않게 볶는 방법 없을까요?

비린맛이 나지 않게 볶으려면 김을 한 번 구운 다음 비닐봉지에 넣고 잘게 부숴 사용하세요. 그런 다음 진간장, 소금, 참기름, 통깨로 버무린 뒤 센 불에 달달 볶아야 김이 덩어리지지 않고 비린맛이 나지 않아요. 처음부터 양념을 하면 김이 축축해져 비린맛이 나기 쉽답니다. 반드시 볶기 전에 무치세요. 마지막으로 설탕을 솔솔 뿌려주면 김간장볶음이 완성된답니다.

plus tip

김간장볶음에 필요한 양념

김 10장 기준으로 진간장 2큰술, 소금 조금, 참기름 1작은술, 통깨 2큰술, 설탕 1/2큰술이 필요해요.

#223 멸치볶음에서 나는 특유의 비린내가 너무 거슬려요.

잡냄새 없이 요리하는 방법이 없을까요?

멸치는 특유의 비릿한 냄새 때문에 잘못 조리하면 잡냄새가 나기 쉬워요. 멸치볶음을 할 때는 먼저 마른 프라이팬에 멸치를 넣고 달달 볶으세요. 그러면 보관 중에 흡수된 수분도 제거되고 멸치 비린내도 싹 가신답니다. 단, 센 불에서 급하게 볶으면 바삭바삭 부서지므로 주의하세요.

plus tip

멸치호두볶음을 만들어 볼까요

재료 _ 마른 멸치 100g, 호두살 100g, 마늘 4쪽, 간장 2큰술, 물 3큰술, 설탕 1/2큰술, 올리고당 3큰술, 깨소금 1큰술, 식용유 4큰술

1 마른 멸치는 체에 담아 탁탁 털어 불순물을 제거하고 마른 프라이팬에 살짝 볶는다.
2 마늘은 꼭지를 떼고 얇게 저민다.
3 팬에 식용유를 두르고 기름에 향이 배도록 마늘을 볶은 뒤 호두살을 넣는다.
4 호두를 볶은 프라이팬에 간장, 물, 설탕을 넣고 조린 다음 멸치를 넣어 볶는다.
5 잘 볶아졌으면 올리고당과 깨소금을 넣고 후다닥 버무린다.

#224 멸치볶음에 물엿을 넣으면 나중에 서로 엉겨붙어 먹기도 불편하고 진득해져요. 해결방법이 없나요?

물엿은 달콤한 맛을 낼 뿐 아니라 윤기를 내는 효과가 탁월해 자주 이용하는 재료예요. 하지만, 멸치볶음에 물엿을 넣고 시간이 지나면 아래쪽에 간장 양념이 진득하게 뭉쳐 있는 경우를 종종 보게 된답니다. 이럴 때는 물엿 대신 마요네즈를 넣으면 윤기도 나면서 보송보송한 맛을 즐길 수 있지요. 단, 마요네즈를 넣고 볶을 때는 가스레인지의 불을 끄고 마요네즈가 투명해질 때까지 남은 열로 고르게 볶아주세요.

물엿을 넣을 때는 멸치볶음을 만든 다음 멸치볶음의 열기가 식으면 물엿을 넣고 가볍게 버무려주면 양념도 엉기지 않고 달콤한 맛과 윤기를 얻을 수 있답니다. 물엿은 조리할 때 넣는 것보다 그냥 넣어야 덜 엉기고 반짝반짝 윤기가 흘러요. 단, 이때 물엿을 너무 많이 넣게 되면 밀도가 커서 가라앉으므로 조금씩 사용하세요.

#225 꽈리고추를 넣고 멸치볶음을 할 때 개운한 맛을 내는 방법이 궁금해요.

개운하고 깔끔한 맛을 내려면 간장을 쓰지 말고 소금으로만 볶으세요. 고추에 미리 소금을 흩뿌려 숨이 살짝 죽을 정도로 절였다가 볶으면 맛도 개운하고 색도 선명해진답니다. 이때 꽈리고추는 작고 연하며 푸른색이 선명한 볶음용 꽈리고추를 사용하는 것이 좋아요.

COOKING KNOW-HOW

짭조름한 밑반찬
꽈리고추 멸치볶음

준비하세요
잔멸치 2컵, 꽈리고추 10개
식용유 · 청주 1큰술씩
진간장 2큰술, 다진 마늘 1작은술
설탕 · 물엿 2작은술씩
참기름 1/2큰술, 통깨 조금

이렇게 만드세요

1 꽈리고추는 꼭지를 떼고 이쑤시개로 구멍을 뚫어 주고 잔멸치는 마른 프라이팬에 살짝 볶아준다.

2 달군 팬에 기름을 두르고 청주, 진간장, 다진 마늘, 설탕을 넣어 한소끔 끓이다가 꽈리고추를 넣고 살살 볶는다.

3 간장이 재료에 배기 시작하면 멸치를 넣고 숨이 살짝 죽을 정도로만 후다닥 볶은 뒤 물엿을 넣는다.

4 완성되면 참기름을 넣어 풍미를 더해주고 그릇에 담아 통깨를 솔솔 뿌린다.

▶

▶

#226 멸치볶음을 하면 양념장 때문인지 멸치가 축축해지고 지저분해져요.

깔끔한 멸치볶음은 어떻게 만드나요?

멸치를 볶을 때 간장, 물엿 등 여러 가지 양념장을 넣으면 물기가 생겨 애써 볶은 멸치가 축축하게 젖어버리지요. 젖은 멸치를 볶는다고 뒤적뒤적하다 보면 멸치 대가리가 하나 둘 떨어져 나가 지저분해진답니다. 번거롭더라도 멸치를 따로 볶은 다음 건져내고 팬에 양념장을 넣어 바글바글 끓이다가 양념장이 자작하게 졸아들면 멸치를 넣고 후다닥 버무리세요. 꽈리고추나 견과류 등을 넣고 멸치를 볶을 때도 마찬가지랍니다. 각각의 재료를 따로 볶고 마지막에 양념장이 졸아들면 그때 멸치를 넣어 단숨에 볶아주세요.

#227 미역자반을 만들었는데 금방 눅눅해졌어요.

바삭한 맛을 유지하는 방법을 알려주세요.

미역자반은 만들기도 쉽고 아이들도 좋아하는 반찬이죠. 하지만 쉽게 눅눅해지는 게 흠이에요. 미역자반을 오래도록 바삭하게 유지하려면 조미 김 속에 들어 있는 습기제거제를 미역자반과 함께 밀폐용기에 넣어 보관하세요. 그럼 수분이 날아가 오랫동안 바삭한 맛을 유지할 수 있답니다. 한 번 사용한 습기제거제는 버리지 말고 전자레인지에 10초 정도 돌려주세요. 그럼 반영구적으로 사용할 수 있답니다.

plus tip 달콤짭조름한 미역자반을 만들어 볼까요

재료 _ 마른 미역 1대접, 설탕 3큰술, 식용유 적당량, 깨소금 조금

1 미역은 불순물을 제거한 뒤 먹기 좋게 자른다.
2 기름을 두른 팬에 자른 미역을 넣고 후다닥 볶는다.
3 미역이 어느 정도 볶아지면 불을 끄고 설탕과 깨소금을 솔솔 뿌려 섞는다.

#228 미역줄기를 볶으면 비린내가 나요. 비린내를 제거하는 방법이 있을까요?

염장된 미역줄기는 찬물에 담가 소금기를 충분히 빼주세요. 이때 여러 번 찬물을 갈아주면 잡맛도 대부분 사라진답니다. 그런 다음 끓는 물에 소금과 청주를 넣고 손질한 미역줄기를 데친 다음 물기를 탁탁 털어내고 무치면 색도 파릇해지고 비린내도 대부분 사라져요.

plus tip 미역줄기볶음을 만들어 볼까요

재료 _ 염장 미역줄기 200g, 마른 홍고추 2개, 다진 마늘 1/2큰술, 소금 조금, 통깨 1/2큰술, 참기름 1큰술, 식용유 2큰술

1 미역줄기는 찬물에 담가 소금기를 빼고 적당한 크기로 자른 뒤 끓는 물에 소금과 청주를 넣고 데친다.
2 팬에 식용유를 두르고 마른 고추를 넣어 볶은 다음 데친 미역줄기와 다진 마늘, 소금을 넣고 볶는다.
3 마지막으로 참기름과 통깨를 뿌리고 살짝 버무린다.

남녀노소 누구나 쉽게 따라할 수 있는 기타·간편요리. 조리 방법도 간단하고 시간도 적게 걸리지만 그렇다고 만만한 요리는 아니지요. 쉬운 요리일수록 기본을 제대로 알아야 요리 전문가 못지않은 맛과 모양을 낼 수 있어요. 요리를 새로 배운다는 마음가짐으로 차근차근 하나씩 익히다 보면 근사한 요리가 완성됩니다.

기타★간편 요리

#229 삶은 달걀을 칼로 자르면 자른 면이 너무 지저분해요.

어떻게 하면 깔끔하게 자를 수 있을까요?

달걀을 칼로 자르면 노른자가 칼의 옆면에 착 달라붙으면서 밀려요. 결국, 단면이 지저분해지죠. 부스러기도 많이 생기고요. 칼 대신 얇고 가는 실을 이용해 잘라보세요. 실의 양끝을 손으로 잡고 달걀을 반으로 자르면 부스러기도 생기지 않고 매끈하게 잘린답니다.

#230 달걀지단을 종잇장처럼 얇고 매끈하게 부치는 비결을 알고 싶어요.

지단을 얇고 깨끗하게 부치려면 먼저 오목한 볼에 달걀을 담고 젓가락으로 노른자를 푼 다음 체에 걸러 알끈을 제거하세요. 그런 다음 사각 프라이팬에 식용유를 두르고 키친타월로 여분의 기름을 닦아낸 후 달걀물을 붓고 프라이팬을 기울여 최대한 얇게 펴세요. 달걀물 윗면이 반쯤 익으면 지단 가운데를 젓가락으로 들춰 뒤집으세요. 단, 이때 달걀지단이 타지 않도록 약한 불에서 서서히 익혀야 합니다.

달걀흰자를 이용해 지단을 부칠 때는 노른자만 살짝 분리한 다음 뭉친 부분을 풀어주고 부쳐야 두께가 일정한 지단이 완성된답니다.

mini tip!
알끈은 달걀노른자와 흰자 사이에 뭉쳐진 부분을 말해요. 지단을 부칠 때 알끈을 제거하지 않으면 매끈하게 부쳐지지 않는답니다.

#231 아침식사로 달걀을 이용해 스크램블을 만들고 싶어요.

정통 스크램블은 어떻게 만드나요?

스크램블은 달걀에 우유를 넣어 부드럽고 촉촉하게 만든 요리로 바쁜 아침에 후다닥 만들어 먹기에 좋아요. 서양에서는 아침식사로 많이 이용되며 걸쭉하고 부들부들한 것이 특징입니다.

plus tip

스크램블을 만들어 볼까요

재료 _ 달걀 2개, 우유 1큰술, 소금 조금, 올리브유 1큰술

1 그릇에 달걀과 우유, 소금을 넣고 푼다.
2 예열된 프라이팬에 올리브유를 두르고 우유와 소금을 넣은 달걀을 넣는다.
3 프라이팬에 재료를 넣은 다음 중간불로 줄이고 나무젓가락을 이용하여 반숙 상태의 덩어리가 생기도록 휘휘 저어준다.
4 야들야들한 느낌이 들면 불을 끄고 접시에 담는다.

COOKING KNOW-HOW

아침식사용 간단요리

오믈렛

준비하세요

달걀 2개
소금 · 후춧가루 조금씩
올리브유 1큰술, 케첩 적당량

이렇게 만드세요

1 그릇에 달걀, 소금, 후춧가루를 넣고 충분히 섞는다.

2 예열된 프라이팬에 올리브유를 두르고 섞어 놓은 달걀을 넓게 펴서 익힌다.

3 넓게 펴 익힌 달걀 위에 접시를 대고 프라이팬째 뒤집는다.

4 오믈렛을 접시에 담고 케첩이나 소스를 뿌려 낸다.

#232 달걀을 삶을 때 껍질이 자주 깨지거나 터져요. 삶는 비결이 있나요?

냉장고에서 막 꺼낸 차가운 달걀을 끓는 물에 바로 넣게 되면 갑자기 내부가 팽창되어 금이 가기 쉬워요. 따라서 달걀을 삶을 때는 찬물에 달걀을 넣고 서서히 삶거나 요리하기 15~20분 전에 미리 꺼내두세요.

plus tip

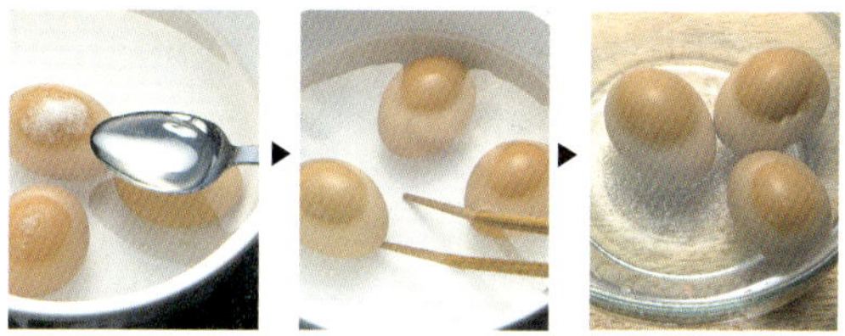

달걀 삶는 또 다른 방법

냄비에 달걀이 잠길 정도로 찬물을 붓고 소금과 식초를 넣으세요. 그러면 센 불에서 삶아도 달걀이 잘 깨지지 않을뿐더러 깨지더라도 흰자가 흘러내리지 않고 깨끗하게 굳어요. 물이 펄펄 끓어오르면 불을 줄이고 달걀을 익히세요. 보통 물이 끓고 약 4분이 지나면 노른자 일부가 익어 반숙이 되며 약 10분이 지나면 완숙이 된답니다.
참고로 삶은 달걀은 찬물에 넣고 껍질을 벗겨야 쉽게 벗겨져요.

#233 달걀 푸는 데도 요령이 있다던데 사실인가요?

달걀을 푸는 데 무슨 기술이 필요할까 싶지만 노른자와 흰자를 섞는 데에도 테크닉이 필요하답니다. 푸딩이나 달걀찜같이 노른자와 흰자가 부드럽게 섞인 것은 긴 젓가락으로 거품을 내듯 흰자를 끊어주면 됩니다. 하지만 오믈렛을 만들 때는 좀 달라요. 젓가락을 달걀 한가운데에 세우고 흰자를 자르듯 앞뒤로 움직였다가 젓가락을 들어 올려 끊어주면 거품이 생기지 않는답니다.

#234 일식집에서 나오는 푸딩처럼 부드러운 달걀찜은 어떻게 만드나요?

달걀찜을 할 때 센 불에서 직접 끓이면 공기구멍이 생기고 입자가 거칠어진답니다. 일식집 달걀찜처럼 부들부들한 달걀찜을 만들고 싶다면 찜통을 이용하세요.

먼저 물과 달걀을 1:1 비율로 넣고 찜통에 김이 오르면 약한 불에서 은근히 익히세요. 그럼 푸딩처럼 부드러운 달걀찜이 완성됩니다. 간혹 쪄지면서 뚜껑에 김이 서리고 그 수분이 달걀에 떨어지는 경우가 있는데, 수건을 찜통 위에 덮은 다음 그 위로 뚜껑을 덮어주면 모양이 흐트러지는 것을 막을 수 있어요.

달걀이 어느 정도 응고됐다 싶을 때 불을 끄고 뚜껑을 덮은 채로 뜸을 들이면 여열에 의해 익기 때문에 더 부드러운 달걀찜이 된답니다.

mini tip!
일식집 달걀찜을 만들 때 물 대신 우유나 가다랭이국물을 사용하면 더욱 부드럽고 감칠맛이 난답니다.

#235 달걀말이를 했는데 속은 덜 익고 겉은 탔어요.

어떻게 해야 타지 않고 예쁘게 부칠 수 있나요?

겹겹이 쌓인 달걀말이는 남녀노소 누구나 좋아하는 메뉴지요. 몇 가지 요령만 익혀두면 쉽고 예쁘게, 속까지 고루 익은 달걀말이를 완성할 수 있어요. 먼저 거품이 생기지 않도록 달걀을 풀어준 뒤 팬에 식용유를 두르세요. 이때 기름을 많이 넣으면 달걀 표면이 끓어올라 울퉁불퉁해져요. 팬이 살짝 달궈지면 달걀물을 약 1/3정도 넣고 적당히 익었다 싶으면 팬의 끝 부분으로 밀면서 달걀을 말아주세요. 이 과정을 반복하면서 부치면 속까지 잘 익을 뿐 아니라 단단하고 말끔한 상태로 부쳐집니다.

plus tip

달걀 프라이 예쁘게 만드는 법

노른자를 터트리지 않고 매끈하게 부치는 것이 포인트예요. 자칫하면 노른자가 터져 모양이 흐트러시거나 흰지가 부글부글 끓어올라 예쁜 모양이 나오지 않거든요. 먼저 프라이팬에 식용유를 두르고 예열을 한 다음 신선한 달걀을 골라 노른자가 터지지 않도록 살짝 놓으세요. 이때 약한 불로 익혀야 타지 않고 골고루 익는답니다. 마지막으로 프라이가 어느 정도 익었다고 생각되면 소금을 솔솔 뿌려 간을 맞추세요.

#236 소시지나 햄에는 인체에 좋지 않은 성분이 포함되어 있잖아요. 아이들이 좋아해서 안 먹일 수는 없는데 나쁜 성분을 조금이라도 제거할 방법이 있을까요?

소시지나 햄에는 조미료나 색소, 방부제 등 화학 성분이 첨가되어 있지요. 따라서 즐겨 먹는 것은 좋지 않답니다. 하지만 음식에 부재료로 쓰거나 아이들이 조를 때는 끓는 물에 5분 정도 데쳐 사용하세요. 그럼 유해성분뿐 아니라 기름기가 눈에 띄게 줄어듭니다.

plus tip

남은 햄 보관법

사용하고 남은 덩어리 햄은 변색한 부분을 잘라 놓고 나머지 덩어리에서 사용할 만큼 잘라 쓴 뒤 그 자리에 다시 변색한 햄을 착 붙여 랩에 싸두거나 비닐봉지로 밀봉해 냉장 보관하세요.

#237 수란을 만들 때 달걀 흰자 일부가 자꾸 물에 풀어져요. 수란을 깔끔하게 만드는 방법 없나요?

물이 너무 팔팔 끓거나 너무 온도가 약할 때 넣으면 달걀 흰자가 많이 풀어져요. 수란을 만들 때는 물에 기포가 생기면서 살짝 끓어오르는 정도가 가장 적당합니다. 또 끓는 물에 식초를 1~2큰술 넣어주면 겉면이 빠르게 응고되면서 달걀이 풀리지 않아요.

STAUD'S
STAUD'S WIEN

#238 튀김옷에 색을 입히고 싶어요.
어떤 재료가 좋을까요?

같은 재료라도 튀김옷에 따라 맛과 모양이 달라지지요.
밀가루 반죽에 시금치 즙을 넣게 되면 튀김옷이 연한 녹색을 띠지요. 카레가루나 치자를 풀어서 만들면 노란빛을 띠고요. 파슬리 가루나 검은깨를 입혀도 색감을 화려하게 살릴 수 있답니다.

#239 음식점에서 먹는 뚝배기 달걀찜은 빵빵하게 부풀어 올라 먹음직스러운데 집에서 만든 달걀찜은 바닥도 타고 맛도 너무 뻑뻑해요.

밥반찬이나 안주로 즐겨 먹는 한식 달걀찜은 일식집에서 나오는 달걀찜보다 입자가 거칠고 풍선처럼 부풀어 오른 것이 특징이지요. 그 비결은 충분한 수분과 국물, 몇 가지 테크닉에 있습니다.
먼저 달걀에 멸치국물이나 다시마국물을 붓고 소금으로 간을 맞추세요. 그럼 물을 넣는 것보다 훨씬 풍부하고 깊은 맛이 납니다. 취향에 따라 다진 양파나 야채를 넣어도 좋아요. 그러나 잊지 말아야 할 것은 기본 국물과 달걀을 1:1 비율로 충분히 넣는 것이랍니다. 수분이 많아야 맛도 부드럽고 빽빽하지 않거든요.

달걀찜을 끓일 때는 뚝배기에 참기름을 발라주세요. 그럼 타는 것을 방지할 수 있어요. 이제 참기름을 바른 뚝배기에 달걀물을 넣고 은근한 불로 끓이세요. 달걀찜이 익기 시작하면 송송 썬 파를 올리고 부풀어 오르기 직전 불을 꺼주세요. 남은 열 때문에 달걀찜이 공처럼 부풀어 오르면서 속까지 부드럽게 익는답니다.

plus tip

매끈한 달걀찜의 비밀

표면이 매끈한 달걀찜을 원한다면 달걀을 풀 때 거품이 생기지 않도록 가만가만 저어 푼 다음 고운 체에 내려 알끈을 없애주면 된답니다.

#240 집에서 튀김요리를 하면 눅눅하고 느끼한 맛이 나요. 바삭바삭 씹는 맛이 일품인 튀김요리를 만들고 싶어요.

맥주나 얼음물을 이용해 바삭한 튀김요리를 만들 수 있어요.

튀김옷을 만들 때 맥주를 살짝 넣어주면 맥주의 알코올 성분과 호프

(맥주의 원료)가 독특한 맛과 향을 내준답니다. 맥주를 흔들 때 나오는 거품이 바삭한 맛을 살려주거든요. 따라서 맥주는 최대한 흔들어 사용하는 것이 좋아요.

다음은 튀김가루에 얼음물을 넣는 방법인데요. 체에 친 밀가루에 차가운 얼음물을 섞은 다음 젓가락으로 살짝 두드리가며 튀김옷을 입히고 재빨리 튀겨주세요. 바삭바삭한 질감이 일식집 튀김 부럽지 않답니다.

마지막으로 튀김요리를 할 때는 두 번 튀겨야 바삭한 질감이 살아난다는 사실! 한 번 튀긴 튀김은 잠시 체에 밭쳐 기름을 뺀 뒤 수분이 밖으로 빠져나올 때쯤 다시 한번 튀기면 한층 바삭바삭한 튀김요리가 완성됩니다.

plus tip

사용한 기름 보관법

튀김요리를 마친 다음 남은 기름은 완전히 식기 전 여과용지에 대고 찌꺼기를 거르세요. 걸러놓은 기름은 주둥이가 작은 병에 옮겨 뚜껑을 닫고 서늘한 곳에 보관하면 됩니다. 하지만, 지나치게 오래 보관하면 기름이 산패되어 좋지 않으므로 가능한 한 빨리 사용하는 것이 좋아요.

#241 전을 부칠 때 반죽의 고소한 맛과 향을 살리는 비결은 무엇인가요?

부침개나 전을 만들 때 참기름을 넣으면 반죽이 훨씬 고소하고 맛이 좋습니다. 게다가 끈기가 생겨 노릇노릇 잘 부쳐지지요. 단, 참기름을 너무 많이 넣으면 느끼할 수 있으니 밀가루 1컵당 기름 1큰술 정도만 넣는 것이 좋답니다.

COOKING KNOW-HOW

쫄깃쫄깃 씹히는 맛

고추오징어전

준비하세요

밀가루 2컵, 달걀 1개, 물 2/3컵
청 · 홍고추 3개씩, 호박 1/3개
오징어 1마리, 소금 1/2작은술
참기름 2큰술, 식용유 적당량

이렇게 만드세요

1 고추는 송송 썰고 호박은 채썬 다음 오징어는 손질해 먹기 좋은 크기로 자른다.

2 볼에 밀가루, 달걀, 물을 넣고 되직하게 반죽하고 오징어와 호박, 고추를 넣어 골고루 섞는다.

3 소금으로 간을 맞춘 다음 참기름 2큰술을 섞는다.

4 달군 팬에 기름을 두르고 한 국자씩 반죽을 떠서 얇게 부친다.

#242 일식집 튀김처럼 속 재료까지 사각사각 씹히는 튀김을 만들 수는 없나요?

일식집에서 나오는 바삭하면서도 담백한 튀김을 만들려면 튀김옷과 튀기는 방법도 중요하지만 재료 손질이 중요하답니다.

새우튀김

꼬리 끝에 들어 있는 삼각형의 물샘 부위를 잘라주세요. 그래야 수분이 말끔히 제거되어 기름도 튀지 않고 바삭바삭하게 잘 튀겨져요.

고추튀김

고추를 손질할 때 이쑤시개로 콕콕 찔러 숨구멍을 내주세요. 그렇지 않으면 기름이 안으로 스며들지 못해 고추 표면에서 겉돌아요.

오징어튀김

겉껍질 안쪽의 얇은 막까지 깨끗이 벗겨내야 수분이 완전히 제거돼요.

고구마튀김

썰어 놓은 고구마는 반드시 물에 담가 표면의 전분기를 빼주세요.

깻잎튀김

깻잎에 물기가 남아 있으면 튀김이 눅눅해지므로 꼭 물기를 제거해 주세요. 볼륨 있는 튀김을 원하면 튀기는 도중 젓가락으로 튀김옷을 군데군데 덧입히세요.

plus tip 새콤달콤 일식집 튀김간장 만들기

일식집에서 나오는 튀김간장은 진간장, 가쯔오부시국물, 맛술, 생강 등을 넣고 살짝 끓인 다음 그릇에 담아 시원한 무즙과 실파를 넣어줍니다. 일식집 튀김간장은 따뜻해야 맛이 좋다는 것도 기억하세요.

#243 전을 너무 좋아해서 평소에 자주 만들어 먹어요. 전의 쫀득쫀득한 맛을 살리는 비결이 궁금해요.

쫀득쫀득한 맛이 나게 전을 부치려면 밀가루나 부침가루에 쌀가루를 섞어 반죽을 하세요. 이때 반죽의 농도는 약간 걸쭉한 정도가 알맞답니다. 반죽이 너무 되직하면 딱딱해서 맛이 없어요. 반대로 너무 묽어도 부침개 모양이 흐트러져 예쁘게 부쳐지지 않아요.

반죽을 개어놓고 냉장고에서 1~2시간 정도 숙성시킨 후 부쳐도 쫀득하면서도 바삭한 맛이 난답니다.

#244 냉장고에 넣어 눅눅해진 튀김을 다시 바삭하게 먹고 싶어요. 다시 튀기는 것 말고 다른 방법은 없나요?

남은 튀김 음식을 바삭하게 살리려면 다시 한 번 튀겨주는 것이 가장 좋지만 집에 기름 냄새가 진동하고 번거롭지요.

이럴 때는 팬에 기름을 조금만 두르고 중불에서 지져주면 다시 겉면이 단단해지면서 바삭함을 되찾게 된답니다. 오븐이 있다면 190~200℃로 예열한 오븐 용기에 식은 튀김을 겹치지 않게 넣어 바삭할 때까지 구워주면 기름기가 쏙 빠져요. 방금 튀긴 것처럼 바삭바삭 맛있는 튀김으로 재탄생한답니다.

탕수육, 깐풍기, 라조기, 양념 통닭 등 소스가 묻은 튀김들도 오븐에 다시 한 번 구워주면 바삭한 맛을 어느 정도 되찾게 됩니다.

#245 슈퍼에서 구입한 빵가루를 입혀 튀겼더니 튀김이 익기도 전에 표면이 타버렸어요. 해결방법이 없나요?

시판용 빵가루는 집에서 만든 빵가루보다 수분이 부족하므로 오래 튀기다보면 속이 익기도 전에 표면이 새까맣게 탈 수 있답니다. 이럴 때는 빵가루에 우유를 조금 넣고 양손으로 비벼주세요. 그럼 쉽게 타는 것도 막아주고 부드럽고 촉촉한 맛까지 느낄 수 있답니다.

#246 묵을 냉장고에 며칠 놔뒀더니 단단해졌어요. 어떻게 하면 다시 부드럽게 만들 수 있을까요?

묵은 실온에서 굳혀 보들보들한 상태로 바로 먹는 게 가장 맛있어요. 하지만 시판 묵을 사면 냉장 보관해 두었다가 사용하는 경우가 많아 단단해지기 십상이죠.
이럴 때는 끓는 물에 묵을 넣고 잠시 데쳐내세요. 그럼 다시 부드러운 묵의 질감을 느낄 수가 있답니다. 단, 너무 오래 데치면 묵의 쫀득한 맛이 사라질 수 있으므로 묵을 4등분 정도로 나눠 속까지 따뜻하게 데워질 정도로만 살짝 데쳐주세요.

plus tip

청포묵 만들기

청포묵가루 1컵, 물 6컵을 준비하세요. 쫄깃한 묵을 만들려면 몇 시간 전에 묵가루를 물에 개어두었다가 사용하면 더 좋답니다. 묵을 만드는 중간 중간 힘차게 자주 젓는 것이 묵을 쫀득하게 만드는 비법이지요.

1 냄비에 물 4컵을 넣고 끓이고 남은 물 2컵에는 묵가루를 넣어 잘 갠다.
2 물이 팔팔 끓어오르면 묵가루 개어둔 것을 넣고 주걱으로 저어준다.
3 물이 펄떡펄떡 끓어오르면 약한 불로 줄이고 나무주걱으로 계속 힘차게 15분간 저어준 후 뚜껑을 덮고 뜸을 들인다. 뜸을 들이는 중간 중간 10분마다 한 번씩 3~5분 정도 젓는 것을 3회 정도 반복한다.
4 마지막으로 힘차게 2분 정도 묵을 저어준 후 묵을 굳힐 그릇을 물로 한 번 헹군다.
5 물기가 어느 정도 골고루 묻은 그릇에 끓인 묵을 붓는다.
6 실온에 두고 굳힌다.

#247 당면처럼 생긴 천사채는 어떻게 요리하나요?

오돌오돌 씹히는 천사채는 채소와 마요네즈를 넣어 샐러드로 만들면 인기 만점이지요. 생각보다 만들기도 쉽고 간단하답니다.

재료 _ 천사채 3줌, 오이 1개, 맛살 3개, 당근 1/4개, 설탕 1/2큰술, 식초 1큰술, 소금 적당량

소스 _ 마요네즈 5큰술, 머스터드 1큰술, 깨소금 1큰술

이렇게 만들어요

1 천사채는 깨끗이 씻은 후 체에 밭쳐 물기를 뺀다.

2 천사채에 설탕, 소금, 식초를 넣고 밑간을 해준다.

3 오이와 당근은 채썰고 맛살은 손으로 쭉쭉 찢어 일정하게 자른다.

4 밑간한 천사채에 오이와 당근, 맛살, 마요네즈, 머스터드, 깨소금을 넣고 조물조물 버무린다.

#248 꼬치구이나 산적을 만들면 재료가 자꾸 꼬치에서 빠져요.

재료를 단단하게 끼우는 방법 없을까요?

꼬치에 꿰서 굽거나 기름을 두른 팬에 지진 것을 말하는 '적' 은 보통 고기와 채소를 같이 끼워 만들어요.

꼬치에 끼울 때는 위에서 약 1cm 정도 남겨두고 재료를 끼우고 양쪽 가장자리에는 조금 단단한 재료를 끼워야 꼬치가 잘 빠지지 않는답니다. 적을 부칠 때는 가지런히 길이를 맞춰야 보기에도 먹음직스럽고 덜렁거리지 않아요.

#249 큰집이다 보니 명절날 음식이 많이 남아요. 남은 명절음식으로 만들 수 있는 요리가 없을까요?

명절에는 음식을 푸짐하고 넉넉하게 하기 마련이죠. 그러다 보니 며칠씩 두고두고 먹어도 줄지 않는 명절 음식, 결국은 애물단지로 변해버린답니다. 이럴 때는 남은 음식을 활용해 새로운 요리를 만드세요. 만두나 모둠전을 이용해 전골을 끓이거나 나물로 전을 만들면 인기 만점이에요.

남녀노소 모두 좋아하는 얼큰 담백한 김치모둠전골을 만들어 볼까요?

재료 _ 배추김치 1컵, 김치국물 1/4컵, 모둠전 2컵, 만두 5개, 양파 1/2개, 청양고추 2개, 쇠고기육수 4컵 **양념** 다진 마늘 1큰술, 국간장 적당량

이렇게 만들어요

1 배추김치는 속을 털어내고 3~4cm로 자르고 양파는 채썬다.

2 쇠고기육수에 배추김치, 김치국물, 양파, 모둠전, 만두를 넣고 바글바글 끓인다.

3 만두가 어느 정도 익으면 어슷하게 썬 청양고추와 다진 마늘, 국간장을 넣어 간을 맞춘다.

알록달록 초콜릿이 박힌 부드러운 쿠키와 갓 구워낸 따끈따끈한 빵들이 진열된 베이커리를 지나다 보니 가족들 모습이 떠오릅니다. 오늘 사랑하는 가족을 위해 폼 나는 케이크를 만들어 볼까요? 밀가루를 반죽하고 모양을 만들어 오븐에 구워 낸 세상에 하나뿐인 케이크. 그 특별한 기쁨을 가족과 나누고 싶습니다.

PART 04
빵★과자&간식★후식

#250 '루' 라는 용어를 처음 들어봤어요. 무슨 뜻인가요? 언제 사용하죠?

루는 서양요리에 대표적으로 쓰이는 소스 농후제로 팬에 버터와 밀가루를 1:1 비율로 넣고 볶아낸 것을 말해요. 소스나 수프를 만들 때 자주 사용하지요. 일반적으로 루는 소스를 걸쭉하게 만들거나 소스의 색깔을 내는 데 쓰인답니다. 소스가 끈끈해지면 구강 내에 머무르는 시간도 늘어나 맛을 음미할 수 있지요.
루는 볶는 시간에 따라 밝은 색을 띠는 화이트 루, 상아색을 띠는 브론디 루, 짙은 갈색을 띠는 브라운 루로 나뉩니다.

plus tip

루 만드는 과정

1 자루냄비에 버터를 살살 녹인다.
2 버터에 밀가루를 넣고 골고루 섞이도록 볶는다.
3 루에 거품이 생기면서 끓어오르기 시작하면 화이트 루가 완성된다.
4 화이트 루에서 조금 더 볶으면 상아색의 블론디 루가 완성된다.
5 블론디 루에서 조금 더 볶으면 짙은 소스나 육류 요리에 어울리는 브라운 루가 완성된다.

#251 일반 버터에 비해 풍미가 있는 레몬버터를 집에서 만들 수 있나요?

레몬버터는 레몬의 향긋한 향 때문에 일반 버터보다 풍미가 좋지요. 따라서 밋밋한 크래커나 식빵에도 잘 어울린답니다.

먼저 볼에 버터 60g과 다진 파슬리 1작은술을 넣고 거품기로 부드럽게 저어주세요. 파슬리가 골고루 섞였으면 레몬 1/4쪽을 힘껏 짜 골고루 섞어주세요. 그럼 레몬 향이 솔솔 풍기는 상큼한 레몬버터가 만들어진답니다. 완성된 레몬버터는 은박지에 떠서 적당한 굵기로 돌돌 말아 3~4시간 정도 냉장고에 넣어두세요. 그럼 레몬버터가 단단해지면서 모양이 잡힌답니다.

냉장고에서 3~4시간 정도 보관한 레몬버터는 은박지를 떼고 1cm 두께로 썰어 주면 모양도 예쁘고 사용하기도 편하지요. 이때 남은 것은 그대로 냉장고에 넣어두었다가 필요할 때 꺼내 사용하면 된답니다.

#252 슈크림 속에 들어 있는 부드러운 커스터드크림을 좋아해요. 집에서도 만들 수 있나요?

슈크림 빵의 꽃은 커스터드크림이지요.

커스터드크림을 만들려면 먼저 우유 3컵, 버터 2큰술, 전분 3큰술, 박력분 4큰술, 설탕 1컵, 달걀노른자 4개를 준비하세요. 그런 다음 냄비에 우유, 설탕, 버터를 넣고 중불에서 살살 저어주세요. 버터가 녹고 재료가 골고루 섞이면 불을 끈 뒤 박력분과 전분을 넣고 멍울이 생기지 않도록 재빨리 저어주세요. 그리고 약한불로 줄여 달걀노른자를 넣어 걸쭉해질 때까지 저어주면 부드러운 커스터드크림이 완성된답니다. 이때 바닐라오일을 살짝 첨가해주면 향이 아주 좋아요.
이렇게 완성된 커스터드크림은 냄비째 찬물에 식혀주세요. 커스터드크림은 차가워야 맛있답니다.

#253 이제 곧 발렌타인데이에요. 정성이 담긴 수제 초콜릿은 어떻게 만드나요?

시판되는 초콜릿도 좋지만 정성이 가득 담긴 수제 초콜릿은 더욱 의미 있는 선물이 되겠지요. 그럼 특별한 재료 없이도 간단하게 만들 수 있는 수제 크런키초콜릿을 만들어 볼까요.
먼저 밀크초콜릿 200g, 땅콩버터 100g, 다진 땅콩 · 크런키 3큰술씩, 코코아가루 조금을 준비하세요.

mini tip!
초콜릿은 오래 두면 표면이 하얗게 변할 뿐 아니라 맛도 떨어져요. 그냥 버리지 말고 살짝 데운 우유에 넣어 보세요. 환상적인 코코아가 된답니다.

시판되는 밀크초콜릿은 칼로 잘게 부숴 땅콩버터와 함께 볼에 넣고 중탕으로 서서히 녹이세요. 초콜릿과 땅콩버터가 다 녹았으면 다진 땅콩과 크런키를 넣고 충분히 섞이도록 휘휘 저어주세요. 초콜릿반죽이 준비됐으면 무스 틀 바닥에 랩을 깔고 초콜릿반죽을 부은 뒤 냉장고에 넣어 굳히세요. 마지막으로 굳은 초콜릿을 일정한 크기로 잘라 코코아 가루를 묻혀주면 특별한 수제 초콜릿이 완성된답니다.

#254 식빵을 냉동실에 보관했더니 뻣뻣해졌어요. 부드럽게 되돌릴 방법은 없나요?

얼린 식빵을 그냥 토스터기에 구우면 맛이 없고 뻣뻣해요. 이럴 때는 얼린 식빵을 냉동실에서 꺼내 오목한 그릇에 담고 식빵이 촉촉하게 젖을 만큼 우유를 부으세요. 빵이 촉촉하게 젖으면 식빵 위에 슬라이스 치즈 한 장을 얹어 전자레인지에서 1~2분 정도만 살짝 돌리면 고소하고 부드러운 토스트가 완성된답니다.

plus tip

식빵 가장자리 이용하기

식빵이나 샌드위치를 만들 때 가장자리가 남았으면 햇볕에 바짝 말린 다음 분마기에 곱게 갈아서 튀김옷을 입힐 때 빵가루로 이용하면 매우 요긴하답니다.
식빵의 가장자리를 5cm 정도 길이로 잘라 기름에 튀긴 다음 설탕과 아몬드를 묻혀도 엄마표 간식으로 그만이지요. 아이들도 무척 좋아합니다.
가로, 세로 1.5cm 정도로 깍둑썰어 프라이팬에 버터와 식물성 기름을 각각 1큰술씩 두른 다음 노릇노릇하게 볶아 수프에 띄워 먹으면 크루통 대용으로 안성맞춤이랍니다.

#255 제빵기나 발효기가 없으면 발효 빵을 만들 수 없나요?

날이 더운 여름에는 양지바른 곳에서 어렵지 않게 발효시킬 수 있지만 추운 겨울에는 발효시키기가 쉽지 않답니다. 이럴 때는 오븐을 이용해 발효시키세요.

우선 오븐을 짧게 켜두어 오븐 안을 따뜻하게 달군 뒤 바로 오븐을 끄세요. 오븐 속에 손을 넣어보았을 때 약간 따뜻하다는 느낌이 들 정도까지 오븐 안의 열기를 식혀주면 준비완료랍니다. 이제 반죽이 담긴 그릇 위에 젖은 수건을 얹고 오븐 안에 통째로 넣어 30~40분 정도 기다리면 1차 발효가 완료된답니다.

오븐이 불편하다면 반죽이 담긴 그릇을 따끈한 물이 담긴 큰 냄비에 넣어두는 것도 좋은 방법이에요. 이때, 오븐과 마찬가지로 젖은 수건을 덮어둬야 수분이 날아가는 것을 방지할 수 있답니다.

#256 빵 표면을 보면 광택이 나는 것도 있고 바삭바삭 갈라지는 것도 있어요. 왜 그렇죠?

빵을 오븐에 구울 때 마무리를 어떻게 하느냐에 따라 질감이 달라진답니다. 따라서 약간의 테크닉을 가미하면 다양한 질감을 얻을 수 있지요. 제과점에서 파는 빵처럼 표면에 반질반질 광택이 나게 하려면 빵의 겉면에 달걀물을 묻혀 구우세요. 또, 반죽 겉면에 날밀가루를 살짝 묻혀 구우면 표면이 부드러워진답니다. 바게트나 통밀빵처럼 표면이 살짝 갈라지고 바삭한 맛이 나게 하려면 빵을 굽기 전에 분무기를 이용해 겉에 물을 고르게 뿌려주세요.

#257 집에서 쉽고 빠르게 마늘빵을 만드는 방법은 없나요?

mini tip!
완성된 마늘빵은 스파게티 소스와 찰떡궁합이에요. 스파게티를 먹을 때 마늘빵에 소스를 찍어 먹으면 입에서 살살 녹지요.

우선 시판되는 바게트빵, 버터, 다진 마늘, 파슬리가루를 준비하고서 버터를 전자레인지에 돌리세요. 버터가 녹았으면 다진 마늘을 섞어 휘휘 젓고 바게트빵에 바르세요. 마지막으로 파슬리가루를 송송 뿌려 전자레인지나 오븐에 구우면 간단하게 마늘빵이 완성된답니다.

plus tip

파슬리 다지기

파슬리는 줄기 끝에 달린 송아리만 손으로 하나씩 떼어 내세요. 떼어낸 송아리는 칼을 똑바로 세워 형체가 보이지 않도록 다진 다음 면 보자기에 넣고 물에 담가 살살 흔들어 씻어 주세요. 마지막으로 면 보자기에 싼 채 물기를 짜면 보슬보슬 파슬리가루가 완성됩니다.

#258 샌드위치를 깔끔하게 자르는 방법을 알고 싶어요.

샌드위치는 정확하고 일관된 모양으로 썰어야 보기 좋아요.

우선 칼을 가스불로 가져가 가볍게 달군 다음 샌드위치를 살살 자르세요. 무턱대고 자르는 것보다 훨씬 깔끔하고 예쁘게 잘린답니다. 단, 불에 달군 칼날에 델 수 있으므로 주의하세요.

야채가 풍성하게 들어 있는 샌드위치는 이쑤시개로 양끝을 고정해 자르면 야채가 빠져나오는 것을 막아 훨씬 반듯하게 잘 잘린답니다.

#259 샐러드나 수프에 넣어 먹는 크루통은 어떻게 만드나요?

크루통은 아주 바삭하게 구운 빵을 말해요.

먹으면 과자처럼 입에서 산산이 부서지죠.

크루통은 다양한 재료를 이용해 만들 수 있지만, 어떤 종류든 기본 원칙은 같답니다. 빵에 지방을 입혀 굽고 나서 수분이 날아가도록 바삭하게 구워주면 완성이지요.

우선 작은 사각형으로 빵을 자르고 버터나 올리브유를 뿌려 잘 섞어 주세요. 이때 버터를 전자레인지에 살짝 녹이면 쓰기 편하답니다. 그리고 소금과 후춧가루, 마늘가루, 양파가루를 뿌려주세요. 넣을 만한 가루가 없을 때는 다진 마늘을 조금 얹어줘도 좋답니다. 파슬리나 로즈메리, 베이즐, 오레가노 등 좋아하는 허브들이 있으면 뿌려도 좋아요. 파마산치즈 등 가루치즈를 뿌려도 좋고요. 이렇게 취향대로 만든 빵은 170℃로 예열한 오븐이나 프라이팬에 노릇노릇 구워주세요.

#260 샌드위치를 만들었는데 빵도 눅눅하고 속재료끼리 밀려 재료가 각각 따로 놀아요.

예쁘고 맛있는 샌드위치는 어떻게 만드나요?

샌드위치는 재료도 간단하고 만들기도 쉽지만 4가지 요령을 기억해야 맛있게 만들 수 있어요.

첫 번째는 바로 빵인데요, 아주 간단하고 평범한 재료라도 빵이 맛있으면 샌드위치의 맛이 확 업그레이드된답니다. 풍미가 있는 호밀빵이나 곡물빵도 아주 좋은 재료지요. 납작한 파니니빵이나 차이바타 혹은 씹을 때 고소한 맛이 나는 바게트를 사용해도 좋아요.

두 번째는 속 재료의 물기 제거랍니다. 상추는 물기를 탁탁 털어서 물기를 완전히 제거하고 토마토는 얇게 썬 다음 씨를 빼고 손에 넣고 살짝 쥐어 물기를 없앱니다. 오이나 양파는 반느시 소금에 절여 물기를 짠 다음 다져 넣어야 수분이 흥건하게 생기는 것을 방지할 수 있어요.

세 번째는 얇게 썬 속 재료예요. 토마토나 오이, 양파 등을 썰 때 두껍게 썰면 재료끼리 밀착력이 떨어져서 서로 밀리는 현상이 나타납니다. 재료를 썰 때는 아주 얇게 저며 써는 것이 중요해요. 그래야 많이 넣더라도 서로 착착 들러붙지요.

마지막으로 빵 표면에 마요네즈나 버터 혹은 올리브유를 발라주면 속 재료의 수분이 빵 안으로 스며들지 않아요.

#261 파니니 그릴기계가 없으면 파니니샌드위치를 만들 수 없나요?

빵 표면이 바삭바삭하고 따끈한 파니니샌드위치는 집에서도 기계 없이 만들 수 있어요.
먼저 햄이나 닭 가슴살 등 좋아하는 재료를 빵 안에 채워 넣고 샌드위치를 만드세요. 이때 치즈를 넣어주면 빵과 재료가 서로 착 밀착된답니다. 야채를 넣을 때는 토마토같이 수분이 많은 야채는 피하고 구운 가지나 호박, 피망 혹은 어린 잎채소를 준비하세요.
준비가 끝났으면 샌드위치를 예열된 프라이팬에 올리세요. 그런 다음 쿠킹호일을 샌드위치의 윗부분에 놓고 무거운 냄비나 팬으로 지그시 누르세요. 이때 불은 중 · 약불 정도가 알맞답니다. 빵 밑면이 노릇노릇 구워지고 치즈가 녹을 수 있도록 충분한 시간을 두고 굽는 것이 좋아요.
밑면이 바삭하고 노릇하게 구워졌으면 샌드위치를 뒤집어서 다시 호일을 올리고 무거운 팬이나 냄비로 지그시 샌드위치를 누르세요. 그럼 바삭하면서도 고소한 파니니샌드위치가 완성됩니다.

plus tip

샌드위치와 어울리는 음료

샌드위치를 먹을 때 우유나 소프트드링크, 생과일주스를 곁들이면 맛이 참 좋답니다.

COOKING KNOW-HOW

쫀득한 모짜렐라치킨

파니니샌드위치

준비하세요

파니니빵 1개
닭 가슴살 적당량
모짜렐라치즈 적당량
양파 · 파프리카 조금씩
소금 · 후추 조금씩
말린 바질 조금, 올리브유 적당량

이렇게 만드세요

1 닭 가슴살에 말린 바질, 후추, 소금, 올리브유를 골고루 발라 30분간 재운 뒤 노릇노릇 구워내고 양파와 파프리카는 얇게 채썬다.

2 빵을 반으로 갈라서 겉면에 올리브유나 버터를 발라주고 안쪽 면에 구운 닭 가슴살과 양파, 파프리카를 얹고 소금과 후추, 말린 바질을 솔솔 뿌린 뒤 모짜렐라치즈를 듬뿍 얹고 나머지 빵으로 덮는다.

3 그릴용 팬이나 프라이팬에 샌드위치를 얹고 무거운 냄비나 팬으로 꾹 눌러 치스가 녹을 때까지 앞뒤로 바삭하게 굽는다.

#262 쿠키에는 짜는 쿠키, 냉동 쿠키, 찍는 쿠키가 있는데 각각 어떻게 만드나요?

쿠키도 종류에 따라서 만드는 방법이 조금씩 다르답니다. 그럼 짜는 쿠키, 냉동 쿠키, 찍는 쿠키를 만들어 보세요.

짜는 쿠키

1 주머니는 반죽을 채우기 쉽게 반 이상 바깥쪽으로 뒤집는다.

2 반죽을 채울 때는 단숨에 넣어 공기가 들어가지 않게 하고 다시 주머니를 뒤집어 죽 훑어내린다.

3 반죽이 채워지면 주머니를 누르듯 비틀어 공기를 내보낸다.

4 팬에 짤 때는 3cm 정도 간격을 두고 작은 원을 그리듯 짠다.

냉동 쿠키

1 냉동 쿠키는 지름이 약 3cm쯤 되게 막대 모양으로 길게 늘인다.

2 반죽이 마르거나 쭈그러지지 않게 유산지에 싸서 냉동실에 1시간 정도 굳힌다.

3 단단하게 굳은 반죽은 냉동실에서 꺼낸 뒤 먹기 좋은 두께로 일정하게 썬다.

찍는 쿠키

1 판과 밀대에 밀가루를 살살 뿌린다. 찍는 쿠키는 강력분을 사용해 만드는 것이 좋다.

2 냉장실에 두어 숙성시킨 반죽을 꺼내 밀대로 아래위로 밀어준다.

3 전체를 균일하게 밀어 모양틀에 밀가루를 살짝 묻혀 찍어낸다.

#263 샌드위치 예쁘게 담는 비결을 알려주세요.

샌드위치는 종류에 따라 포장하는 방법이 다르므로 일반적인 요령을 소개할게요. 이것을 응용해 자신의 취향대로 센스 있게 포장하면 세상에서 가장 특별한 샌드위치가 될 거예요.

프렌치빵 샌드위치

바게트에 속을 넣어 만드는 샌드위치로 격식 없이 편안한 자리에 어울리지요. 단, 바게트는 바삭하게 씹는 맛이 일품이므로 눅눅해지지 않도록 종이로 싸거나 봉투에 담아 내세요.

토스트 샌드위치

토스트 샌드위치는 내용물이 비치도록 한 번 자른 다음 래핑 페이퍼로 곱게 싸세요. 그런 다음 양끝을 리본으로 묶어주면 예쁘게 완성됩니다.

오픈 샌드위치

오픈 샌드위치는 말 그대로 내용물이 공개되는 것이 특징이에요. 야외에 놀러 갔을 때 종종 볼 수 있는 샌드위치랍니다. 먼저 예쁜 냅킨을 바닥에 깐 다음 긴 프랑스빵을 어슷하게 썰어 식빵과 함께 바구니에 담고 구절판이나 예쁜 접시를 따로 준비해 종류별로 속재료를 놓으세요. 과일과 파슬리로 포인트를 주는 것도 방법이랍니다.

#264 쿠키를 만들 때 버터에 달걀과 설탕을 넣고 얼마나 저어야 하나요?

▶

요리책을 보면 '실온에 녹인 버터에 설탕과 달걀을 넣고 분리되지 않도록 충분히 젓는다'는 설명을 볼 수 있지요. 하지만 초보자는 그게 어떤 상태를 말하는지 쉽게 감이

mini tip!
불이 아래쪽에서만 올라오는 오븐에서는 쿠키 바닥이 타는 경우가 있어요. 이럴 때는 오븐 팬을 하나 더 겹쳐 놓거나 쿠킹 호일을 여러 겹으로 접어 깔면 골고루 구워진답니다.

오지 않는답니다. 보통 '버터와 달걀, 설탕을 넣고 충분히 섞는다'는 말은 버터에 공기가 들어가 재료를 넣은 부피의 약 2배 정도로 부풀어 오를 때까지를 말합니다. 공기가 충분히 재료에 섞여 부풀어 올라야 맛있는 쿠키가 되지요.

plus tip

쿠키 굽는 시간

보통 쿠키를 구울 때 알맞은 온도는 180℃, 알맞은 시간은 15분 정도예요. 하지만 크기와 두께에 따라 조금씩 조절할 수 있답니다.
촉촉하고 부드러운 쿠키를 원한다면 8~9분 정도만 굽는 것이 좋아요.
만약 바삭하고 단단한 쿠키를 원한다면 15분 정도만 구워도 충분하답니다. 오븐에서 쿠키를 바로 꺼내면 말랑말랑하지만 식히면 단단해지거든요.

#265 레몬껍질을 필러로 깎아 쿠키에 넣었더니 쓴맛이 나네요.
무엇이 잘못된 걸까요?

레몬필은 음식이나 케이크, 과자에 많이 사용되는 재료지요.
보통 레몬필, 즉 레몬껍질은 표면의 노란 부분만을 말한답니다. 하얀 속껍질까지 깊게 필러로 긁어내면 쓴맛이 나지요. 레몬껍질을 벗길 때는 필러에 힘을 살짝 주고 노란 겉껍질 부분만 얇게 벗겨 내세요. 그래야 쓴맛이 나지 않는답니다.

#266 냉동실에 넣어둔 쿠키반죽을 꺼내 썰었더니 쿠키가 자꾸 부서져요. 이유가 뭘까요?

쿠키반죽을 썰 때 너무 딱딱하게 언 상태에서 자르면 부서지는 경우가 생겨요. 쿠키를 냉동할 때는 1시간에서 1시간 30분 정도가 좋답니다. 오래 냉동한 경우라면 단단하게 언 쿠키가 살짝 부드러워질 때까지 실온에 두었다가 자르세요. 그래야 부서지지 않고 깔끔하게 썰린답니다.

mini tip!
쿠키를 썰 때는 두꺼운 칼날보다 얇은 칼날이 더 매끈하게 잘 썰려요.

plus tip

쿠키 모양 쉽게 내는 방법

다 쓰고 남은 랩 상자나 동그란 랩 심지를 이용하면 쉽게 모양을 만들 수 있어요. 쿠키 반죽을 랩으로 싼 다음 빈 랩 상자에 넣고 꽉 차도록 꾹꾹 눌러주면 반듯한 사각형 쿠키가 완성되지요. 랩으로 싼 반죽을 동그란 랩 심지에 넣고 몇 번 굴려주면 반죽 모양이 예쁜 원형으로 완성된답니다.

#267 집에서 쿠키를 만들었는데 너무 딱딱해요. 왜 그런 걸까요?

버터에 설탕을 넣고 충분히 휘젓지 않아 공기가 들어가지 않았거나 쿠키를 만들 때 반죽을 너무 치대면 글루텐이 생겨 쿠키가 딱딱해집니다. 반죽을 섞을 때는 주걱을 세워서 우물 '정' 자를 그리듯이 섞으세요. 그런 다음 가볍게 치댄 후 빨리 뭉쳐 구워내야 부드럽답니다.

COOKING KNOW-HOW

향긋한 레몬 향
레몬맛쿠키

준비하세요
박력분 200g
베이킹파우더 1/2작은술
무염버터 · 설탕 100g씩
달걀 1개, 우유 1~2큰술
레몬 1/2개, 체리통조림 조금

이렇게 만드세요

1 실온에 30분 정도 둔 버터를 볼에 담고 설탕을 넣어 크림처럼 부풀어 오를 때까지 잘 저어준다.

2 여기에 달걀을 조금씩 나누어 가며 분리되지 않도록 섞는다.

3 버터, 설탕, 달걀을 섞은 볼에 밀가루, 베이킹파우더를 고운 체에 걸러 넣고 섞은 다음 우유와 레몬즙을 넣어 가볍게 반죽한다.

4 짜주머니에 쿠키 반죽을 넣고 모양내어 짠 후 체리통조림으로 장식한다.

5 170℃로 예열된 오븐에 15분 정도 굽는다.

▶

▶

#268 타르트를 만들었는데 바삭하지 않고 눅눅해요. 이유가 뭘까요?

mini tip!
타르트는 반죽을 차갑게 유지한 상태로 구워야 바삭바삭해요. 파이도 마찬가지랍니다.

반죽을 만들 때 수분이 지나치게 많거나 오븐 온도가 낮으면 눅눅하고 딱딱한 질감이 느껴져요. 그럴 때는 버터와 밀가루를 손으로 비벼 공기가 들어가도록 으깨거나 반죽에 설탕과 슈거파우더를 넣으세요. 반죽을 뭉칠 때는 글루텐이 형성되지 않도록 오래 치대지 말고 가볍게 뭉쳐줘야 바삭한 타르트가 완성된답니다.

#269 과자처럼 바삭하면서도 부드러운 타르트시트는 어떻게 만드나요?

높이가 낮은 원 모양의 타르트시트는 바삭하면서도 부드러워야 제 맛이에요. 타르트시트의 기본만 제대로 익혀 두면 여러 가지 타르트를 만들 수 있답니다. 지름 18cm 타르트 틀을 기준으로 박력분 240g, 무염버터 100g, 설탕 80g, 달걀 1개를 준비하세요.

1 차가운 버터를 넣고 고무주걱으로 부드럽게 저어준 뒤 설탕을 넣고 골고루 섞는다.
2 여기에 풀어놓은 달걀을 넣고 충분히 섞은 뒤 체에 친 밀가루를 넣고 가볍게 치댄다.
3 수분이 날아가지 않도록 뭉친 반죽을 랩에 싼 뒤 냉장고에 30분~1시간 정도 휴지시킨다.

4 밀가루를 뿌려놓은 판에 휴지시킨 반죽 덩어리를 놓고 밀대로 민다.

5 밀어 놓은 반죽은 찢어지지 않도록 살살 들어 올려 틀에 넣고 모양을 잡은 뒤 가장자리 반죽을 잘라낸다.

6 원형 틀에 타르트 반죽을 잘 앉혔으면 포크로 바닥에 구멍을 송송 내준다. 그래야 반죽이 들뜨지 않는다.

#270 아침식사 대용으로 핫케이크를 만들고 싶어요. 어떻게 만드나요?

부드럽고 촉촉한 핫케이크는 아침식사나 간식으로 좋은 메뉴랍니다.

재료 밀가루 2컵, 달걀 2개, 우유 1컵반, 버터 2큰술, 설탕 4큰술, 소금 1/2큰술, 베이킹파우더 1작은술, 식물성 기름 1큰술 **시럽** 설탕 · 물 1컵씩

이렇게 만들어요

1 우묵한 볼에 풀어놓은 달걀과 우유, 녹인 버터, 설탕, 소금을 넣고 골고루 섞는다.

2 재료를 섞어 놓은 그릇에 밀가루와 베이킹파우더를 체에 친 후 가볍게 섞어 반죽한다.

3 팬에 기름을 두른 다음 달궈지면 기름을 닦아내고 반죽을 부은 뒤 노릇하게 굽는다.

plus tip

핫케이크 굽기

핫케이크를 부드럽고 봉긋하게 구우려면 약한 불에서 프라이팬을 살짝 달궈 기름을 닦아낸 후 반죽을 부으세요. 반죽이 익고 윗면에 구멍이 송송 생기면 뒤집어 반대쪽도 노릇하게 굽는데 이때 뒤집개로 핫케이크 윗면을 꾹꾹 누르면 공기층이 눌려 부드럽고 촉촉한 맛이 사라진답니다.

#271 생과일케이크 위에 나파주나 미르 같은 광택제를 꼭 발라야 하나요?

사지 않고 집에서 대체할 만한 것은 없나요?

생과일을 이용한 타르트나 케이크는 만든 즉시 먹으면 괜찮지만 조금만 시간이 지나도 과일에서 수분이 빠져나와 모양도 일그러지고 흐물흐물해진답니다. 바로 이것을 방지하는 것이 광택제의 역할이죠. 광택제를 과일 위에 골고루 발라주면 코팅 효과가 있어서 수분증발도 막고 반짝반짝 윤기를 더해줍니다.

나파주나 미르 같은 광택제는 제과제빵 판매점에서 구입할 수 있지만 집에서도 간단히 만들어 사용할 수 있어요. 살구잼을 물과 1:1 비율로 섞어 건더기는 체에 밭쳐 건져내고 국물만 냄비에 넣고 조리면 훌륭한 광택제가 완성된답니다.

#272 집에서 케이크를 만들면 자꾸 실패해요. 맛있게 굽는 노하우를 알려 주세요.

케이크를 맛있게 구우려면 재료의 분량을 정확히 재 정석대로 만드는 것이 기본이에요. 계량할 때는 꼭 도구를 사용해서 정확한 비율대로 섞어야 실패하지 않는답니다.

반죽을 만들 때는 달걀흰자와 노른자를 분리해 흰자는 되직하게 같은 방향으로 저어 거품을 내고 밀가루는 2~3회 정도 체에 쳐 공기가 입자 사이에 충분히 들어가 잘 부풀도록 해주세요. 재료를 반죽할 때는 끈기가 생기지 않도록 가볍게 섞은 다음 반죽 분량에 맞게 케이크 틀을 준비해서 버터나 기름을 칠한 뒤 구워주면 됩니다. 이때 오븐 온도와 굽는 시간은 반드시 지켜주세요. 원칙을 지키는 것이 맛있는 케이크를 만드는 비결이랍니다.

plus tip

'머랭'의 뜻

베이킹할 때 쓰는 용어 중에 머랭이 있어요. 머랭은 달걀흰자에 거품을 낸 것으로 케이크를 부풀어 오르게도 하지만 직접 팬에 굽기도 하는 등 쓰임새가 많아요. 머랭을 만들 때는 달걀흰자에 설탕을 넣어가며 하얗고 뻑뻑한 크림 상태가 될 때까지 저어주세요. 이때 그릇을 뒤집어 거품이 떨어지지 않을 정도까지 저어야 잘된 머랭이랍니다.

#273 머랭을 만드는데 거품이 잘 나지 않아요. 무엇이 문제일까요?

달걀흰자로 거품을 낼 때는 달걀 온도가 너무 차가우면 거품이 잘 나지 않아요. 생크림은 차가울수록 거품이 잘 나지만 달걀은 오히려 실온에서 거품이 잘 생긴답니다. 따라서 머랭을 만들 때는 달걀을 미리 실온에 30분 정도 꺼내 놓았다가 사용하세요. 그럼 거품이 쉽게 부풀어 오르면서 크림상태가 됩니다.

plus tip 케이크가 익었는지 확인하는 법

젓가락이나 꼬치로 케이크의 가운데 부분을 푹 찔러보세요. 이때 케이크가 다 익지 않으면 젓가락에 반죽이 묻어 나온답니다.

#274 케이크를 만들면 가운데가 부풀지 않고 푹 가라앉아요. 이유가 뭘까요?

케이크의 가운데가 부풀어오르지 않고 푹 꺼지는 것은 밀가루 양이 적거나 빵을 구울 때 오븐 온도가 너무 낮아 가운데가 덜 익었을 때 생기는 현상이랍니다. 그런가 하면 오븐 온도가 너무 높아서 부풀어 오른 거품을 지탱하는 밀가루가 굳지 않았을 때도 가운데가 주저앉아요. 따라서 오븐 온도를 미리 체크하세요.

또, 설탕이나 시럽이 지나치게 많이 들어갔을 때 밀가루 안의 글루텐이 부드러워 꺼지는 경우도 종종 있습니다. 이 밖에도 굽는 중간에 오븐을 자주 열어도 오븐 내부 온도가 떨어져 반죽이 부풀어 오르다 다시 주저앉을 수 있어요.

plus tip

케이크 표면이 딱딱한 경우

오븐 온도를 확인하세요. 너무 높은 온도에서 굽거나 굽는 시간을 초과했을 때 케이크 표면이 딱딱해진답니다. 맛있는 케이크를 만들려면 알맞은 분량과 시간을 철저히 지키세요.

#275 케이크 표면을 채울 맛있는 생크림 만드는 방법을 알려 주세요.

생크림은 만드는 방법도 간단하고 케이크 표면의 장식뿐 아니라 빵 속 크림, 과자의 토핑, 타르트 표면을 채우는 등 여러 용도로 쓰여요.

재료 _ 생크림 원액 200g, 설탕 30g, 럼주 1/2큰술

이렇게 만들어요

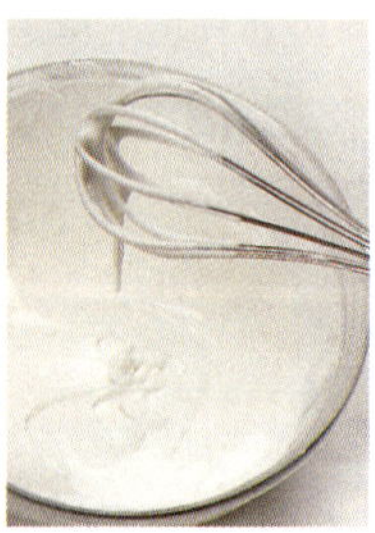

1 볼에 생크림과 설탕을 넣고 거품기나 핸드믹서로 저어 거품을 내기 시작한다.

2 어느 정도 거품이 생기면 럼주를 넣고 크림상태가 될 때까지 계속 저어 준다.

3 크림상태가 된 거품을 거품기로 들어 올려 삼각형 모양으로 뾰족하게 매달릴 때까지 젓는다.

plus tip

초콜릿생크림 만들기

먼저 생크림에 설탕을 넣고 크림상태가 될 때까지 핸드믹서로 충분히 저어주세요. 그런 다음 중탕으로 녹인 초콜릿이나 초콜릿가루를 넣고 골고루 섞어주면 코코아 맛이 나는 초콜릿 생크림이 완성됩니다.

#276 생크림을 만드는데 거품이 잘 나는 듯싶더니 이내 물이 생겨버렸어요. 왜 그럴까요?

생크림을 만들 때 너무 오래 저으면 기름과 수분이 분리되면서 물이 생깁니다. 따라서 생크림으로 거품을 낼 때는 거품기로 너무 오래 젓지 않는 것이 중요해요.

어느 정도 거품이 단단해졌을 때 바로 멈추어야 거품이 거칠어지거나 기름과 수분이 분리되는 것을 막을 수 있답니다.

#277 스펀지케이크를 구웠는데 전체적으로 부풀어 오르지 않고 가라앉았어요. 무엇이 문제일까요?

생크림케이크, 롤케이크, 카스텔라는 스펀지케이크의 일종으로 케이크 시트의 기본이라고 할 수 있지요. 따라서 스펀지케이크만 구울 수 있으면 웬만한 케이크는 문제없답니다.

스펀지케이크의 포인트는 달걀 거품내기와 거품이 죽지 않도록 밀가루를 섞는 과정입니다. 거품을 잘 내지 못하거나 반죽과 섞는 과정에서 세게 마구 저어주면 기껏 만든 거품이 꺼지면서 케이크가 가라앉아요. 달걀 거품을 반죽과 섞을 때는 고무주걱을 이용해서 밑에서 위로 끌어올려 접듯이 살살 재빠르게 섞어야 거품이 꺼지지 않아요.

스펀지케이크를 구울 때는 먼저 달걀 3개, 설탕 · 박력분 90g씩, 무염버터 30g을 준비하세요. 재료가 준비됐으면 박력분과 설탕은 체에 내리고 달걀은 흰자와 노른자를 분리하고, 버터는 중탕으로 녹여주세요. 이제 밑 준비가 끝났으면 본격적으로 반죽에 들어갑니다.

1 볼에 노른자를 넣고 거품기나 핸드믹서로 잘 저은 후 설탕의 2/3분량을 섞어 크림색이 될 때까지 젓는다.

2 흰자는 거품기로 저어 어느 정도 거품이 나면 남은 설탕을 조금씩 넣어가며 계속 젓는다. 이때 거품기로 거품을 떠서 흘러내리지 않을 때까지 젓는다.

3 흰자 거품에 노른자 거품을 재빨리 섞는다.

4 체에 친 박력분을 2~3회로 나누어 섞는다. 이때 거품이 꺼지지 않도록 재빠르게 섞는다.

5 녹인 버터는 반죽에 직접 붓지 말고 주걱을 이용해 흘려 섞는다. 그래야 거품이 조금이라도 덜 꺼진다.

6 반죽을 부은 빵틀을 테이블 위에 가볍게 쳐 편평하게 정리한 후 180℃로 예열된 오븐에 굽는다.

#278 패밀리레스토랑의 통고구마구이는 어떻게 만드나요?

오븐이나 오븐토스터만 있으면 집에서도 입안에서 사르르 녹는 통고구마구이를 간단히 만들 수 있어요.

먼저 동글동글 큼직한 고구마를 준비해 흐르는 물에 깨끗이 씻고 알루미늄 호일로 싸세요. 그런 다음 200℃로 예열한 오븐에서 20분 정도 구우면 고구마가 속까지 골고루 익는답니다. 고구마가 익었으면 반으로 칼집을 내고 살짝 벌려서 버터와 꿀을 올리세요. 취향에 따라 대형 마트에서 파는 사우어 크림이나 플레인 요구르트를 얹어도 맛이 아주 좋답니다.

#279 중국집에서 파는 것처럼 겉면이 쪼글쪼글한 물만두를 만들고 싶어요.

물만두를 삶기 전에 큰 볼을 준비해 찬물을 담고 참기름을 조금 넣어 잘 섞어주세요. 그런 다음 물만두가 다 익으면 건져내자마자 참기름 섞인 찬물에 풍덩 담갔다가 건져내세요. 이렇게 찬물 충격을 받으면 만두피가 예쁘게 쪼그라든답니다. 참기름의 기름기 때문에 물만두도 서로 달라붙지 않아요. 윤기도 반질반질 흐르고요. 단, 참기름을 많이 넣으면 만두에서 참기름 냄새가 진동할 수 있으니 조금만 넣어 주세요. 물 5컵 정도에 참기름 1/2큰술 정도가 적당하답니다. 만두소에 돼지고기 지방을 조금 넣고 삶으면 기름기가 빠져나가 더욱 쪼글쪼글해져요.

#280 냉동 보관한 떡으로 떡볶이를 만들었는데 질기고 뻣뻣해요.

부드럽게 만들 방법이 없을까요?

떡볶이를 만들 때 떡을 끓는 물에 데치면 훨씬 부드럽고 담백한 맛이 납니다. 굳은 떡을 이용할 때도 끓는 물에 데치면 말랑말랑해지면서 부드러워져요. 단, 이때 삶은 떡은 찬물에 헹구지 마세요. 떡이 수축하면서 양념이 제대로 흡수되지 않는답니다.

COOKING KNOW-HOW

매콤달콤 감초 간식

떡볶이

준비하세요

떡볶이 떡 400g, 물 1컵
어묵 200g, 양파 1/2개
대파 1뿌리, 당근 1/3개
식용유 3컵

양념장

고추장 · 설탕 2큰술씩
고춧가루 · 물엿 1큰술씩
춘장 2작은술
참기름 1작은술

이렇게 만드세요

1 떡볶이 떡은 뜨거운 물에 데쳐 살짝 김을 뺀다.

2 양파는 채썰고 대파는 송송 썬 다음 당근은 어슷하게 저민다. 어묵은 한입 크기로 먹기 좋게 자른다.

3 양념장은 미리 섞어 볼에 담아둔다.

4 달군 냄비에 식용유를 두르고 만들어 놓은 양념장을 살짝 볶다가 데친 떡과 어묵, 양파, 대파, 당근, 양념장, 물을 넣고 국물이 자작하게 줄어들 때까지 조린다.

▶

▶

#281 만두피를 이용해 간단히 만들 수 있는 폼 나는 요리 없을까요?

만두피로 만들 수 있는 요리 중에 애플치즈크리스피를 추천해요. 달콤한 사과조림과 부드러운 치즈가 만나 환상적인 맛을 내거든요. 거기에 바삭한 만두피는 입맛을 자극한답니다.

재료 _ 크림치즈 220g, 달걀노른자 1개 분량, 설탕 1큰술, 만두피 10~15장, 식용유 적당량
사과조림 사과 1개, 설탕 3큰술, 계핏가루 1/3큰술, 물 1/4컵

이렇게 만들어요

1 사과는 깨끗이 손질해서 작게 깍둑썰기한 다음 설탕, 물을 넣고 조린 뒤 끈끈해지면 계핏가루를 넣는다.

2 크림치즈를 실온에 30분 정도 두고 부드러워지면 거품기로 부드럽게 풀어 달걀노른자와 설탕을 넣고 잘 섞는다.

3 달걀노른자와 설탕을 넣은 크림치즈에 사과조림을 넣고 골고루 섞이도록 충분히 저어준다.

4 만두피에 사과크림치즈를 넣고 돌돌 말아 식용유에 노릇노릇하게 튀긴다.

#282 고구마는 생각보다 삶는 데 시간이 많이 걸려요.

고구마를 초스피드로 삶는 방법 없을까요?

고구마는 조리도 간단하고 아이들 간식이나 허기를 채울 때 먹는 요깃거리로 그만이죠. 고구마를 빨리 삶으려면 가로 10cm, 세로 5cm 정도로 자른 다시마를 준비해 고구마를 찔 때 넣어보세요. 그럼 조리 시간도 단축되고 다시마 성분이 고구마를 부드럽게 해줘 맛이 한결 좋아진답니다. 남은 고구마는 버리지 말고 고구마 경단을 만들어 술안주나 밤참으로 이용하세요.

plus tip

고구마경단을 만들어 볼까요

재료 _ 으깬 고구마 1컵, 소금 · 설탕 · 계핏가루 조금씩, 땅콩가루 4큰술

1 찐 고구마를 으깨 소금, 설탕, 계핏가루를 넣고 골고루 섞는다.
2 으깬 고구마를 조금씩 나누어 랩에 싼 뒤 비틀어 모양을 만든다.
3 랩을 벗기고 고구마경단에 빵가루나 땅콩가루를 버무린다.

#283 프렌치프라이와 어니언링을 만들었는데 소금이 튀김에 붙지 않고 다 떨어져요.

프렌치프라이나 어니언링은 튀긴 다음 바로 소금을 뿌리지 않으면 소금이 다 흩어져 떨어진답니다. 튀기자마자 튀김 겉면에 여분의 기름이 지글지글거릴 때 바로 소금을 솔솔 흩뿌려주세요.

#284 생크림을 만들 때 거품이 잘 나지 않아요. 거품을 잘 내는 방법이 없나요?

생크림을 만들 때 볼 밑에 얼음을 받친 다음 거품기나 핸드믹서로 힘차게 저어주면 거품이 좀 더 빨리 단단해진답니다. 생크림은 반드시 거품내기 직전까지 냉장고에서 아주 찬 상태로 보관하세요.

#285 떡케이크를 만들 때 자주 쓰는 천연색소에 어떤 것이 있나요?

일반적으로 붉은색을 낼 때는 팥가루나 백련초가루, 석류가루, 오미자 우린 물을 많이 써요. 초록색은 녹차나 쑥가루, 시금치를 갈아 넣은 물을 주로 사용한답니다. 노란색은 치자 우린 물을 주로 사용하지요.

COOKING KNOW-HOW

영양만점 우리간식
떡케이크

준비하세요

멥쌀가루 5컵, 소금 3큰술
물 · 설탕 1/2컵씩
검은콩 · 파란콩 · 밤콩 적당량씩

이렇게 만드세요

1 검은콩, 파란콩, 밤콩은 깨끗이 씻어 잡티를 골라내고 5시간 정도 충분히 불린다.

2 멥쌀가루에 소금을 넣고 물을 조금씩 넣어가며 손바닥으로 살살 비빈다.

3 물을 머금은 멥쌀가루를 고운 체에 내리고 설탕 1/2컵을 넣어 손으로 버무리듯 골고루 섞는다.

4 여기에 불려 놓은 콩을 고루 섞고 찜통에 젖은 면 보자기를 깔고 편평하게 채운다.

5 찜기에 콩을 버무린 쌀가루를 수북이 담아 베보자기로 덮고 20분 정도 찐다.

6 남은 여열로 뜸을 들이면 콩설기가 완성된다.

▶

▶

▶

#286 레몬차를 집에서도 간단히 만들 수 있나요?

식초를 탄 물에 레몬을 1시간 정도 충분히 담가두세요. 그리고 굵은 소금으로 레몬껍질을 박박 문지르고서 나서 흐르는 물에 여러 번 깨끗이 씻어 주세요. 이렇게 손질한 레몬은 물기를 말끔히 닦은 다음 껍질째로 얇게 저며 써세요. 레몬차를 보관할 유리병은 팔팔 끓인 물로 소독하고 그 병 안에 레몬과 설탕을 켜켜이 담고 실온에 이틀 정도 둔 후 냉장고에 보관하세요. 그리고 짧게는 2주일, 길게는 한 달 후에 끓는 물에 넣어주면 레몬차가 완성됩니다.

#287 길거리에서 파는 고구마빠스처럼 끈적이지 않고 표면이 바삭한 빠스를 만들고 싶어요.

재료를 기름에 튀긴 후 꿀이나 물엿 따위를 발라 만든 것을 빠스라 하지요. 하지만 실제로 고구마를 기름에 튀겨 꿀이나 물엿을 바르면 진득하니 시럽이 줄줄 흘러내린답니다. 시중에서 파는 고구마빠스처럼 표면이 매끄럽고 바삭한 고구마빠스를 만들려면 끓인 설탕시럽에 튀긴 고구마를 재빨리 버무려 꺼낸 다음 물 바른 스테인리스 쟁반에 식히세요. 그럼 표면이 끈적이지 않고 바삭하답니다.

COOKING KNOW-HOW

끈적임 없고 바삭한

고구마빠스

준비하세요

고구마 2개, 설탕 1/2컵
식용유 2컵

이렇게 만드세요

1 고구마는 적당한 크기로 자른 뒤 기름에 튀긴다.

2 자루 팬에 설탕을 넣어 갈색을 띨 때까지 녹인 다음 불을 끈다.

3 튀긴 고구마를 설탕시럽에 재빨리 버무린다.

4 물을 바른 스테인리스 쟁반에 설탕시런을 문힌 고구마를 꺼내 식히면 부드러운 빠스가 완성된다.

5 끈적이지 않으면서도 부드러운 빠스를 접시에 담아 낸다.

모처럼 가까운 친구들을 초대하는 날. 시장에 들러 싱싱한 제철 재료를 구입하고 여러 가지 조리도구를 이용해 정성껏 요리를 하다보니 어느새 친구들이 도착할 시간이네요. 친구들 입맛에 맞을까요? 예쁜 접시에 보기 좋게 담아 은은한 파스텔 식탁 위에 가지런히 놓으니 얼굴 가득 미소가 퍼집니다.

PART 05
요리상식

조리도구 | 양념·소스 | 장보기 | 주방관리

요리할 때 알아두면 유용한 상식들이 참으로 많지요. 알고 있으면 요리가 더 쉽고 즐거워요. 그뿐인가요. 별것 아닌 것 같지만 미묘한 차이가 확연히 다른 결과를 불러올 수 있답니다. 기본 조리법, 조리도구 사용법, 불 조절, 조미료 사용법 등 자칫 지나쳐버릴 수 있는 요리의 기본상식들. 꼼꼼하게 알아두면 요리시간도 줄어들고 맛내는 일이 훨씬 쉬워집니다.

조리도구★ 양념★소스

#288 녹말물과 녹말앙금은 어떻게 다른가요? 또 각각 언제 사용하나요?

녹말물은 전분과 물을 1:1 비율로 섞은 것으로 중국요리에 자주 써요. 걸쭉한 음식을 만들거나 소스를 만들 때 녹말물을 넣으면 수분과 기름이 분리되는 것을 막아 끈기가 생긴답니다. 또 음식을 할 때 녹말물을 넣어주면 오랫동안 식지 않고 윤기가 자르르 흘러요.

녹말앙금은 튀김요리에 주로 사용해요. 물과 전분을 섞어 가만히 두면 물과 앙금으로 층이 생긴답니다. 윗물을 가만히 따라내고 가라앉은 앙금만 요리에 사용하지요. 튀김을 반죽할 때 녹말앙금을 사용하면 재료가 처지지 않고 바삭하게 튀겨져요.

plus tip

전분(녹말) 사용법

전분은 물에 미리 개어 놓으면 딱딱해지기 쉬워요. 그렇다고 물에 개지 않고 그냥 수저로 녹말을 뚝뚝 떠 넣으면 멍울이 생겨 지저분해지죠. 걸쭉한 농도로 빠르게 만드는 것이 포인트랍니다.

먼저 전분을 체에 담고 손으로 탁탁 털어가면서 물과 섞으면 고운 가루가 걸쭉해지면서 골고루 풀어져요. 이렇게 만들어진 녹말물은 소스의 농도를 맞추는 데 주로 사용합니다. 단, 끈기가 있으면 음식이 바닥에 눌어붙거나 타기 쉬우므로 요리의 마지막 단계에 넣어주세요. 녹말물을 만들 때 물 대신 맛국물을 사용하면 맛이 풍부해집니다.

#289 밀가루에도 종류가 다양하던데 정확한 쓰임새와 특징을 알고 싶어요.

밀가루는 글루텐 함량에 따라 강력분, 중력분, 박력분으로 나눌 수 있어요. 보통 케이크나 부드러운 쿠키는 박력분을 사용하고 쫄깃한 빵이나 묵직한 느낌의 쿠키는 강력분으로 만들지요. 박력분이 집에 없을 때는 중력분을 조금 섞어 사용해도 괜찮답니다.

강력분

단백질 함량이 가장 많아 탄력성과 점성이 강하고 수분흡수율이 높아요. 팽창률이 커 식빵이나 부풀리는 빵에 알맞아요.

중력분

단백질 함량이 강력분보다는 적고 박력분보다는 많아요. 국수나 만두피를 만들 때 제격이지요.

박력분

단백질 함량과 끈기가 적어 부드러운 쿠키나 파운드케이크, 카스텔라, 튀김옷을 만들 때 자주 쓰인답니다.

#290 계량저울이 없을 때 손대중으로 계량하는 방법이 있나요?

평소 음식을 만들 때 100g이 어느 정도인지 알아두면 일일이 저울에 달아 음식을 만들 필요가 없답니다. 알아두면 요긴한 정보예요. 일반적으로 100g에 해당하는 분량은 손바닥에 올려놓고 측정하는데 감자는 손바닥의 1/2크기, 두부는 1/4모, 1.5cm 두께로 자른 고기는 손바닥만 한 크기랍니다.

(100g)

plus tip

조미료 '조금'과 '적당량'의 차이

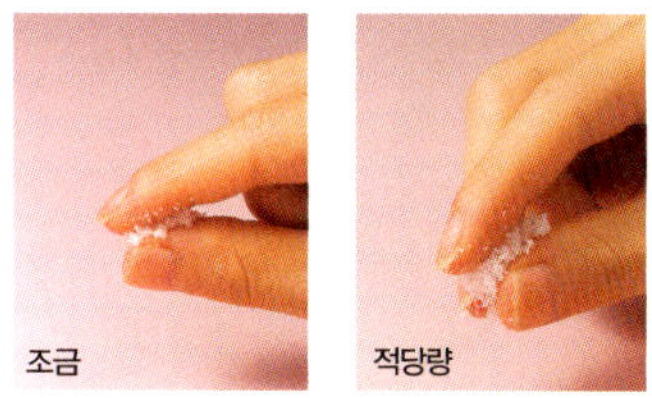

'조금'은 엄지와 검지로 살짝 집는 정도이며 '적당량'은 엄지와 검지, 중지 세 손가락을 이용해 도톰하게 집는 정도랍니다.

#291 요리책에 쓰인 대로 양념을 했는데도 맛이 안 나는 이유가 뭘까요?

맛을 내는 데도 공식이 있어요. 조미료를 넣는 순서에 따라 맛에 미묘한 차이가 난답니다.
설탕이 들어가는 음식에는 먼저 설탕을 넣어 단맛을 낸 다음 소금이나 간장 등으로 간을 맞추세요. 맨 먼저 설탕을 넣는 이유는 설탕이 재료를 부드럽게

해 줄 뿐 아니라 설탕 맛이 재료에 쉽게 배어들지 않기 때문이에요. 이때 만약 소금을 먼저 넣게 되면 재료의 수분이 빠지면서 조직이 단단해지므로 다른 조미료가 배어들기 어렵답니다. 간단하지만 잊어서는 안 될 중요한 포인트지요. 참기름은 열을 가하면 그 맛과 향이 달아나므로 맨 마지막에 넣으세요.

mini tip!
고기나 야채조림 같은 음식은 건더기가 익은 후에 조미료를 넣어야 특유의 맛과 향이 어우러져요. 생선조림은 간이 충분히 배어들어야 제 맛이 나므로 생선을 냄비에 올린 다음 양념장을 조금 끼얹어 30분간 재운 뒤 냄비 가장자리부터 나머지 양념장을 부어 자작하게 조리세요.

#292 요리에 자신이 없어 계량도구를 구입하려 해요. 기본적으로 갖춰야 할 계량도구에 어떤 것이 있나요?

흔히 사용하는 계량도구에는 계량스푼, 계량컵, 계량저울이 있답니다. 각각 쓰임새가 다르므로 아래 내용을 참고하세요.

계량스푼

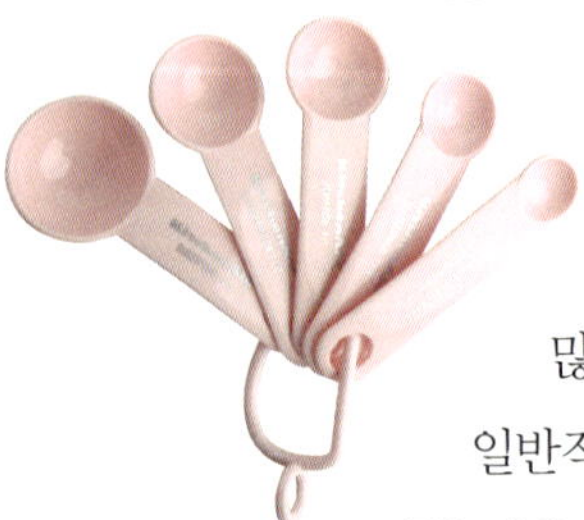

고춧가루나 설탕, 간장, 다진 마늘 등 가루나 액체로 된 양념을 잴 때 쓰는 도구입니다. 스테인리스 스틸이나 플라스틱 소재로 된 것이 많고 주로 3~4개가 한 세트를 이루고 있답니다. 일반적으로 큰술은 테이블스푼(1Ts), 작은술은 티스푼(1ts)을 의미하며 1큰술은 15cc, 1작은술은 5cc를 의미하지요.
계량할 때는 고춧가루, 설탕 등을 넣고 윗면을 젓가락으로 반듯하게 깎아 사용하세요. 액체는 스푼 위로 살짝 볼록하게 올라온 상태에서 재는 것이 올바른 방법이지요.

계량컵

육수, 우유, 밀가루 등 계량스푼보다 많은 양의 액체를 잴 때 사용합니다. 보통 1컵은 200㎖(cc)를 말하지요. 주로 1컵, 1/2컵, 1/3컵, 1/4컵이 한 세트로 구성되어 있으며 1/4컵 이하 분량은 계량스푼을 사용하는 것이 일반적이에요. 만약 계량컵이 없다면 200㎖짜리 빈 우유팩을 이용하는 것도 방법입니다. 단, 분량을 잴 때 컵 안에 물기가 있는지 확인하고 사용하세요.

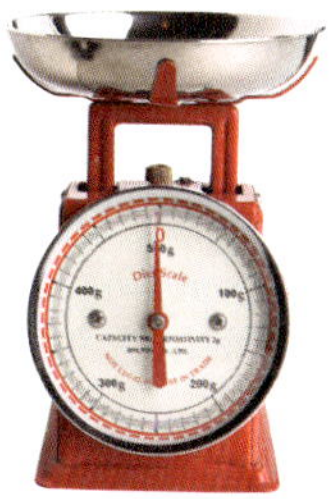

계량저울

채소, 고기, 밀가루 등 계량컵으로 재기 어려운 재료의 무게를 잴 때 사용해요. 아날로그식 저울일 경우는 바늘 눈금이 '0'인지 확인한 후 재료를 올려놓아야 합니다. 눈금을 읽을 때는 눈금과 시선이 수평을 이룬 상태에서 읽으세요.

#293 계량도구가 없을 때 대신할 만한 도구가 없을까요?

요리책을 보며 음식을 만들 때 정확한 맛을 내려면 계량도구 하나쯤은 갖고 있는 것이 좋아요. 보통 요리 분량을 말할 때 계량도구를 기준으로 설명하니까요. 하지만 없을 때는 집에 있는 간단한 도구를 이용해 측정할 수도 있답니다. 집에서 흔히 쓰는 물컵이나 우유팩은 200cc입니다. 계량스푼으로 1큰술은 15cc, 1작은술은 5cc, 일반 숟가락으로 1숟가락은 10cc에 해당하는 양이지요. 따라서 1큰술은 일반 숟가락으로 1숟가락반에 해당한답니다.

#294 계량스푼이 없을 때 눈대중으로 아는 방법이 없나요?

계량스푼이 없을 때는 밥숟가락을 이용하면 쉽게 분량을 측정할 수 있답니다. 일반적으로 계량스푼 1큰술(15g)은 밥숟가락에 가루를 수북이 담은 정도라고 생각하면 되지요. 또 계량스푼 1작은술(7.5g)은 밥숟가락 기준으로 가장자리가 차지 않도록 느슨하게 담은 정도랍니다.
액체일 경우 계량스푼 1큰술(15cc)은 밥숟가락에 액체 표면이 볼록하게 올라올 정도로 가득 담은 양이지요. 또 계량스푼 1작은술(5cc)은 일반 찻숟가락으로 가득 채워 표면이 볼록하게 올라오는 정도를 말해요.
가루와 액체는 밀도가 다르므로 액체 1작은술은 5cc, 가루 1작은술은 7.5g으로 조금 차이가 있답니다.

mini tip!
보통 종이컵 1컵은 100g 정도, 고체를 숟가락으로 슬며시 뜰 때는 1숟가락이 10g 정도, 버터 1숟가락은 15g 정도입니다.

= 15g (가루)

= 7.5g (가루)

= 15cc (액체)

= 5cc (액체)

#295 부엌칼에 종류가 많아요. 모양이나 용도가 어떻게 다른가요?

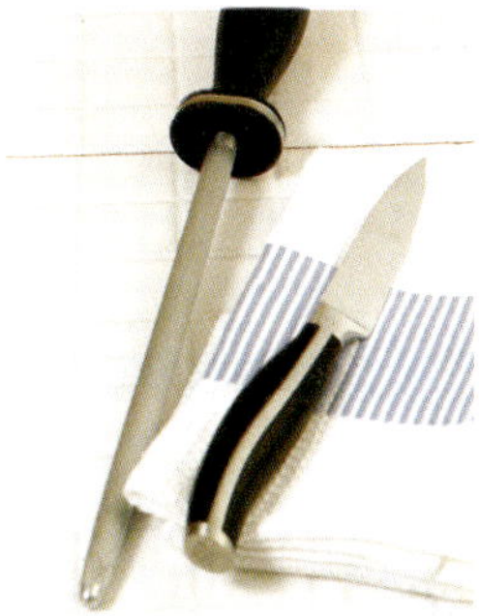

부엌칼은 용도에 따라 다음과 같이 나눌 수 있어요.

다용도 칼

일반적으로 부엌에서 널리 쓰는 다용도 칼은 칼날과 칼등이 일직선을 이루고 있지요. 채소, 육류, 어류 등 모든 요리에 두루 쓰인답니다.

채소용 칼

채소를 다루기에 적합한 칼로 칼등이 가늘고 폭이 좁아요. 가는 채를 썰 때는 칼끝을 사용하고 굵은 채를 썰 때는 칼 중앙을 사용한답니다.

과일용 칼

과일의 껍질을 벗기거나 자를 때, 육류의 뼈를 발라내거나 생선포를 뜰 때 주로 사용하지요. 보통 12~14cm 길이가 적당하고 앞이 뾰족한 것일수록 모양내기가 편리하답니다.

plus tip

좋은 칼 고르기

칼을 고를 때는 칼날이 인체에 해가 없는 무독성 재질인지 확인하세요. 녹이 잘 슬지 않고 손질이 간단한 스테인리스 소재가 일반적으로 많이 쓰인답니다. 직접 잡아보아 손에 착 감기는 것이 쓸 때 편하지요. 또, 칼을 들었을 때 무게감이 느껴지고 칼 손잡이가 단단한 것이 좋답니다.

#296 칼의 정확한 부위별 사용법이 궁금해요.

칼을 제대로 사용하면 요리 효율도 높아지고 조리시간도 줄일 수 있지요. 그럼 칼의 부위별 명칭과 특징에 대해 알아보기로 해요.

칼끝

칼의 뾰족하고 날카로운 부분이에요. 생선 포를 뜨거나 고기의 질긴 힘줄을 끊을 때, 채소 꼭지를 떼낼 때 주로 씁니다.

칼등 중간

칼날의 반대쪽 부분으로 칼을 거꾸로 쥐고 우엉 껍질을 벗길 때, 생선의 비늘을 벗길 때, 고기를 두드려 연하게 할 때 사용해요.

칼등 끝 부분

칼등 끝 부분으로 칼 손잡이를 네 손가락으로 쥐고 파나 셀러리 등 채소 껍질을 누르면서 벗길 때 주로 사용해요.

칼날 중앙

칼날의 가운데 부분으로 음식을 할 때 두루두루 가장 많이 쓰인답니다. 채소를 썰거나 고기를 다질 때, 생선을 자를 때 사용하지요.

칼배

칼날 위쪽의 넓은 면을 가리키며 '칼편' 이라고도 해요. 두부처럼 부드러운 재료를 으깰 때 사용하는데, 칼을 비스듬히 눕혀 칼 배 위를 지그시 눌러 으깨세요.

칼턱

칼 밑동으로 가운뎃손가락, 넷째손가락, 새끼손가락으로 칼자루를 쥐고 채소 꼭지나 감자 싹을 도려낼 때 주로 사용해요.

plus tip

칼 관리하기

칼날은 산에 약하므로 과일이나, 채소, 김치 등을 썬 다음 미지근한 물로 헹궈 행주로 물기를 완전히 닦아내야 녹이 생기지 않는답니다. 플라스틱 손잡이 칼은 화기에 닿지 않도록 주의하세요. 플라스틱 도마보다는 나무 도마를 사용해야 칼날이 상하지 않고 오래 쓸 수 있답니다. 만약 칼에 녹이 슬었다면 스테인리스 세척제나 금속 세척제로 녹을 제거하세요.

#297 요리책을 보니 써는 방법도 여러 가지예요. 어떤 것들이 있나요?

같은 재료도 요리에 따라 어울리는 썰기 방법이 있답니다. 아무래도 요리 특성에 맞게 썰어야 먹기도 편하고 모양도 예쁘지요.

채썰기

채썰기는 여러 가지 요리에 두루 사용돼요. 예를 들어 생채나 숙채, 김밥 소, 잡채에 들어가는 재료를 썰 때도 사용되지요. 채의 두께와 길이에 따라 여러 가지 요리에 응용할 수 있어요.

나박썰기

일정한 사각형으로 납작하게 썬 나박썰기는 무로 국을 끓일 때나 나박

김치를 담글 때 사용하면 모양도 가지런하고 먹기도 편해요.

어슷썰기

볶음, 국, 탕에 파를 넣을 때, 홍고추나 풋고추같이 작은 재료를 썰 때 제격이지요.

반달썰기

둥근 재료를 쓸 때 많이 사용하는 방법이에요. 호박볶음이나 조림, 감자로 국을 끓일 때 사용한답니다.

깍둑썰기

깍두기나 김치를 담글 때, 카레의 감자와 당근, 된장찌개에 재료를 썰어 넣을 때 많이 쓰는 방법이에요. 주사위 모양처럼 정육면체로 써는 것이 특징이지요.

편썰기

얇게 포를 뜨듯이 써는 방법으로 고기류, 버섯이나 해산물을 썰 때, 마늘이나 생강 등을 저밀 때 종종 사용해요.

송송썰기

칼날을 직각으로 세워 얇은 폭으로 써는 방법으로 국이나 우동에 넣는 파를 썰 때 적합해요.

#298 불의 세기를 조리 방법에 따라 달리해야 하나요?

조림, 볶음, 찜, 튀김, 구이 등 조리하는 방법에 따라 불의 세기도 다르게 조절해야 합니다. 불의 세기는 크게 센 불, 중불, 약한 불로 나뉘며 쓰임새와 특징이 각각 다르답니다.

센 불

불꽃이 타오르듯 강렬하기 때문에 단시간에 재빨리 볶아내는 볶음요리나 찜요리, 중국요리, 물을 팔팔 끓일 때 적합해요.

중간 불

말 그대로 불이 너무 세지도 약하지도 않은 중간 단계로 보글보글 끓는 정도의 세기랍니다. 일반적으로 센 불에서 한소끔 끓인 뒤 중불에서 맛을 우려내지요.

약한 불

중간 불보다 불꽃이 약해 오래 자글자글 끓이는 조림이나 사골국, 뭉근하게 오래 끓여 맛을 우려낼 때 사용해요.

plus tip

조리별 불 조절 공식

조림 센 불에서 끓이다가 일단 끓고 나면 조림국물이 재료 속까지 푹 배도록 약한 불로 조리세요. 처음부터 약한 불로 조리면 간이 제대로 배지 않고 재료가 익지 않아 뭉개질 수 있으므로 꼭 처음에는 센 불로 한소끔 끓인 다음 불을 줄이세요.

구이 적당한 간격을 유지하면서 굽되 재료의 맛이 빠져나가지 않도록 센 불에서 겉을 익힌 다음 약한 불로 속까지 익히세요. 또, 자주 뒤집으면 맛도 떨어지고 모양도 예쁘지 않으므로 한쪽이 충분히 익은 다음 뒤집으세요.

찜 센 불에 끓여 충분히 김이 나기 시작하면 재료를 넣고 중간 불로 줄이세요. 찬물 위에 얹어 찌기 시작하면 요리가 질퍽해지면서 맛이 빠져요.

볶음 센 불에서 단숨에 볶는 것이 요령이에요. 팬에 기름을 두르고 달군 다음 재료를 넣고 후다닥 재빨리 볶아야 풍미도 더해지고 맛도 좋아진답니다. 따라서 요리를 하기 전에 재료를 모두 갖추고 시작하세요.

튀김 재료에 따라 튀김온도가 달라져요. 일반적인 튀김은 고온에서 튀기지만 고기는 속까지 완전히 익혀야 하므로 중온에서 튀긴답니다.

#299 요리할 때 필요한 대표적인 조리도구에는 어떤 게 있을까요?

마트에 나가보면 색상이나 모양, 편의성에 따라 다양한 조리도구들이 있지요. 꼭 모든 조리도구를 갖춰야 하는 것은 아니지만 제대로 갖춰 놓고 요리하면 시간도 절약되고 편하답니다.

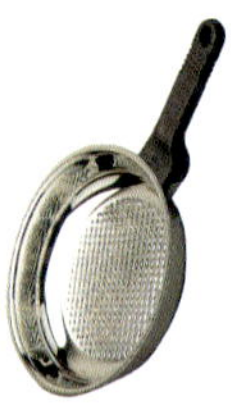

프라이팬

어떤 요리를 할 것인지, 양은 어느 정도인지에 따라 알맞은 프라이팬을 선택하면 된답니다. 일반적으로 볶음이나 국물 요리에는 둥글고 우묵한 형태가 좋지요. 달걀지단을 부칠 때는 사각프라이팬이 좋고, 튀김을 할 때는 좀 더 깊이가 있고 두툼한 것이 기름이 튀지 않아 좋답니다.

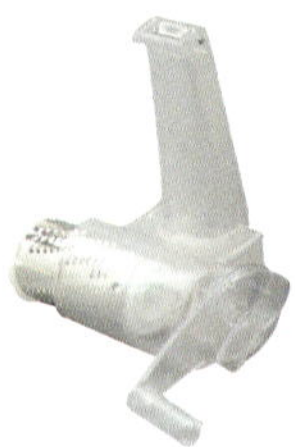

치즈 그레이터

치즈나 호두처럼 딱딱한 견과류를 갈 때 쓰는 도구지요. 손잡이를 돌리면 재료가 쉽게 갈려 서양 요리를 할 때 요긴하답니다.

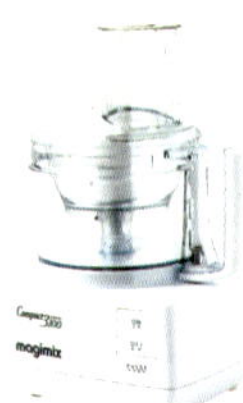

믹서

갈기, 으깨기, 섞기, 다지기, 채썰기 등 여러 가지 기능을 가지고 있어요. 생과일주스뿐 아니라 단단한 과일이나 채소도 매끈하게 갈린답니다.

냄비

모양이나 열전도율에 따라 다양한 종류가 있어요. 열전도율이 뛰어날수록 요리하기 수월하답니다.

차퍼

깐 마늘이나 양파, 토마토 등 여러 가지 음식재료를 잘게 다질 수 있어요.

오븐

쿠키에서 스테이크까지 다양한 요리를 만들 수 있어 활용도 만점이에요.

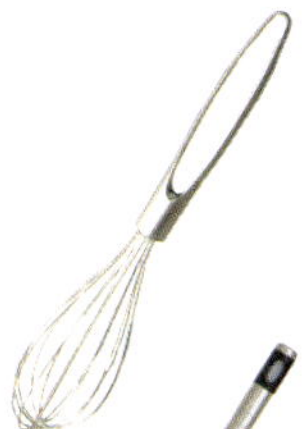

거품기

재료를 섞거나 거품을 낼 때 필요한 조리도구예요. 특히 드레싱을 만들 때 꼭 필요하죠. 크기에 따라 종류가 다양하므로 용도에 맞게 사용하세요.

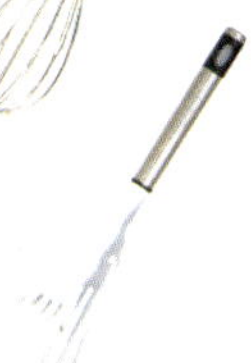

뒤집개

튀김이나 볶음 등 기름기가 많은 음식을 뒤집을 때 사용해요. 중간에 구멍이 뚫려 있어 구멍 사이로 기름이 빠져나간답니다.

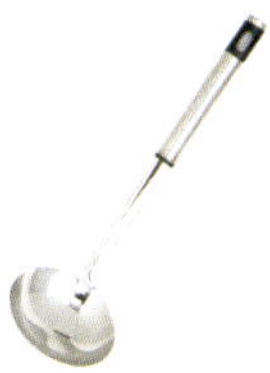

국자

국물을 뜰 때나 재료를 뒤섞을 때 사용하는 도구예요. 크기별로 가지고 있으면 조리할 때 요긴하게 쓰인답니다.

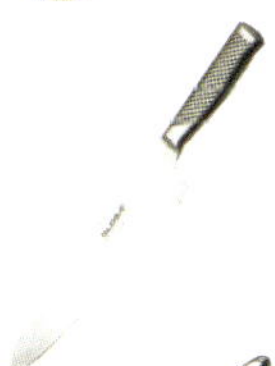

조리용 칼

재료를 썰거나 다듬을 때, 모양을 내거나 토막을 낼 때 다용도로 사용하는 도구예요.

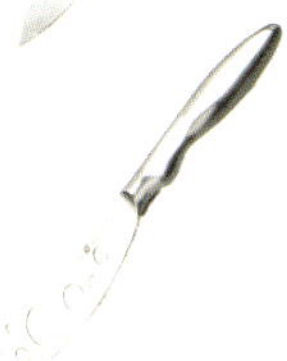

회전칼

당근이나 무, 오이 등 각종 채소의 모양을 낼 때 사용하면 편리해요. 칼로 자르는 것보다 힘도 덜 들고 매끈하게 잘린답니다.

체국자

국물 위에 뜬 기름을 건져내거나 작은 재료를 건질 때 사용하면 편리해요.

에그슬라이서

삶은 달걀을 예쁘고 쉽게 자를 수 있어요. 부서지기 쉬운 노른자도 매끈하게 잘린답니다.

#300 압력밥솥을 구입했어요. 압력밥솥을 사용할 때 주의해야 할 점은 무엇인가요?

압력밥솥은 강한 압력을 이용해 밥을 짓는 조리도구예요. 솥 안 온도가 120℃까지 고온으로 올라가 조리되므로 모든 과정이 더 빨리 진행되지요.

압력밥솥으로 밥을 지으면 쌀을 미리 불리지 않아도 밥알이 끈기가 있고 맛있답니다. 단, 밥물을 정할 때는 불리지 않은 쌀과 물을 1:1 비율로 잡아야 차지고 맛있게 완성돼요.

#301 오븐은 꼭 예열해서 써야 하나요? 이유가 뭐죠?

음식을 조리하는 데 적당한 온도까지 미리 가열하는 것을 '예열'이라고 하는데 오븐 요리는 꼭 예열과정을 거쳐요. 오븐이 예열되지 않은 상태에서 조리하면 조리시간도 길어지고 음식 맛도 떨어지기 때문이죠. 조리할 때는 꼭 오븐을 예열한 뒤 준비된 재료를 오븐에 넣으세요. 예열온도에 정확히 맞춰 가열하면 표면부터 익기 시작해 서서히 열을 받으며 음식의 풍미가 살아난답니다.

#302 손님을 집에 초대해 코스요리를 내려고 해요. 어떤 순서로 코스음식을 낼까요?

손님들이 편하게 먹고 즐길 수 있도록 배려하는 것이 가장 중요하지만 가능한 한 순서에 맞춰 음식을 내는 것이 좋답니다.
먼저, 가볍게 애피타이저로 입맛을 돋우세요. 그런 다음 부드러운 수프로 위의 부담을 덜어주는 것이 순서예요. 메인요리는 생선요리 다음으로 고기요리를 내는 것이 부담없어요. 식후에는 케이크나 쿠키, 혹은 과일을 준비하세요.
마지막으로 계절이나 기호를 고려해 차나 음료를 내면 호텔요리 부럽지 않다는 평가를 받을 수 있어요.

plus tip

코스요리를 빛내주는 센터피스

손님을 초대할 때 이왕이면 분위기에 어울리는 멋진 상차림으로 손님에게 특별하다는 인상을 심어 주세요.
계절에 어울리는 식탁보, 계절과 분위기에 어울리는 접시와 냅킨, 개인 식기를 준비하는 것이 좋지요.
마지막으로 꽃이나 양초로 센터피스를 장식하면 탄성이 절로 나온답니다. 센터피스는 생화나 화초, 과일, 양초로 준비하면 크게 무리가 없어요.

#303 시어머니 생신 상에는 어떤 메뉴가 좋을까요?

초대하고자 하는 사람의 연령이나 취향, 파티의 성격에 따라 조금씩 메뉴가 다르지만 어르신들은 아무래도 한식요리가 최고예요. 어떤 음식을 결정할지 딱히 떠오르지 않는다면 다음 샘플 메뉴를 참조하세요. 생신이니 미역국은 빠질 수 없겠죠? 밥은 부모님의 건강을 생각해서 영양콩밥이나 차조밥으로 지으세요. 메인요리는 새우은행산적이나 닭겨자냉채, 무쌈말이, 도토리묵무침, 갈비찜, 낙지볶음 등으로 준비하세요. 그리고 디저트로 간단한 한과나 과일, 그리고 깔끔한 수정과나 식혜를 준비하면 센스 만점 상차림이 될 거예요.

#304 요리를 시작한 지 얼마 안 됐는데 '삶다'와 '데치다'의 의미가 헷갈려요. 어떤 차이가 있죠?

삶는 것과 데치는 것 둘 다 물이나 국물에 넣어 익힌다는 점에서는 차이가 없어요. 하지만 얼마나 시간을 들여 조리했느냐에 따라 의미가 결정된답니다. '삶다'는 물에 감자나 고구마 등의 재료를 넣고 다소 오랫동안 푹 끓이는 것을 말하지요. 하지만 '데치다'는 시금치나 냉이처럼 연한 재료를 단시간에 후다닥 익히는 것을 의미한답니다. 즉, 재료를 끓는 물에 살짝 담갔다가 꺼내 표면에 살짝 열을 가하는 것을 데친다고 표현하지요.

#305 국을 끓일 때 '한소끔'이라는 말을 자주 하잖아요. '한소끔'은 어느 정도 끓이는 것을 말하나요?

'한소끔'은 요리책에 자주 등장하는 표현입니다. 여기서 말하는 한소끔은 국물이 끓기 시작해서 호흡을 한 번 내쉬는 정도로 짧은 시간을 가리켜요. 한 차례 보글보글 끓어오르는 것을 말하며 길어도 30초를 넘지 않습니다. 따라서 찌개나 국물이 끓어올라 거품이 올라올 때까지 가열하고 불을 끄세요. 이렇게 한소끔 끓이면 양념이 잘 섞이고 맛과 향이 남아 있어 맛이 제대로 납니다.

plus tip 요리책에 자주 등장하는 '자작하게'는 어떤 뜻?

'자작하게'는 액체의 양을 나타낼 때 쓰는 말이에요. 냄비나 그릇에 재료를 넣고 액체를 부어 재료가 보일락 말락 하는 정도랍니다.
자작할 정도로 액체를 부어 요리를 하면 재료가 물 속에서 돌아다니지 않고 모양이 흐트러지지 않아요.

#306 끓는 물에 넣어 데치는 채소와 찬물에 넣어 데치는 채소가 따로 있나요?

채소를 데칠 때, 땅속에서 자라는 채소는 찬물에서, 땅 위에서 자라는 채소는 끓는 물에서 데친다고 생각하면 간단해요. 즉, 무, 당근, 우엉 등 뿌리채소라고 불리는 재료는 처음부터 찬물에 넣고 끓여야 부드럽고 단맛이 납니다.
반대로 시금치, 양배추, 배추, 아스파라거스, 브로콜리, 콩 등 땅 위에서 자라는 채소는 끓는 물에 재빨리 데쳐야 영양분이 빠져나가지 않고 색상도 선명해져요. 단, 단호박과 옥수수는 예외랍니다. 둘 다 땅 위에서 자라는 채소지만 처음부터 찬물에 넣고 데쳐야 단맛이 일정하며 속까지 고루 익어요.

plus tip

녹색 채소의 색을 선명하게 살리는 법

시금치, 미나리 등 녹색 채소를 단시간에 데치면 색이 선명해지고 먹음직스러워요. 하지만 너무 오래 데치면 아삭한 맛도 떨어지고 영양분도 많이 빠져나간답니다.
팔팔 끓는 물에 소금을 넣고 뿌리 부분부터 넣어 뚜껑을 연 채 살짝 데치세요.
채소를 데칠 때 소금을 넣으면 비타민, 무기질, 색소의 손실을 막을 수 있거든요. 데친 다음에는 여열 때문에 색이 변할 수 있으므로 바로 찬물이나 얼음물에 담가 빠르게 식혀 주세요.

#307 요리를 하면 항상 정신이 없고 부엌이 지저분해져요.

어떻게 하면 효율적으로 요리할 수 있을까요?

어떤 음식을 할지 메뉴가 정해지면 필요한 재료부터 모두 다듬어 주세요. 씻고 물기 빼고 써는 모든 과정을 끝내서 쟁반이나 넓은 접시에 한데 모아 놓으면 나중에 요리하기가 한결 수월하답니다. 필요한 양념도 마찬가지고요. 재료를 모두 섞어 양념장을 미리 만들어 두면 조리하는 시간이 짧아져요. 요리하면서 재료를 꺼내고 섞고 하다 보면 정신도 없고 조리시간도 길어지기 마련이지요. 자칫하면 조리 타이밍을 놓쳐 버릴 수도 있고요.
요리를 시작하기 전 재료 준비를 말끔하게 해두면 훨씬 편안하게 요리할 수 있답니다. 참고로 파, 청양고추같이 냉동 보관할 수 있는 재료들은 미리 손질해 얼려 두면 쓰기 편해요.

#308 아보카도를 사왔는데 손질하는 과정에서 뭉그러졌어요. 손질하는 방법이 따로 있나요?

아보카도는 짙은 갈색 혹은 짙은 보라색으로 구입하세요. 만약 단단하고 덜 익은 것을 구입했다면 실온에 며칠 두면 저절로 익어서 맛이 든답니다.
구입한 아보카도는 껍질을 벗기지 말고 반으로 칼집을 내주세요. 그런 다음 가운데 씨가 느껴지는 지점까지 깊숙이 칼을 넣어 그 씨를 중심으로 원을 그리며 칼집을 내줍니다.
칼집이 난 금을 중심으로 아보카도의 양쪽을 잡고 비틀면 반으로 갈라져요. 이때 칼로 씨를 툭 내리치고 살짝 비틀어 올리면 씨가 쑥 빠져나온답니다. 그럼 숟가락을 아보카도 껍질 속으로 깊숙이 넣어 껍질 바닥을 훑으면서 아보카도 속만 쏙 들어내면 간단하게 과육만 빼낼 수 있어요. 빼낸 과육은 먹기 좋게 썬 뒤 식촛물에 담가 두거나 레몬즙을 바르면 갈변현상을 막을 수 있답니다.

#309 포도, 딸기 같은 과일은 깨끗하게 씻기가 어려워요.

깨끗이 씻는 방법 없을까요?

유기농과일은 상관 없지만 일반적으로 시판되는 과일에는 농약 성분이 남아 있어요. 따라서 깨끗이 씻어야 한답니다. 특히 포도, 딸기 같은 과일은 더욱 주의를 기울여야 하지요.

포도나 딸기를 씻을 때는 씻는 물에 식초를 몇 방울 떨어뜨려 푹 담갔다가 헹구면 더러운 것이 말끔하게 씻긴답니다. 단, 지나치게 오래 담그면 과일 맛이 떨어질 수 있으니 주의하세요.

#310 레몬즙이나 오렌지즙을 손으로 짜내면 즙이 덜 짜져요.

알뜰하게 즙을 내는 방법을 알려주세요.

레몬이나 오렌지는 차가운 상태보다 실온이나 약간 따뜻할 때 더 즙을 내기 쉽답니다. 즙을 낼 때 30분~1시간 전 냉장고에서 꺼내두거나 전자레인지에 20초 정도 돌려서 짜면 즙을 남김없이 알뜰하게 짤 수 있지요. 즙을 짜기 전 도마 위에 통째로 올려놓고 손바닥으로 지그시 눌러 굴려주면 과육 조직이 연해져서 한 방울도 남김없이 짜낼 수 있답니다.

#311 냄비를 새로 샀어요. 새 냄비를 쓸 때 알아둬야 할 것이 있나요?

알루미늄, 스테인리스, 법랑, 불소 수지가공 등 냄비의 재질도 다양하지만 어느 것이든 맨 처음에는 스펀지에 중성 세제를 묻혀 닦아준 뒤 사용하세요. 특히 알루미늄 냄비는 조리하다 보면 겉면이 검게 변하기 쉬우므로 쌀뜨물이나 찬물에 당근 껍질, 양배추 겉잎 같은 채소찌꺼기를 넣고 15분 정도 끓여주세요. 이렇게 하면 안쪽에 피막이 생겨 변색이 잘 되지 않는답니다. 피클이나 잼같이 산이 많이 들어 있는 재료는 알루미늄, 철, 구리 냄비에 넣고 조리하면 산화되기 쉬우므로 법랑이나 스테인리스 냄비를 사용하는 것이 좋아요.

#312 먹고 난 통조림국물을 요리에 활용해도 되나요?

통조림 속에 든 국물은 캔 안에 공기를 빼고 간을 맞추는 역할을 합니다. 또 내용물을 외부충격으로부터 보호하기도 하지요. 흔히 먹는 과일통조림국물은 설탕물이긴 하지만 과일 맛이 스며들어 있어 소스나 양념장을 만들 때 넣어주면 맛이 훨씬 부드러워진답니다. 또 번데기국물은 각종 조미료를 혼합한 것으로 요리할 때 넣어주면 양념장으로 활용이 가능하지요. 올리브유참치나 포도씨유참치 등의 국물은 식용유 대신 사용하면 요리의 맛을 담백하게 살려준답니다.

#313 먹다 남은 볶음 요리는 어떻게 데울까요?

먹다 남은 음식을 다시 데울 때는 프라이팬의 가장자리에 더운 물을 조금만 넣어 볶아주세요. 그냥 다시 데우면 타거나 눌어붙기 쉽거든요. 그렇다고 기름만 넣어 볶으면 기름기가 지나치게 돌아 느끼하고 맛이 없답니다.

#314 씻어야 할 재료와 씻지 말아야 할 재료가 따로 있나요?

씻지 말아야 할 식재료 중에 대표적인 것은 토막 낸 생선이에요. 토막 낸 생선은 물에 씻으면 맛과 영양이 빠져나간답니다. 꺼림칙하다면 젖은 키친타월로 살짝 물기만 닦아주세요.

씻어야 할 재료에는 새우, 굴, 두부, 콩나물 등이 있답니다.

깐 새우는 녹말가루를 뿌려 씻고, 굴은 소금을 뿌리고 가볍게 주무른 다음 소금물에 깨끗이 씻어주세요. 맛을 내는 단백질이 농도가 옅은 쪽으로 빠져나가므로 소금물로 씻는 것이 가장 이상적이랍니다.

두부는 금방 꺼내 쓸 때는 물기만 따라 버리면 되지만 하루 이상 지나거나 미리 뜯어놓은 것은 반드시 씻는 것이 좋아요.

마지막으로 콩나물은 찬물에 씻어 체에 받쳐 물기를 빼는데, 이때 너무 오래 물에 담가두면 비타민이 녹아 나오므로 주의하세요.

#315 손님 초대상에 과일을 내려는데 솜씨가 너무 없어요.

예쁘게 깎는 방법을 알려 주세요.

같은 과일이라도 조금만 모양을 내주면 폼도 나고 한층 먹음직스럽답니다. 센스 있다는 소리도 들을 수 있지요.

수박 모양내 자르기

1 수박은 반으로 가른 뒤 적당한 크기로 자른다.

2 과육과 껍질을 칼로 분리한다.

3 일정한 간격으로 과육을 자른다.

키위 모양내 자르기

1 키위는 껍질을 벗기고 일정한 간격으로 자른다.

2 자른 키위에 세로로 5군데 칼집을 넣는다.

3 칼십 낸 부분을 1cm두께로 살짝 파내면 꽃모양이 된다.

멜론 모양내 자르기

1 멜론을 반으로 자른다.

2 멜론 속에 들어 있는 씨를 제거한다.

3 멜론 과육을 스쿠퍼로 동그랗게 파낸 뒤 컵에 예쁘세 담는다.

오렌지 모양내 자르기

1 오렌지의 양끝을 잘라낸다.

2 잘라낸 오렌지를 세워 껍질째 8등분으로 자른다.

3 과육과 껍질을 길게 잘라 속살만 발라낸 뒤 투명 컵이나 오렌지껍질에 담는다.

#316 음식을 예쁘고 먹음직스럽게 담는 비결이 있나요?

깨끗하고 큰 접시에 여유 있게 담으세요. 그릇에 음식을 그득하게 담으면 볼품이 없어지고 부담스럽답니다. 특히 메인요리는 접시의 모양과 색깔을 고려해 담되 음식의 양이 접시의 1/2 이상을 넘지 않게 담아야 둔탁해 보이지 않아요. 만약 그릇에 테두리 무늬나 홈이 있다면 무늬나 홈 안쪽에 소복하게 담으세요. 담아야 할 음식이 많을 때는 똑같은 그릇에 나누어 담으면 정갈해 보인답니다.

plus tip

센스 만점 음식 담기

장아찌나 간장조림 등 색깔이 전체적으로 진한 음식은 흰 그릇에 담으세요. 반대로 밝은 음식일 때는 색이 선명하고 진한 그릇에 담아야 음식이 빛난답니다. 애써 찾아봐도 맘에 드는 그릇이 없을 때는 야채나 꽃을 깔고 음식을 담으세요.

#317 푸드스타일리스트처럼 센스 있게 요리를 세팅하는 요령을 알려주세요.

먼저 요리와 어울리는 식기를 선택하세요. 요리가 아무리 근사해도 볼품없는 그릇에 담아내거나 어울리지 않는 그릇에 담아내면 식감이 떨어진답니다.

또, 식감을 살리려면 음식과 보색 대비를 이루는 그릇을 택하세요. 그래야 음식도 돋보이고 먹음직스럽답니다. 이때 검은색이나 은색 식기류는 피하는 것이 좋아요. 보통 보라색 계열은 식감을 떨어뜨리는 색깔이라고 해서 요리나 식기에는 잘 사용하지 않는데, 보라나 갈색 계열에 은색을 함께 매치시키면 의외로 고급스러운 효과를 낼 수 있답니다. 또 하나, 따뜻한 색깔의 그릇이나 접시에는 디저트나 과일 등 가벼운 음식을 담아내세요.

#318 부꾸미를 그냥 접시에 내면 서로 들러붙어 떼기 어려워요.

들러붙지 않게 접시에 내는 방법이 없을까요?

부꾸미처럼 찹쌀가루를 이용해 만든 떡은 찹쌀의 쫀득한 성질 때문에 그냥 접시에 내게 되면 줄줄이 달라붙지요. 이럴 때는 접시에 담기 전에 설탕물이나 꿀을 발라주면 윤기도 자르르 흐르고 서로 들러붙지 않아요. 부드러운 단맛이 부꾸미와 어우러져 맛도 훨씬 좋지요.

#319 찌개를 상에 낼 때 어떤 그릇에 담는 게 좋을까요?

찌개는 큰 냄비에 보글보글 끓인 다음 상에 내기 직전에 작은 뚝배기나 흙도자기에 옮겨 담으세요. 그럼 오랫동안 국물이 식지 않아요.
찌개를 옮겨 담을 때는 찌개의 양이 뚝배기의 2/3를 넘지 않아야 먹음직스럽답니다.

COOKING KNOW-HOW

말랑말랑 쫀득쫀득
부꾸미

준비하세요

찹쌀가루 4컵, 소금 조금
따뜻한 물 · 치자물 적당량씩
대추 5개, 쑥갓잎 · 꿀 조금씩
소 밤 5개, 설탕 1큰술
다진 유자청 건지 50g
유자청 1큰술, 계핏가루 1작은술

이렇게 만드세요

1 흰색 부꾸미는 찹쌀가루에 소금, 물을 넣고 반죽하고 노란색 부꾸미는 찹쌀가루에 소금, 치자물을 넣고 반죽한다.

2 대추는 씨를 뺀 후 돌돌 말아 썰고 밤은 찐 다음 체에 내려 소 양념을 넣고 버무린다.

3 예열된 팬에 식용유를 두르고 반죽을 조금 떠서 납작하게 눌러가며 앞뒤로 익힌 뒤 소를 넣고 반으로 접는다. 부꾸미가 완성되면 대추와 쑥갓을 올린다.

4 접시나 쟁반에 설탕가루를 뿌린 다음 부꾸미를 올리고 다시 설탕을 뿌려주면 설탕이 녹으면서 달라붙지 않는다.

#320 직접 만든 과자를 선물하고 싶은데 간단하고 예쁜 포장법이 있나요?

과자를 낱개로 선물할 때는 하나씩 비닐 포장에 넣어 입구를 리본이나 빵끈으로 묶어주세요. 유성펜을 이용해 포장 겉면에 스케치를 하거나 이름이 쓰인 스티커를 붙여 주는 것도 좋은 방법이랍니다. 묶음 과자도 기본은 비슷하지요. 과자를 비닐 포장지에 낱개 포장한 다음 상자나 나무박스에 담아주세요. 그런 다음 리본이나 꽃, 노끈 등을 이용해 예쁘게 둘러주면 훨씬 보기가 좋아요. 방산시장에 가면 비닐이나 종이박스, 빵끈 등 다양한 재료들을 쉽게 구입할 수 있답니다.

mini tip!
각종 제과 · 제빵용 기구나 예쁜 포장지와 박스, 기타 포장 소품 등을 구입하려면 인터넷 검색창에 브레드가든, 베이킹스쿨, 라뽐므, 케이크플라자를 치세요.

#321 음식을 솜씨 있게 포장하는 방법을 알려주세요.

고추장이나 된장 같은 종류는 항아리에 담은 뒤 한지로 입구를 덮어주세요. 그런 다음 항아리 뚜껑을 덮고 전통문양의 한지박스로 포장하면 아주 멋스럽답니다.
샌드위치나 햄버거는 냅킨을 깔고 바구니에 담아 플라스틱 포크와 함께 포장하면 센스 넘치는 선물이 되지요.

mini tip!
와인은 와인주머니에 담아 꽃으로 장식하면 더욱 빛이 나 보여요.

#322 소금도 종류가 많던데 언제 어떤 소금을 사용하나요?

소금을 크게 분류하면 천일염과 정제염으로 나눌 수 있고 용도에 따라 굵은 소금, 꽃소금, 구운 소금, 맛소금, 죽염으로 나눌 수 있어요.

굵은 소금

천일염이라고도 부르는 굵은 소금은 바닷물을 햇빛으로 건조한 염분의 결정체랍니다. 무기질과 수분의 양은 풍부하지만 알갱이가 거칠어 배추를 절이거나 장을 담글 때 사용하지요.

꽃소금

천일염을 다시 물에 녹인 뒤 유해성분을 제거하고 재결정화시킨 소금이지요. 각종 반찬, 국, 찌개류에 많이 사용되는 소금으로 짠맛이 그리 강한 편은 아니랍니다.

구운 소금

무침요리와 조림에 어울리며 짠맛이 강하지 않고 부드러워 무침이나 생체, 나물반찬에 적합히답니다.

맛소금

소금에 화학조미료를 첨가한 제품이에요. 모든 음식에 두루 사용할 수 있고 감칠맛을 쉽게 낼 수 있어 편리하지요. 하지만, 화학 성분이 첨가되어 있어 우리 몸에는 그리 좋지 않답니다. 또, 풍부한 맛을 내기에는 어려움이 있어요. 이럴 때 맛소금 대신 꽃소금과 액젓을 적당히 섞어 간을 하면 감칠맛뿐 아니라 깊은 맛을 낼 수 있답니다.

죽염

천일염을 대나무 속에 넣고 구운 소금으로 독특한 맛이 있어요. 모든 음식에 두루 쓰기는 무리가 있지만 맛이 부드럽고 단맛이 있어 나물을 무치는 데 좋답니다.

#323 시판되는 식초에 여러 종류가 있어요. 각각 어떤 용도로 쓰죠?

사과 등 과일로 만든 식초는 특유의 향이 있어서 생채나 무침, 절임 등에는 적합하지 않아요. 샐러드드레싱이나 음료, 혹은 톡톡 튀는 아이디어 요리 등에 어울린답니다.

현미로 만든 식초는 뒷맛이 달고 맛이 깔끔해서 어떤 요리와도 잘 어울리지요. 일반 양조식초 같이 새콤한 맛을 낼 때 두루 사용하는 다목적 식초랍니다.

와인식초는 풍미가 있어 샐러드드레싱이나 고기 연육용으로 사용하면 안성맞춤이지요. 와인식초보다 부드럽고 단맛이 강한 식초를 원할 때는 샴페인식초를 사용하세요.

마지막으로 발사믹식초는 '향기가 좋다'는 의미로 강한 풍미와 단맛을 가지고 있어 샐러드드레싱은 물론 올리브유와 함께 섞어 빵에 찍어 먹는 소스 혹은 고기를 재우는 양념이나 야채, 해산물요리에도 두루 활용합니다.

plus tip

해물구이와 어울리는 발사믹간장소스

올리브유 2큰술, 간장 1큰술, 식초 1큰술, 다진 마늘 1큰술을 잘 섞어서 새우, 홍합, 조개 등 해산물을 구울 때 바르세요. 해물이 마르지도 않고 그윽한 향까지 배어 색다른 맛을 느낄 수 있답니다.

#324 진간장과 국간장의 정확한 용도를 모르겠어요. 어떻게 구분해서 써야 하나요?

진간장

국간장

흔히 말하는 간장은 보통 진간장을 의미해요. 모든 요리에 두루 사용되며 감칠맛과 향을 살려주고 뒷맛이 단 게 특징이지요. 색이 진하고 뒷맛이 달아서 주로 구이, 찜, 조림, 볶음요리 양념장을 만들 때 주로 사용한답니다.

반면, 국간장은 메주를 소금물에 담가 만든 것으로 색은 다소 옅지만 진간장보다 소금 함량이 높아 짠맛이 강하답니다. 찌개나 국물요리, 전골 등에 자주 사용되며 요리 마지막에 소금과 함께 간을 맞추는 데 사용하지요. 풍미는 적지만 간장의 색이 옅어 깨끗하게 완성됩니다.

#325 진간장, 양조간장, 왜간장, 국간장, 조선간장 등 간장을 가리키는 말이 아주 많아요. 어떻게 다른가요?

진간장, 양조간장, 왜간장은 같은 간장을 가리킨다고 보면 됩니다. 다만 시판 간장 중 양조간장 100% 라고 쓰여 있는 것은 100% 자연 숙성을 통해 만들어진 간장이지요. 만약 산분해공법으로 만든 양조간장이라고 적혀 있다면 이건 화학적 방법을 통해 만들어진 혼합간장이라는 뜻입니다. 가격은 조금 비싸지만 자연 방법으로 만든 100% 양조간장이 들척지근한 맛이 나지 않고 깔끔하답니다.
국간장은 조선간장이라고도 불리며 진간장보다 색이 맑고 염도가 높아서 깔끔하고 개운한 맛을 낼 때 주로 쓰지요. 옅은 색이 나는 국이나 찌개, 나물, 무침 등 깔끔한 맛을 내고자 할 때 자주 씁니다.

#326 천연조미료로 맛을 내고 싶어요.

입자가 곱고 깔끔한 천연조미료는 어떻게 만들까요?

화학조미료의 유해성이 알려지면서 자연재료를 그대로 이용한 천연조미료가 각광을 받고 있지요. 실제로 천연조미료를 쓰다 보면 그 매력에 흠뻑 빠져버린답니다. 화학조미료에 비해 깊고 풍부한 맛이 날 뿐 아니라 뛰어난 감칠맛이 일품이지요. 맛뿐 아니라 건강에도 좋은 자연식품이랍니다.

마른 멸치 가루

마른 멸치는 머리와 내장을 제거하고 마른 프라이팬에 살살 볶아 비린내를 제거한 후 채반에 쭉 깔아 놓고 바짝 말려서 미니믹서나 블렌더에 곱게 갈아주세요.

건새우 · 건홍합 가루

건새우나 건홍합은 바짝 잘 마른 재료라면 그냥 사용해도 좋지만 잘 마르지 않았다면 전자레인지에 넣고 조금 돌린 후 채반에 올려 식힌 다음 바짝 말려서 믹서나 커터기에 갈아주세요.

다시마 · 마른 표고버섯 가루

다시마와 마른 표고버섯은 젖은 수건으로 겉면을 닦아 채반에 말린 후 사용하세요. 바짝 마른 상태에서 믹서에 갈아야 비린내나 쿰쿰한 냄새가 나지 않아요. 믹서 대신 커피그라인더를 사용하면 아주 고운 가루를 낼 수 있답니다.

plus tip

커피그라인더 청소 요령

사용하고 난 커피그라인더는 솔로 깨끗이 털어낸 후 오래된 커피 원두나 녹차잎을 넣고 윙~ 갈아준 뒤 다시 깨끗한 솔로 털어내세요. 말끔히 청소된답니다.

#327 고운 고춧가루와 거친 고춧가루는 용도가 어떻게 다르죠?

고운 고춧가루는 보통 물김치나 생채를 만들 때처럼 곱게 색을 낼 때 주로 사용해요. 고추장을 만들 때도 고운 고춧가루를 씁니다. 반면 입자가 거친 고춧가루는 김치를 담글 때나 볶을 때 많이 쓰지요. 물론 냉면양념장이나 돼지불고기양념장 같이 걸쭉한 양념장을 만들 때도 거친 고춧가루가 쓰인답니다. 입자가 고운 고춧가루를 쓰면 양념장이 걸쭉해지지 않고 소스가 흥건해질 수 있거든요.

만약 물김치나 생채를 만들 때 고운 고춧가루가 없다면 거친 고춧가루를 커피그라인더나 미니믹서를 이용해 갈아 사용하세요. 그럼 애써 고운 고춧가루를 구입하러 마트에 가지 않아도 됩니다.

#328 천연조미료를 만들었는데 활용을 못하겠어요. 어떻게 사용하면 좋을까요?

천연조미료는 국물을 탁하게 할 수 있으므로 맑은 국에는 사용하지 마세요. 대신 찌개나, 볶음, 조림, 양념 등에는 무궁무진하게 사용할 수 있지요. 특히, 조림이나 찌개요리에 멸치나 새우, 홍합, 표고버섯으로 만든 천연조미료를 넣어주면 따로 육수를 내지 않아도 쉽게 맛을 낼 수 있답니다. 단, 다시마로 만든 천연조미료는 조금만 사용해야 합니다. 너무 많은 양을 사용하면 국물이 전체적으로 진득하고 걸쭉해져요.
홍합으로 만든 천연조미료는 순두부찌개나 해물탕 등에 넣어주면 국물 맛이 시원해지고 감칠맛이 돌아 한결 맛이 좋지요. 된장에 고추장을 약간 넣고 천연조미료, 마늘, 고추를 섞어 숙성시킨 다음 물에 풀어서 된장찌개를 끓이면 따로 육수를 만들지 않아도 개운한 맛이 납니다.
쌈장을 만들 때도 천연조미료를 넣어주세요. 천연조미료를 섞어 쌈장을 만든 뒤 냉장고에서 일주일 이상 숙성시키면 깊은 맛이 나요. 또, 볶음밥이나 주먹밥을 만들 때도 천연조미료를 넣고 참기름과 간장, 소금, 깨 등으로 양념하면 영양도 만점, 맛도 만점이지요.

plus tip

천연 후리가께 만들기

건새우 1줌반, 건멸치 1줌 (머리와 내장 제거), 가다랭이포 1줌, 구운 김 2장, 깨소금 1큰술을 준비하세요. 깨소금을 제외한 각각의 재료를 미니믹서나 블렌더, 커터기로 갈아서 모두 섞으면 간단하고 맛좋은 후리가께가 완성된답니다. 아이들 주먹밥이나 비빔밥, 볶음밥에 넣으면 살살 녹는 게 감칠맛이 나지요.

#329 요리책에 맛술과 청주가 자주 등장하는데, 어떤 차이가 있나요?

아무 거나 집에 있는 걸 사용해도 되나요?

알코올성분으로 구성된 맛술과 청주는 음식의 잡맛을 없애주고 재료의 맛을 끌어올린다는 점에서 같은 역할을 하지요. 쌀로 만든 술이라는 점도 같고요. 하지만, 엄밀히 따지면 둘은 차이가 있답니다.

청주는 당분을 추가로 넣은 맛술과 달리 비교적 단맛이 덜해요. 알코올 도수 또한 맛술에 비해 높고요. 따라서 적은 양으로도 충분한 효과를 낼 수 있답니다. 반면 맛술(미림이나 미향)은 술에 당분과 조미료를 추가로 넣었기 때문에 많은 양을 넣게 되면 단맛이 강하게 날 수 있어 음식 맛에 영향을 준답니다.

따라서 2~3큰술 정도의 적은 양이 필요할 때는 청주나 맛술 중 집에 있는 어떤 것을 사용해도 무방하지만 많은 양이 필요할 때는 레서피대로 따르는 것이 좋아요. 두 가지 모두 알코올 성분이긴 하지만 당분 함량이 달라서 많은 양을 넣게 되면 다른 맛이 난답니다.

#330 물엿, 조청, 올리고당의 차이가 뭐죠? 요리했을 때 맛에 차이가 있나요?

물엿과 조청은 기본적으로 같은 것이에요. 쌀, 좁쌀, 옥수수 등의 곡류를 이용해서 만든 것이 조청(물엿)인데, 어떤 곡류를 사용했느냐에 따라 맛과 색이 다르지요. 또 얼마나 오래 끓였느냐에 따라 농도도 달라집니다. 깔끔하고 담백한 맛을 위해서는 투명한 물엿이 좋고, 깊고 풍부한 맛을 내려면 감칠맛이 나는 쌀엿이 더 어울린답니다. 달착지근하면서도 풍부한 맛이 입맛 당기지요. 마지막으로 비피더스균이 살아 있는 올리고당은 장을 튼튼하게 해주는 기능성 당으로 물엿이나 조청 대용으로 사용할 수 있답니다. 인체에 당분이 흡수되지 않는다고 해서 요즘 많이 쓰여요. 세 가지 모두 음식에 단맛과 윤기를 내는 데 사용되는 것이라 서로 대체해서 사용할 수 있답니다.

물엿

꿀

올리고당

plus tip

꿀은 언제 사용하면 좋을까?

꿀은 향이 진해서 많은 양을 사용하면 오히려 음식 맛을 떨어뜨릴 수 있어요. 하지만 고기양념이나 고기요리를 할 때 설탕 대신 사용하면 윤기를 더해줘 맛깔스러워 보인답니다.

#331 고추기름은 언제 어떻게 쓰나요?

고추기름은 칼칼한 맛을 낼 때, 그리고 고춧가루 입자 없이 깔끔하게 붉은빛을 낼 때 사용합니다. 각종 볶음요리나 순두부찌개, 육개장 등 일반 기름 대신 매콤한 맛과 고운 색을 낼 때 주로 사용하지요.

mini tip!

무침이나 나물요리를 할 때 참기름과 고추기름을 섞어 무치면 색다른 맛을 즐길 수 있어요.

#332 쌈장을 만들었는데 너무 짜요.
짠맛을 줄이는 방법은 없나요?

쌈장에 된장을 지나치게 많이 넣었거나 된장 자체가 너무 짤 때는 된장에 떠먹는 요구르트를 넣어주세요. 그럼 짠맛도 줄어들고 훨씬 고소하답니다. 혹은 콩을 삶아서 갈아 넣거나 두부를 으깨 넣어줘도 좋아요.

plus tip 된장 위에 고인 액체

된장을 보관하다 보면 윗부분에 간장 같은 액체가 고여 있는 경우가 있지요. 이는 숙성 과정에서 생긴 맛 성분이니 버리지 말고 된장과 혼합해 사용하세요.

#333 설탕이 딱딱하게 굳었어요.
설탕 입자를 곱게 만드는 노하우가 궁금해요.

습기 탓에 딱딱하게 굳은 설탕은 잘 부서지지 않아요. 이럴 때는 밀폐용기에 설탕을 옮겨 담고 오렌지나 귤 껍질을 설탕 위에 올리세요. 이때 껍질의 속 부분이 설탕에 닿도록 넣고 뚜껑을 닫아야 합니다. 하루 정도 지난 후 확인하면 껍질에 함유된 수분이 설탕에 전해져 신기할 정도로 보송보송해져요. 과일 껍질을 꺼낸 뒤 숟가락으로 살살 두드리면 부드러워진 설탕 입자가 곱게 부서진답니다.

#334 미림은 언제 넣는 것이 좋을까요?

미림을 쓸 때는 요리의 마지막 단계에 넣는 것이 좋아요. 미림에는 단백질을 굳히는 성분이 들어 있어 설탕처럼 처음부터 넣으면 재료의 맛이 서로 어우러지지 않아요.

단, 생선을 조릴 때 미림을 먼저 넣으면 생선살이 단단해져 부서지거나 모양이 흐트러지지 않아요. 게다가 생선의 비린내도 쉽게 제거된답니다.

#335 음식을 튀길 때 포도씨유를 사용하면 좋다던데 이유가 뭐죠?

포도씨유는 은은한 향이 나는 담백한 오일로 음식 고유의 맛을 살려줘요. 산패가 느리고 발연점이 높아 튀김요리를 해도 쉽게 음식이 타거나 눌어붙지 않는답니다. 연기도 잘 나지 않고요.

특히 오징어나, 새우처럼 콜레스테롤이 많이 함유된 식품을 튀길 때 포도씨유를 사용하면 콜레스테롤 섭취량도 낮출 수 있답니다. 또, 느끼한 기름 냄새가 나지 않아 많은 양을 먹더라도 물리지 않아요.

참고로 포도씨유에 함유된 비타민 E와 필수지방산인 리놀레산은 피부미용 및 노화방지, 심장질환 예방에 효과가 있습니다.

#336 엑스트라버진 올리브유와 퓨어 올리브유는 용도가 다른가요?

올리브유에는 여러 종류가 있지만 크게 엑스트라버진 올리브유와 퓨어 올리브유로 나눈답니다.

엑스트라버진 올리브유

참기름이나 들기름과 비슷한 용도라고 생각하세요. 엑스트라버진 올리브유는 드레싱을 만들거나 파스타 소스를 만들 때, 또 버터 대신 빵을 찍어 먹을 때 두루두루 쓰인답니다.

즉, 참기름이나 들기름처럼 풍미를 더할 때 사용되는 기름이지요. 올리브유 중에서도 가장 완벽한 맛과 향을 가지고 있지만 발연점이 낮아 튀김 음식에는 맞지 않아요. 간혹 볶음이나 부침에 사용하기도 하지만 가격도 비싸고 고온에서 특유의 향이 날아가 버리므로 볶음용이나 부침용으로 쓰기에는 비경제적이죠.

퓨어 올리브유

퓨어 올리브유는 한 번 압착해서 기름을 추출한 올리브를 이용해 기름을 재추출하기 때문에 엑스트라버진보다는 색도 맑고 향도 덜합니다. 따라서 볶음이나 튀김, 부침에 적합해요.

plus tip

올리브유 보관법

올리브유는 뚜껑을 닫고 나서 그늘지고 서늘한 곳에 보관하세요. 그럼 1년 반 정도는 보관할 수 있어요.

#337 톡 쏘는 맛이 상큼한 겨자소스 만드는 방법을 알고 싶어요.

겨자가루, 설탕, 식초, 간장, 소금, 다진 마늘, 깨소금, 참기름, 물을 준비해 주세요. 입맛에 따라 설탕이나 식초, 간장은 가감할 수 있답니다.

먼저 겨자가루를 물에 중탕해 곱게 갠 다음 뜨거운 김이 올라오는 냄비 뚜껑 위에 엎고 30분간 발효시키세요. 겨자가 발효됐으면 식힌 후에 남은 재료를 넣고 비벼줍니다. 이때 겨자를 발효시키기 번거롭다면 연겨자를 사용해도 좋아요. 완성된 겨자소스는 냉장 보관해두었다가 먹기 직전 사용하세요.

#338 간 맞추는 게 너무 어려워요. 만들 때는 간이 맞았는데, 막상 먹을 때는 싱겁거나 짜요. 어떻게 해야 간을 제대로 맞출 수 있을까요?

맛있는 음식의 기본은 재료의 신선함과 불 조절, 그리고 간 맞추기랍니다. 이 세 가지만 잘 되면 아주 복잡한 음식도 쉽게 할 수 있어요.

간 맞추기가 어렵게 느껴지는 이유는 인체의 특성 때문이랍니다. 혀는 음식이 뜨거울 때는 더 싱겁게 느끼고 음식이 차가울 때는 더 짜게 느끼기 때문이지요. 또 이미 만들어둔 음식은 재료에서 수분이 얼마나 나오느냐에 따라 맛이 달라지고요. 바로 이럴 때 예기치 못한 맛을 느끼게 된답니다. 국이나 찌개, 볶음 등 뜨거운 음식을 할 때는 간이 약간 심심하다 싶을 정도로 간을 하는 것이 좋아요. 그래야 나중에 데우더라도 짜지 않고 알맞아요. 또 수분이 많은 오이나 무 등 채소요리를 할 때는 요리하기 직전 약간 간이 세다 싶을 정도로 소금에 절이는 것이 좋답니다. 재료에서 수분이 나와 양념이 씻길 수 있거든요.

#339 데리야끼소스에 반해버렸어요. 맛있게 만드는 비결을 알려주세요.

짭조름하면서도 달콤한 맛이 입맛을 당기는 데리야끼소스는 모든 재료를 한 번에 냄비에 담고 소스가 적당히 졸아들 때까지 중불로 끓여야 제 맛이 난답니다. 이때 소스가 너무 묽으면 꼬치나 재료에 잘 묻지 않으므로 자작할 정도가 될 때까지 끓이세요. 반대로 소스가 너무 빽빽해도 뭉쳐서 잘 발라지지 않으므로 걸쭉해지기 직전 불을 끄세요.

#340 집에서 쉽게 마요네즈를 만들 수 있다던데 홈메이드 마요네즈는 어떻게 만드나요?

완제품을 구입해서 쓸 수 있지만 집에서 직접 마요네즈를 만들면 더욱 부드럽고 고소한 맛이 나요. 마요네즈를 만들 때는 샐러드유가 분리되지 않도록 기름과 식초를 조금씩 교대로 넣어가며 충분히 젓는 것이 포인트랍니다.

재료 _ 달걀노른자 1개, 분말 겨자 1/2작은술, 샐러드유 1컵, 식초 1큰술, 설탕 1/3작은술, 소금 · 후추 조금씩

이렇게 만들어요

1 투명한 볼에 분말 겨자, 소금, 후추를 넣고 되직하게 섞는다.

2 샐러드유를 2~3방울 떨어뜨려 핸드믹서로 충분히 섞은 다음 식초를 2~3방울 떨어뜨려 분리되는 것을 막는다.

3 식초를 다 넣을 때까지 이 과정을 반복한 뒤 남은 기름은 조금씩 넣어가며 크림상태로 만든다. 마지막에 설탕을 섞어주면 윤기가 흐른다.

plus tip

마요네즈 소스의 화려한 변신

마요네즈를 기본으로 사우전드아일랜드소스, 타르타르소스, 요구르트마요네즈소스를 만들 수 있어요.
사우전드아일랜드소스는 가장 대중적이고 평범한 소스로 기본 마요네즈 6큰술에 토마토케첩 2큰술, 양파 · 셀러리 · 피클 다진 것을 섞어 만들고, 생선튀김과 어울리는 타르타르소스는 마요네즈 6큰술에 삶은 달걀 2개 · 피클 2개 · 양파 1/4개 · 파슬리 다진 것 1큰술을 섞어 만든답니다.
기본 마요네즈 4큰술에 플레인요구르트 2큰술을 넣으면 간단히 요구르트마요네즈소스를 만들 수 있어요.

#341 중국요리에 많이 쓰는 고추기름을 집에서 직접 만들고 싶어요.

고추기름의 또 다른 이름은 라유예요. 대형마트나 시장에 가도 손쉽게 구할 수 있지요.
집에서 고추기름을 만들려면 우선 마늘 4쪽과 생강 1쪽, 고춧가루 1/2컵, 식용유 3컵을 준비하세요. 그리고 생강과 마늘을 편으로 썬 후 팬에 식용유를 두르고 기름에 향이 밸 정도로 타지 않게 볶으세요. 생강과 마늘 향이 향긋하게 배어들면 생강과 마늘을 건져내고 고춧가루와 나머지 식용유를 붓고 살짝 끓어오를 때까지 약한 불에서 끓이세요. 흰 거품이 나면서 고춧가루가 검게 변하면 불을 끄고 식힌 뒤 거름종이에 거르면 고추기름이 완성된답니다.
고추기름은 밀봉이 잘되는 병에 넣어 서늘한 곳에 보관하세요.

#342 입맛 없을 때 밥에 쓱쓱 비벼 먹는 볶음고추장 만드는 법이 궁금해요.

먼저 팬에 식용유 1큰술반을 두르고 다진 쇠고기 100g과 다진 마늘 1큰술, 다진 파 2큰술을 넣으세요. 여기에 고추장 1컵반을 넣고 약한 불에서 은근히 볶은 다음 물엿 2큰술, 설탕 4큰술, 깨소금 1큰술을 넣어 다시 살짝 볶으세요.
어느 정도 골고루 섞여 볶음고추장 맛이 어우러지면 참기름 1큰술을 넣어 맛과 향을 돋워주면 맛있는 볶음고추장이 완성됩니다.

COOKING KNOW-HOW

달착지근 짭조름한

새우데리야끼 구이

준비하세요

대하 10마리, 대파 1뿌리
홍고추 3개, 생강 1톨
소금 조금

데리야끼소스

간장 · 청주 3큰술씩
물엿 2큰술, 마늘 2쪽
마른 홍고추 2개
생강 1/2톨, 물 1/4컵

이렇게 만드세요

1 대하는 연하게 푼 소금물에 씻은 후 꼬치에 끼운다.

2 대파는 3~4cm 길이로 자르고 고추는 송송썬다.

3 냄비에 데리야끼소스 재료를 모두 넣고 소스가 반으로 줄어들 때까지 조린 다음 대파와 고추, 생강을 넣어 한소끔 우르르 끓인다.

4 꼬치에 끼운 대하를 석쇠에 올린 다음 붉은색을 띨 때까지 굽는다.

5 남은 데리야끼소스에 꼬치에 꿴 새우를 넣고 후다닥 버무린다.

 ▶ 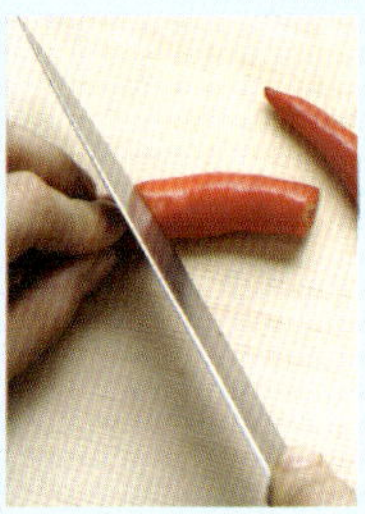 ▶ 

#343 초고추장을 만들었는데 새콤달콤하지만 뭔가 맛이 부족해요.

맛있는 초고추장 만드는 비법을 알려주세요.

맛있는 초고추장을 만들려면 들어가는 재료도 중요하지만 숙성 시간이 더 중요한 포인트랍니다.
요리책을 살펴보면 초고추장 만드는 비법이 참 다양하게 나와 있지요. 비율도 다르고 재료도 조금씩 다르고요. 그래서 이것저것 따라서 정성껏 만들지만 원하는 맛과 다를 때가 있어요. 그 이유는 바로 숙성하는데 필요한 시간이 충분치 않기 때문이랍니다.
또, 초고추장을 그때그때 만들어서 먹게 되면 신맛과 단맛, 그리고 매운맛이 서로 어우러지지가 않아 맛이 없답니다. 넉넉히 만들어서 냉장고에서 3일 이상 숙성시키세요. 3일 정도 짧게 숙성시킨 것도 맛있지만 2주일 정도 숙성시킨 초고추장도 맛있답니다. 짧게 숙성시킨 것과는 또 다른 맛이 나므로 넉넉히 만들었다가 각종 무침이나 양념장의 기본 베이스로 활용하세요.

mini tip!
초고추장 기본재료는 고추장 2큰술, 식초 1큰술, 사과즙 1큰술, 올리고당 1큰술, 설탕 1/3큰술, 다진 마늘 1/3큰술, 참기름과 깨소금 조금이랍니다.

#344 맛있는 탕수육소스 만드는 요령을 알려주세요.

달착지근할수록 입맛 당기는 탕수육은 소스의 달콤한 맛이 제대로 살아 있어야 맛있어요. 설탕을 아끼지 말고 팍팍 넣어줘야 그 맛을 살릴 수 있답니다.

재료 _ 오이 1/3개, 당근 · 양파 · 피망 1/4개씩, 표고버섯 1줌, 슬라이스파인애플 적당량, 대파 1/3뿌리, 식용유 적당량
소스 물 1컵반, 식초 5~6큰술, 설탕 11큰술, 간장 2큰술, 소금 1/5큰술, 녹말물(녹말가루 3큰술, 물 4큰술)

이렇게 만들어요

1 표고버섯은 얇게 저미고 오이, 당근, 양파, 피망, 파는 먹기 좋은 크기로 썬다.

2 예열된 냄비에 식용유를 두르고 오이, 당근, 양파, 피망, 표고버섯을 넣고 달달 볶다가 파인애플, 녹말물을 제외한 모든 소스 재료를 넣고 바글바글 끓인다.

3 녹말물을 조금씩 넣어가며 농도를 맞춘 다음 파인애플과 파를 넣고 불을 끈다.

#345 과일 잼을 만들었는데 곰팡이가 피었어요. 무엇이 문제일까요?

잼을 만들 때 설탕 양이 너무 적으면 맛도 덜하고 저장성이 떨어져요. 반대로 설탕이 지나치게 많아도 잼을 만드는 과정에서 결정이 생겨요. 따라서 설탕은 적당하게 넣는 것이 좋답니다.
보통 잼을 만들기 위해 설탕을 넣을 때는 과일 양의 60~65%가 적당합니다. 예를 들어 과일이 1kg이면 설탕은 600~650g 정도로 넣는 것이 알맞은 양이랍니다.

#346 토마토소스를 만들면 물기가 너무 흥건해요. 해결 방법이 없나요?

토마토소스나 토마토요리를 할 때 물기가 많이 생긴다면 씨를 도려내 주세요. 씨를 제거하면 씹는 질감도 훨씬 부드러워지고 수분도 줄어듭니다. 씨를 빼낼 때는 토마토를 깨끗이 씻어 꼭지 부분을 도려낸 다음 숟가락으로 씨를 떠내면 쉽게 제거되지요.

plus tip

토마토 껍질 쉽게 벗기는 법

토마토 껍질을 쉽게 벗기려면 끓는 물에 살짝 데치세요. 먼저 토마토 꼭지 부분을 도려낸 다음 칼집을 내고 냄비에 토마토가 잠길 정도로 물을 붓고 끓이세요.
물이 끓어오르면 꼭지를 도려낸 부분이 아래쪽을 향하게 하여 넣어주세요. 그대로 5~10초 정도 지난 후 꺼내 차가운 물에 담그면 껍질이 쉽게 벗겨진답니다.

#347 채소를 듬뿍 넣은 무쌈말이에 어울리는 소스를 추천해주세요.

무쌈말이는 시판용 쌈무를 이용하면 비교적 간단하게 만들 수 있어요. 하지만, 무쌈에 들어가는 속 재료에 따라 풍미를 돋워주는 소스가 따로 있답니다. 야채가 주재료일 때는 땅콩소스를, 해물이 주재료일 때는 초고추장을 곁들여 먹으면 맛이 훨씬 좋지요.

COOKING KNOW-HOW

채소 향이 향긋한

무쌈말이

준비하세요

맛살 2개씩, 햄 50g
청피망 1개, 달걀 1개
당근 1/2개
무순 · 시판용 쌈무 1팩씩
소금 · 식용유 조금씩

땅콩소스

땅콩버터 2큰술
땅콩 1큰술반
꿀 · 레몬즙 · 간장 1큰술씩

이렇게 만드세요

1 달걀은 흰자와 노른자를 분리해 지단을 부친 뒤 일정한 크기로 채썬다.

2 무순은 깨끗이 씻고 피망은 씨를 갈라 채썰고, 당근은 채썰어 소금을 넣고 기름에 살짝 볶는다.

3 맛살과 햄도 지단과 같은 크기로 썬다.

4 땅콩버터, 땅콩, 꿀, 레몬즙, 간장을 넣고 땅콩소스를 만든다.

5 시판용 쌈무에 손질한 재료를 넣고 돌돌 말아 접시에 담는다.

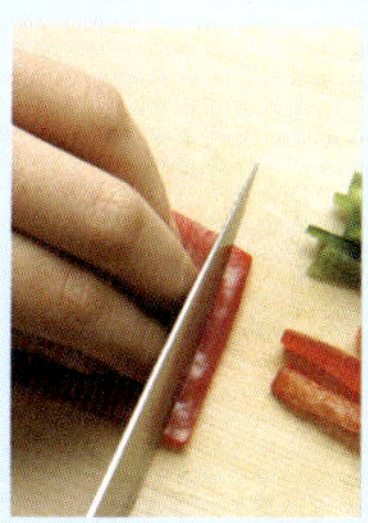

#348 나물이나 찌개, 무침, 볶음용 양념을 미리 만들어 두었다가 사용하라고 하는데요, 양념장에 들어가는 재료를 따로따로 넣으면 안 되나요?

요리를 할 때 들어가는 재료도 같고 양도 같으면 맛이 달라질 이유가 없을 것 같지만 사실 그렇지 않답니다. 양념을 미리 섞어서 사용하면 양념끼리 맛이 숙성되어 음식 맛도 깊어지고 주재료와 양념이 잘 어우러져 양념도 겉돌지 않아요.
고춧가루가 들어가는 매운 양념은 양념을 미리 섞어두면 고춧가루가 수분을 먹으면서 더 고운 색으로 발색되어 음식도 먹음직스러워 보인답니다. 따라서 부득이하게 조리 도중에 양념을 넣는 경우나 고소한 향을 내기 위해 마지막에 참기름을 넣는 경우가 아니라면 미리 양념장을 만들어 사용하는 것이 좋아요. 하나씩 찔끔찔끔 넣는 것보다 수고도 줄일 뿐 아니라 음식 만드는 과정이 손쉽게 느껴진답니다.

plus tip

쓰임새가 다양한 양념장 미리 만들기

비빔양념장
고추장 5큰술 + 참기름 2큰술 + 레몬즙 1큰술 + 식초 1큰술 + 다진 양파 2작은술 + 설탕 1큰술 + 물엿 1큰술

볶음양념장
고추장 5큰술 + 식용유 3큰술 + 참기름 1큰술 + 다진 양파 2작은술 + 다진 마늘 2작은술 + 다진 파 1/2큰술 + 물엿 1작은술

생선조림장

고추장 1/2큰술 + 고춧가루 1큰술반 + 간장 5큰술 + 청주 2큰술 + 물엿 1큰술 + 다진 마늘 1큰술 + 다진 생강 조금

구이양념장

고추장 4큰술 + 참기름 2큰술 + 물엿 3큰술 + 통깨 조금 + 다진 마늘 1큰술 + 청주 1큰술

찌개양념장

고추장 2큰술 + 진간장 1큰술 + 어슷 썬 대파 1/2뿌리 + 다진 마늘 2작은술 + 청주 2작은술 + 물 1/2컵

나물무침양념장

고추장 3큰술 + 들기름 1큰술 + 들깨 2작은술 + 다진 파 2큰술 + 다진 마늘 1/2작은술

장아찌절임장

진간장 1/2컵 + 물 6컵 + 설탕 3큰술 + 식초 3큰술 + 통마늘 5쪽 + 마른 홍고추 1개 + 쪽파 2뿌리 + 소금 1작은술

고기양념장

진간장 1/2컵 + 다진 마늘 2큰술 + 다진 양파 3큰술 + 설당 3큰술 + 참기름 2작은술 + 소금 · 후춧가루 조금씩 + 래디시 1/2뿌리

찜양념장

진간장 4큰술 + 물 2컵 + 무 간 것 3큰술 + 설탕 1큰술 + 물엿 1큰술 + 청주 1/2큰술 + 통후추 1/2큰술 + 팔각 1개 + 소금 조금

#349 드레싱에 넣으려고 엑스트라버진 올리브유를 샀는데 올리브 향이 너무 강해요. 올리브유 특유의 향을 감소시킬 방법이 없을까요?

불포화지방산을 많이 함유하고 있는 올리브유는 건강식품으로 유명하지요. 하지만 그 특유한 향 때문에 꺼리는 경우도 꽤 많답니다. 특히 올리브유 중에서도 이상적이라는 엑스트라버진은 올리브유 특유의 향이 더 심한데요. 이럴 때는 아주 간단한 방법으로 그 특유의 향을 중화시킬 수 있답니다.

샐러드드레싱을 만들 때는 올리브유에 식초, 설탕, 소금을 넣고 추가로 파프리카나 피망을 잘게 썰어 넣어주세요. 그런 다음 골고루 섞어 하루 정도 냉장 보관하면 올리브유 고유의 향이 대부분 사라진답니다. 또 설탕 대신 향이 있는 꿀을 넣어주는 것도 좋은 방법이지요.

plus tip

맛있는 샐러드드레싱

다음과 같이 드레싱을 만들면 샐러드용은 물론 파스타 소스로 사용할 수 있어요. 혹은 삶은 콩과 버무려 차게 먹어도 아주 맛이 좋답니다.

먼저 올리브유 7큰술, 화이트와인식초 5큰술 (혹은 일반 식초 4~5큰술), 꿀 2큰술, 소금 1/3큰술, 다진 피망이나 파프리카 2~3큰술, 다진 양파 2큰술, 마늘 1/3큰술, 후추 조금을 준비하세요.

그런 다음 재료를 섞어 거품기를 이용해 한 방향으로 2분 정도 저어주면 걸쭉한 드레싱이 만들어진답니다. 냉장고에 하루 정도 보관하면 더욱 맛이 좋지요.

하지만 올리브유는 저온에서 고체화되는 경향이 있으므로 차게 보관했을 때는 병을 잘 흔들어 사용하세요. 먹기 30분 혹은 1시간 전에 실온에 둬도 다시 기름이 액체화된답니다.

#350 튀김기름에서 좋지 않은 냄새가 나요. 재활용할 방법이 없을까요?

mini tip!
수분이 많은 채소는 저온에서 튀겨요. 그다음 생선, 육류 순으로 고온처리한답니다.

고기나 생선, 냉동식품을 튀기고 나면 기름에 음식 냄새가 배어 신경이 쓰여요. 이럴 때는 차가운 튀김기름을 넣고 파를 넣은 다음 중간 불로 180℃까지 가열하면 냄새가 신기하게 사라진답니다. 단, 아무리 재활용할 수 있어도 튀김기름은 2~3회 정도만 쓰고 새로운 기름으로 교체하는 것이 건강에도 좋고 맛도 좋지요.

plus tip

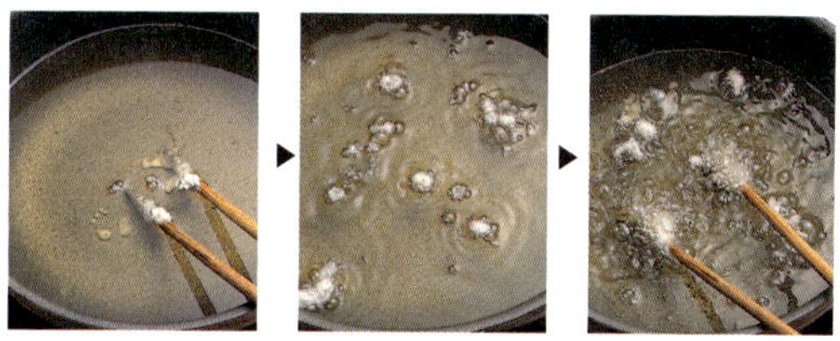

튀김기름 온도

튀김요리를 할 때 기름의 온도는 정말 중요해요.
기름의 온도가 너무 높으면 겉만 타고 속은 익지 않거든요. 따라서 기름은 꼭 온도를 맞춰 조리하는 것이 좋답니다.
조리용 온도계가 없다면 빵가루나 튀김옷을 이용해 기름의 온도를 대충 알 수 있어요.
우선 튀김기름을 긴 젓가락으로 저어 온도를 균일하게 맞추고 빵가루나 튀김옷을 떨어뜨리세요. 빵가루나 튀김옷이 바닥까지 가라앉았다 천천히 떠오르면 저온으로 약 160℃에 해당한답니다.
만약 빵가루나 튀김옷을 떨어뜨려 기름의 1/2정도 가라앉았다가 떠오르면 중온으로 170~180℃지요.
마지막으로 튀김옷을 떨어뜨려 기름 표면에 바로 떠오르면 고온이며 약 190℃라 짐작하면 된답니다.

불필요한 지출 없이 알뜰하게 장을 보려면 여러 가지 상식이 필요해요. 미리 식단을 짜고 요모조모 따져 구입하다 보면 요리에도 재미가 붙는 법이지요. 주방관리도 마찬가지예요. 평소 주방을 깔끔하게 유지해야 요리하는 자체가 즐거워요. 이는 가족의 건강과 위생, 청결을 위해서도 중요한 일이지요. 특히 세균이 번식하기 쉬운 싱크대나 조리도구, 식기, 행주 등은 더욱 꼼꼼한 관리가 필요합니다.

장보기★ 주방관리

#351 장을 보러 가면 쓸데없는 소비가 늘어요. 똑소리 나게 장보는 비결이 없을까요?

하나! 장을 보기 전에는 반드시 냉장고를 확인하세요.
냉장고 속에 든 재료가 무엇인지, 남은 재료로 만들 수 있는 메뉴는 무엇인지 생각하고 나서 필요한 재료를 적어두세요. 자칫 냉장고 속에 있는 재료를 또 구입하거나 필요 없는 재료를 사게 될 수 있거든요.
둘! 매일 시장을 볼 것인지 일주일치 시장을 볼 것인지 고려해 적당량만 구입하세요. 시간에 쫓기는 경우, 혹은 가뭄에 콩 나듯 요리를 하는 경우라면 소량으로 포장된 재료를 구입하세요. 할인마트에서 폭탄 세일이라는 말에 현혹되어 물건을 마구 구입하다 보면 줄줄이 쓰레기통으로 직행하게 된답니다. 필요한 목록만 적어 적당히 구입하는 것이 알뜰 살림의 첫걸음이죠.
셋! 허기질 때 마트에 가는 것은 금물이에요.
배가 고픈 채 시장을 보게 되면 모든 음식에 관심이 간답니다. 시식코너 따라 발걸음을 옮기다 보면 충동구매로 이어질 수 있어요. 장을 보기 전에는 어느 정도 배를 채우고 출발하세요.

#352 직장 때문에 일주일에 한 번씩 장을 봐요. 알뜰하게 장보는 요령을 알려주세요.

일주일에 한 번씩 장을 보는데, 불필요한 소비를 한다면 그야말로 낭패지요. 다음 기본 요령을 참고해 알뜰하게 장을 보세요.

일주일치 식단을 정해 필요한 재료를 메모하세요.

일주일 단위로 장을 볼 때 가장 중요한 것은 먼저 일주일치 식단을 정하는 것이지요. 마트나 시장에 가기 전에 대충이라도 미리 식단을 정해두면 불필요한 구입을 자제할 수 있답니다. 식단을 정하고 목록에 맞게 구입하다 보면 실패할 확률은 거의 없지요.

2~3일에 한 번씩 재료가 중복되도록 메뉴를 짜세요.

일주일치 식단을 짤 때는 재료가 서로 중복되도록 식단을 짜세요. 그럼 남은 재료로 새로운 음식을 만들 수 있으므로 재료를 효과적으로 쓸 수 있지요. 예를 들어 월요일에 콩나물국을 끓이기로 했다면 수요일이나 목요일에는 남은 콩나물로 만들 수 있는 콩나물잡채나 냉채로 식단을 짜는 것이 좋아요. 무찜을 만들기로 했다면 며칠 뒤에는 무생채나 무쇠고기국 같은 음식으로 식단을 짜고요. 그럼 재료를 남김없이 사용할 수 있어 낭비를 줄일 수 있어요. 단, 상하기 쉬운 재료는 가능한 빠른 시일 내에 요리해야 상해서 버리는 일이 없답니다.

#353 집에서 밥 먹는 횟수가 적어요.

그래서 그때그때 장을 보는데도 버리는 재료가 많아요. 좋은 방법이 없을까요?

가뭄에 콩 나듯 밥을 하거나 아이가 없는 맞벌이 부부라면 그날그날 장을 보는 것이 좋아요. 일주일 단위로 장을 보면 다 먹지도 못하고 버리는 경우가 생기거든요. 따라서 필요한 재료만 사되 가능한 적은 양을 사는 것이 좋답니다. 여러 개 묶어서 싸게 파는 것보다는 개별 포장돼 있거나 나눠 파는 것을 구입하세요. 개별 포장이 가격은 조금 비쌀 수 있지만 결과적으로는 이득이랍니다. 묶음할인판매 제품은 당장은 이득인 것 같지만 결국은 남은 재료를 처리하지 못해 버리는 경우가 더 많거든요. 또, 그날그날 장을 볼 때는 내형마드보다는 가까운 슈퍼나 재래시장을 이용하는 것이 좋아요. 몇 가지 안 되는 재료를 구입하기 위해 대형마트를 이용하다 보면 시간도 더 걸리고 묶음할인판매에 눈이 어두워 불필요한 지출도 늘게 된답니다. 단, 대형마트가 가까운 경우, 반짝세일 품목으로 그날의 메뉴를 정해 필요한 양만큼만 구입한다면 이것도 좋은 방법이 될 수 있겠지요.

#354 제철 식품에 어떤 것들이 있는지 알고 싶어요.

제철에 나는 식품이야말로 보약이지요. 재료 특유의 맛과 영양이 풍부하고 가격도 저렴할뿐더러 가장 싱싱하답니다.

1월

야채류 _ 우엉, 연근, 당근, 브로콜리

해산물류 _ 굴, 문어, 해삼, 패수, 노미, 대구, 삼치, 대하, 아귀, 개조개

2월

야채류 _ 쑥갓, 시금치, 봄동, 참취, 달래, 냉이, 양파

해산물류 _ 굴, 다시마, 파래, 김, 전복, 명태, 삼치, 홍합, 대구

3월

야채류 _ 봄동, 냉이, 달래, 씀바귀, 쑥, 미나리, 고들빼기, 두릅

해산물류 _ 굴, 파래, 미역, 대합, 모시조개, 도미, 갈치, 임연수, 조기

4월

야채류 _ 더덕, 쑥, 죽순, 상추, 고사리, 아스파라거스, 상추

해산물류 _ 조기, 병어, 갈치, 고등어, 도미, 꽃게, 주꾸미, 삼치

5월

야채류 _ 마늘, 양배추, 미나리, 도라지, 양파, 고구마순, 더덕, 파, 마늘종

해산물류 _ 멸치,고등어, 오징어, 멍게, 참치, 조기, 전갱이, 우럭, 잔새우

6월

야채류 _ 오이, 양파, 근대, 부추, 마늘, 양배추, 도라지, 풋고추

해산물류 _ 전복, 병어, 삼치, 갈치, 전갱이, 오징어, 농어, 갑오징어, 바닷가재

7월

야채류 _ 부추, 양상추, 가지, 피망, 감자, 깻잎, 애호박, 꽈리고추, 토마토, 열무

해산물류 _ 장어, 병어, 갈치, 삼치, 갑오징어, 다슬기

8월

야채류 _ 오이, 풋고추, 옥수수, 깻잎, 감자, 열무, 고구마, 상추, 홍고추

해산물류 _ 전복, 장어, 전갱이, 대합, 해파리, 갈치

9월

야채류 _당근, 표고버섯, 느타리버섯, 고구마, 토란, 홍고추

해산물류 _ 꽃게, 장어, 대합, 오징어, 꼬막, 고등어, 참치, 꽁치

10월

야채류 _ 느타리버섯, 양송이버섯, 무, 당근, 더덕, 고구마

해산물류 _ 참치, 오징어, 대구, 낙지, 고등어, 연어, 홍합, 꽃게, 광어

11월

야채류 _ 배추, 연근, 당근, 우엉, 파, 브로콜리, 무

해산물류 _ 연어, 참치, 갈치, 대구, 도미, 굴, 대합, 낙지, 오징어

12월

야채류 _ 무, 당근, 생강, 연근, 콜리플라워

해산물류 _ 굴, 복어, 아귀, 가오리, 영덕게, 꼬막, 미역, 김, 낙지, 꽃게

#355 시장에서 야채를 샀는데 일부가 약간 물렀어요.

싱싱한 야채는 어떻게 고르나요?

막 밭에서 따온 야채는 전체적으로 윤기가 있고 색깔이 선명하며 탄력이 있는 것이 특징이랍니다.

가지

표면이 탱탱하고 꼭지가 마르지 않은 것이 싱싱해요. 짙은 보라색으로 흠집이 없고 윤기가 자르르 흐르는 것을 고르세요.

감자

껍질이 얇고 단단하며 동글동글한 것을 고르되 녹색을 띠는 것은 아린 맛이 강하므로 피하세요.

고구마

고구마 껍질이 붉고 상처가 없으며 매끈한 것이 맛있어요. 길쭉한 것은 섬유질이 많아 말랑말랑하고 달착지근하답니다. 동글동글한 것은 전분이 많아 밤 맛이 나요.

고추

껍질이 두껍고 윤기가 나며 반으로 갈라 보았을 때 씨가 적은 것이 좋아요. 껍질이 단단한 것일수록 매운맛이 강하므로 기호에 따라 고르세요.

깻잎

잎이 너무 큰 것은 질기고 뻣뻣해서 맛이 없어요. 벌레 먹은 데가 없고 크기가 일정해야 조리하기 편해요.

당근

표면이 매끈하고 손에 들어보았을 때 묵직한 느낌이 드는 것을 구입하세요. 선명한 주황색을 띠고 껍질이 매끈하며 흙이 묻어 있는 것이 달고 싱싱해요.

무

무청이 달리고 모양이 고르며 빛깔이 흰 것을 고르세요. 이때 무청 달린 부분이 푸를수록 달답니다.

배추

들었을 때 묵직하고 흰 줄기 부분에 윤기가 흐르는 것이 좋아요.

피망

피망은 진한 초록색을 띠고 살이 두꺼우며 팽팽한 것이 맛있어요. 꼭지가 마르거나 표면에 탄력이 떨어진 것은 오래된 것이랍니다.

호박

몸체가 구부러진 것보다는 고르고 연한 녹색을 띠는 것이 좋아요.

버섯

표고, 느타리, 양송이, 팽이가 있으며 종류에 따라 특징이나 맛이 달라요. 표고는 갈색빛을 띠며 표면이 매끄럽고 뒷면의 살이 흰빛을 띠는 것이 좋고, 말린 표고는 뒷면의 살이 깨끗하고 잘 마른 것이 좋아요. 느타리는 갓의 표면이 연한 회색빛을 띠고 갓 뒷면의 빗살무늬가 부서지지 않은 것을 고르고 양송이는 갓이 통통하고 상처가 없는 것, 팽이는 기둥이 많고 통통한 것을 고르세요.

부추

어린 것일수록 맛이 좋은데 잎이 너무 크거나 억센 것은 사지 마세요. 잎이 뾰족한 것보다는 잎이 둥글고 가늘며 작은 것이 좋답니다.

시금치

잎이 부드럽고 짙은 초록색을 띠며 벌레 먹거나 시든 부분이 없는 것을 고르세요.

양파

껍질이 잘 마르고 광택이 없으며 단단하고 중량감이 느껴지는 것을 사세요. 붉은빛이 도는 것일수록 신선하고 맛도 좋답니다.

연근

마디 사이에 상처가 없고 통통하며 들었을 때 묵직한 느낌이 드는 것이 좋아요.

오이

싱싱하고 윤기가 있으며 오이 표면에 오톨도톨한 가시가 많이 돋아 있는 것이 좋아요.

#356 해물탕 재료를 사려고 수산시장에 들렀는데 어떤 해물이 싱싱한지 모르겠어요. 해물 고르는 법을 알려주세요.

해물탕에는 일반적으로 오징어, 낙지, 새우, 꽃게, 모시조개, 굴, 홍합 등이 들어갑니다.

오징어

적갈색이나 유백색을 띠고 몸통이 두툼하며 광택이 나는 것이 싱싱해요.

낙지

살이 두텁고 너무 크지 않은 것이 좋답니다. 다리 부분에 붙어 있는 빨판이 붉은빛을 띠면 근해에서 잡은 것이지요. 빨판이 탱탱하며 껍질이 제대로 붙어 있는 것이 좋은 낙지예요.

새우

다리와 머리가 제대로 붙어 있고 껍질이 단단하며 몸이 투명한 것이 신선하고 맛있어요.

꽃게

배에 알이 다닥다닥 붙어 있는 것은 피하고 들었을 때 무게감이 느껴지는 것, 발이 덜렁덜렁 붙어 있는 것보다는 빳빳한 것, 손끝으로 발을 눌렀을 때 탄력이 있는 것이 신선해요. 꽃게를 뒤집었을 때 배 부분의 삼각형이 넓은 것은 알이 들어 있는 암게로 맛이 훨씬 좋답니다.

조개

모시조개, 바지락, 대합 등 조개류는 껍데기가 단단하고 광택이 있으며 파르스름한 빛을 띠는 것이 좋답니다. 또한, 껍데기를 손끝으로 두드려 보아 속살이 움츠러드는 것이 싱싱해요.

굴

몸집이 오돌토돌하고 통통하며 손가락으로 눌러 탄력이 있는 것이 신선해요. 하지만, 신선하지 않더라도 물에 하루 정도 담가두면 신선한 것처럼 보이므로 주의하세요.

홍합

껍데기에 광택이 흐르고 검은색이며 속살은 갈색을 띤 붉은빛이 나는 것이 맛이 좋아요. 살이 통통하고 비린내가 나지 않는 것이 신선하답니다.

#357 가공식품을 살 때 꼭 체크해야 할 사항이 있나요?

다음은 평소 음식재료로 자주 사용하는 가공식품이에요. 꼼꼼하게 살펴 실속 있게 구매하세요.

국수

유통기간을 확인하고 포장이 터지지 않았는지, 내용물이 변질되지 않았는지 체크하세요.

어묵

제조연월일과 유효기간을 먼저 확인하고서 단단한지, 전체적으로 탄력이 있는지 확인하세요. 손으로 눌러보았을 때 부드러운 곳이 있다면 상했을 가능성이 크답니다. 포장이 찢어졌거나 변형이 생긴 것도 좋지 않아요.

유부

기름에 튀긴 것이므로 두부보다는 오래 보관할 수 있지만 시간이 지나면 기름이 산화되므로 좋지 않아요. 따라서 제조연월일을 확인하고 가장 최근에 시장에 나온 제품을 구입하세요.

소시지

제조 회사명과 제조연월일을 살피고 착색이 없고 얼룩이 없는 것을 구입하세요. 종류가 다양하므로 용도에 따라 구입하는 것이 쓰기 편하답니다.

베이컨

붉은 고기층과 지방층이 줄 맞춰 3단 정도를 이루며 층의 두께가 고르고 지방이 많지 않은 것이 좋아요. 고기 색깔은 선홍색, 지방은 흰색으로 윤기가 자르르 흐르는 것이 신선합니다.

햄

제조연월일과 유통기간을 확인하고 포장지가 터졌거나 오래된 것은 피하세요. 육안으로 보았을 때 착색이 있는 곳은 없는지, 표피 밑에 육즙이 고여 있는 곳은 없는지, 빛깔의 얼룩이나 변색은 없는지 체크하세요.

라면

제조연월일을 확인하고 포장지가 터지지 않았는지 확인하세요. 건조물이므로 3개월 정도는 안심하고 먹을 수 있답니다.

통조림

유통기간을 확인하고 직사광선에 노출되어 있거나 통조림의 위아래

부분이 부풀어 있는 것, 찌그러진 것은 피하세요.

냉장 · 냉동식품

냉장식품을 구입할 경우는 냉장보관하기에 알맞은 온도인 1~5℃에 보관된 것을 고르세요. 특히 게맛살은 냉장온도를 지키지 않으면 조직 속에 함유된 수분이 탈수현상을 일으켜 쉽게 부패한답니다.

냉동식품은 포장이 벗겨지거나 구멍은 없는지 확인하고 구입하세요. 냉동식품을 다룰 때 꺼냈다가 다시 얼리면 품질 악화의 원인이 됩니다. 한 번 해동한 식품은 다시 냉동 보관하지 마세요.

#358 사람들이 유기농, 유기농 하던데 유기농 식품은 어떻게 다른가요?

유기농 식품이란 야채나 과일을 재배할 때 농약은 물론이고 비료나 제초제같이 화학물질을 전혀 사용하지 않고 유기물과 자연광선, 미생물 등의 자연적인 조건만으로 재배한 것을 말하지요.

유기농 식품은 인체에 해가 되는 화학성분이 들어 있지 않아 안전하며 영양 면에서도 훨씬 우수하답니다. 그러나 재배하기가 까다로워 일반 식품보다는 훨씬 가격이 높지요. 일반제품에 비해 가격이 2~3배 이상 높답니다.

현재 시판되는 유기농 제품에는 채소나 과일 등 각종 농산물 외에도 이를 원료로 한 쿠키, 잼, 치즈, 천연조미료, 주스, 현미유 등 다양한 제품들이 있습니다.

유기농 제품을 구입할 때는 원산지와 유기농 인증마크가 붙어 있는 것을 구입하세요.

#359 생선이나 육류를 손질했더니 도마가 지저분해졌어요.

위생적으로 관리하는 방법이 궁금해요.

칼을 다루는 도마는 칼 때문에 흠집이 생기기 쉽고 세균이 증식할 가능성이 커요. 따라서 평소 위생관리를 철저히 해야 한답니다.
육류를 다룬 뒤에는 중성세제로 깨끗이 닦은 후 표백제를 이용하여 살균도 하고 냄새도 날려 버리세요. 만약 얼룩이 닦이지 않으면 수세미에 굵은 소금을 묻혀 표면을 박박 문질러 닦으면 됩니다. 또, 비린내가 나는 생선을 다룬 뒤에는 먼저 차가운 냉수로 씻은 다음 끓는 물로 헹궈 주세요. 따뜻한 물로 먼저 닦으면 단백질이 응고되어 오히려 생선 비린내가 심해질 수 있답니다. 이렇게 깨끗이 닦은 도마는 햇볕에 잠시 놓아 물기를 말려주세요.

#360 칼에 육류나 생선의 비린내가 남아 있을 때 어떻게 해결해야 할까요?

식초를 칼 표면에 얇게 발라 5분 정도 둔 다음 물로 깨끗이 헹궈내면 비린내가 말끔히 제거돼요. 하지만 가능하면 용도별로 칼을 갖춰 사용하는 것이 위생적이랍니다.
살균 효과와 광택까지 얻고 싶을 때는 레몬으로 칼 표면을 문질러 헹군 뒤 햇볕에 말리세요.

#361 음식을 하다 보면 행주가 금방 더러워져요. **행주를 쉽고 빠르게 소독하는 방법은 없나요?**

매번 삶는 게 번거롭다면 물에 적신 행주에 세제를 몇 방울 떨어뜨려 비벼주세요. 그리고 비닐봉지에 넣어 전자레인지에 약 3분간 돌려주면 깨끗하게 소독이 된답니다. 삶는 것보다 훨씬 간편하고 살균이나 건조도 빨라요.

plus tip

행주의 용도

행주는 채소나 도마의 물기를 닦는 데 사용하기도 하고 조리대, 테이블을 닦는 데 사용하기도 하고 씻은 식기의 물기를 닦아내는 데도 사용해요. 이렇게 용도가 다양한 행주를 각각 구분해 사용하는 것은 어떨까요? 앞에서 언급한 대로 조리용, 식탁용, 식기용으로 나눠 쓰면 훨씬 위생적이고 편리하답니다.

조리용 행주는 세균이 번식하기 쉬우므로 소독과 살균을 정기적으로 해주세요. 식기용이나 식탁용 행주도 그날그날 빨아 말리는 것이 좋답니다.

#362 **기름기를 걸러내거나 수분을 짜낼 때 베 보자기를 써요.** 세탁은 어떻게 하는 것이 좋을까요?

행주나 걸레는 세제를 넣고 빨아도 크게 신경 쓰이지 않지만 요리할 때 자주 쓰는 베 보자기나 면 보자기는 왠지 신경이 쓰이지요. 아무리 깨끗

이 헹군다고 해도 잔여 성분이 남아 있기 마련이니까요. 다 사용하고 난 베 보자기는 일단 뜨거운 물에 헹군 뒤 식초와 베이킹소다를 탄 따뜻한 물에 담가두세요. 10분 정도 담가둔 후 뜨거운 물에 빨아 햇볕에 말리면 아주 깨끗해진답니다. 소독도 되고 화학성분이 남을 염려도 없겠지요.

#363 무쇠 프라이팬을 얼마 동안 안 썼더니 녹이 슬었어요.

오랫동안 쓰려면 어떻게 관리해야 할까요?

무쇠 팬은 요리를 마친 다음 더운 물에 불렸다가 단단한 솔로 박박 문질러 닦아주세요. 무쇠 팬은 사용하면서 길이 드는 것이므로 세제 없이 단단한 솔로만 문지르며 닦으세요. 마지막은 뜨거운 물로 헹군 뒤 마른 수건이나 키친타월로 물기를 말끔히 닦아 보관하세요. 닦은 다음 말리지 않고 그냥 방치하면 금세 벌겋게 녹이 슨답니다.

구입 초기에는 마른 수건으로 물기를 제거한 다음 휴지나 키친타월에 기름을 묻혀 팬에 고루 발라 보관하는 것이 좋아요. 길을 들일 작정이라면 기름칠한 팬을 불 위에서 10~20분 정도 달궈주는 것도 좋답니다. 이렇게 자꾸 길들이다 보면 나중에는 그냥 물로 씻은 다음 마른 수건으로만 닦아줘도 아무런 어려움 없이 사용할 수 있어요.

만약 녹이 슬었다면 녹슨 부분을 솔로 벅벅 긁어내고 기름칠을 해서 불에 30~40분 정도 달궈주면 녹이 말끔히 제거됩니다.

#364 요리하다 잠시 한눈을 팔았더니 냄비에 음식이 까맣게 눌어붙었어요.

음식물 찌꺼기를 어떻게 제거하죠?

요리를 하다가 태워 음식물이 바닥에 새까맣게 달라붙었을 때는 금속 수세미로 박박 문지르지 마세요. 코팅이 벗겨질 수 있거든요. 이럴 때는 냄비에 뜨거운 물을 붓고 식혔다가 씻으면 찌꺼기가 쉽게 벗겨져요. 햇볕에 2~3일 정도 바짝 말려도 검게 눌어붙었던 찌꺼기가 저절로 떨어진답니다.

만약 장마철이거나 바로 냄비를 사용해야 할 경우라면 드라이어를 이용하세요. 탄 부분에 드라이어의 바람을 쐬어 1~2분 정도 건조하면 탄 찌꺼기가 떨어집니다.

또 다른 방법! 냄비에 베이킹소다를 술술 뿌리고 식초를 부어주세요. 그럼 식초가 부글부글 끓어오르면서 탄 찌꺼기가 떨어진답니다. 찌꺼기가 쉽게 떨어지지 않는다면 베이킹소다와 식초를 섞어 냄비에 붓고서 팔팔 끓여주세요. 이렇게 몇 차례 반복하면 찌꺼기도 제거되고 새 냄비처럼 반짝거려요.

plus tip

프라이팬에 음식물이 눌러붙는 경우

코팅뿐 아니라 표면 처리된 프라이팬도 오래 사용하면 음식물이 들러붙어 타거나 지저분해지기 쉬워요. 이럴 때는 가스레인지의 불을 켜고서 프라이팬을 올려놓고 굵은 소금을 뿌리세요. 특히 자주 들러붙는 부분은 소금을 뿌린 다음 주걱으로 저어 볶고 소금이 검어지면 키친타월로 닦아주세요. 마지막으로 깨끗이 닦은 뒤 기름을 두르면 눌러붙지 않고 길이 잘 든답니다.

#365 김치국물이 플라스틱통에 배어 보기 싫어요.

김치국물을 감쪽같이 없애는 방법 없을까요?

김치국물이 밴 플라스틱 통은 쌀뜨물에 하루 정도 담가 두세요. 김치국물이 감쪽같이 빠진답니다. 치약을 묻혀 문질러 닦아도 깨끗이 닦여요.

plus tip

쌀뜨물로 설거지하기

설거지를 할 때 중성세제 대신 쌀뜨물을 사용하면 하수의 오염을 방지할 뿐 아니라 기름때나 비린내 제거에도 효과적이에요. 쌀뜨물로 기름기가 묻은 그릇을 씻어낸 다음 뜨거운 물에 헹궈주면 오물이 말끔히 닦인답니다. 잡냄새도 걱정 없어요.

#366 뚝배기는 세제를 묻혀 씻으면 안 되나요?

흔히 뚝배기는 숨을 쉰다고 하지요. 눈에 보이지 않는 공기구멍이 뚝배기에 있기 때문이랍니다. 그런데 뚝배기를 세제로 닦으면 공기구멍 사이사이 세제가 침투하게 되겠지요. 공기구멍이 아주 미세하기 때문에 아무리 물로 헹궈도 세제가 잘 닦이지 않아요. 그래서 다시 음식을 하게 되면 그 세제들이 음식에 녹아나오게 된답니다.
기름기가 많지 않은 음식은 뜨거운 물로 깨끗이 닦아주고 기름기가 있는 경우는 쌀뜨물로 깨끗이 닦아주세요.

#367 그릴에 생선을 굽고 나면 철망이 지저분해져요. 손쉽고 깨끗하게 닦는 요령이 있나요?

생선이나 고기를 굽고 난 뒤 더러워진 철망은 은박지를 사용하면 깨끗이 닦인답니다. 은박지를 조금씩 찢어 철망 사이사이를 닦으면 음식물 찌꺼기가 쉽게 떨어져요. 어느 정도 철망이 깨끗해졌으면 스펀지로 한 번 부드럽게 닦아주면 더러움이 말끔히 제거된답니다.

#368 설거지하는 데 시간이 너무 오래 걸리고 힘도 들어요. 설거지할 때도 요령이 있나요?

설거지는 식후 바로 하는 것이 좋아요. 더러워진 식기를 물에 너무 오래 불리게 되면 미생물이 번식하기도 쉽고 보기에도 좋지 않지요.
설거지를 할 때는 한꺼번에 설거지통에 넣어 닦지 말고 그릇의 종류와 그릇에 담았던 음식물의 종류에 따라 분류하여 닦는 것이 시간과 노력을 절약할 수 있답니다.
또, 기름기가 없는 것을 먼저, 기름기가 있는 것을 나중에 설거지해야 깨끗하게 닦을 수 있어요. 보통 컵부터 시작해 숟가락, 젓가락, 밥그릇, 국그릇, 반찬 그릇 순으로 닦는 것이 일반적이지요. 마지막으로 기름기가 묻어 있는 식기는 키친타월로 기름기를 닦아내고 스펀지로 닦아내세요.

mini tip!
식기를 헹굴 때는 미지근한 물로 작은 것부터 큰 것 순으로 헹궈 차곡차곡 정리하세요.

#369 찻주전자 표면에 생긴 얼룩이 잘 안 닦여요. 방법이 없을까요?

찻주전자 표면에 눌어붙은 찌꺼기나 얼룩은 세제를 묻혀 닦아도 쉽게 닦이지 않아요. 괜히 거친 수세미로 박박 문지르면 표면에 흠집이 생기기 쉬워요. 이럴 때는 찻주전자에 물을 붓고 펄펄 끓인 다음 불을 끄세요. 그다음 주방용 장갑이나 두꺼운 고무장갑을 끼고 젖은 행주로 주전자 표면을 문질러주면 눌어붙은 찌꺼기나 얼룩이 감쪽같이 닦인답니다. 찻주전자뿐 아니라 법랑이나 알루미늄 주전자도 같은 방법으로 닦으면 말끔하게 닦여요.

#370 주방용 쓰레기통에서 불쾌한 냄새가 나요. 악취를 제거하는 방법이 없나요?

물기가 있는 수방 쓰레기를 쓰레기통에 넣어둔 채 방치하면 악취가 진동해요. 잘못하면 벌레도 생길 수 있고요. 이럴 때는 표백제를 뿌린 신문지를 쓰레기통 밑에 깔아두면 불쾌한 냄새를 제거할 수 있어요. 쓰레기에서 생긴 수분을 흡수해 바닥에 물기도 고이지 않고, 소독 효과도 있답니다. 이렇게 하면 실내에서 3~4일 정도 그냥 둬도 냄새가 거의 나지 않아요. 신문지 위에 표백제 대신 소주를 뿌리고 깔아도 효과는 비슷하답니다.

#371 스푼과 젓가락을 오래 사용했더니 색이 변했어요.

반짝반짝 윤이 나게 닦을 방법이 없나요?

스푼이나 젓가락을 사용하다 보면 색이 거뭇거뭇 지저분해질 때가 있어요. 이때는 뜨거운 물 1ℓ에 소다 3큰술을 넣어 잘 저은 뒤 변색한 스푼과 젓가락을 하룻밤 담가두세요. 스펀지에 탄산소다를 묻혀 닦아도 새것처럼 반짝반짝 윤이 난답니다.

plus tip

뿌옇게 흐려진 유리그릇 닦기

흐릿하게 얼룩이 생긴 유리제품은 중성세제로 잘 닦은 다음 마지막에 레몬 껍질을 띄운 미지근한 물이나 식촛물에 담갔다 꺼내세요. 그리고 마른 행주로 물기를 두드리듯 없애주면 반짝반짝 윤이 나면서 표면이 깨끗해진답니다.

#372 튀김요리를 한 뒤 설거지를 하면 기름기가 완전히 닦이지 않아요.

세제 없이도 기름때를 제거할 수 있나요?

기름요리를 하게 되면 그릇에 기름기가 돌아 잘 닦이지 않는답니다. 그렇다고 세제를 듬뿍 묻혀 닦는 것은 왠지 찜찜하지요. 평소 커피 찌꺼기를 모아 두면 이럴 때 유용하답니다. 설거지할 때 커피 찌꺼기를

뿌려 스펀지로 문질러주면 잘 닦여요. 커피 찌꺼기가 기름때를 잘 흡수하거든요.

또 다른 방법은 쌀뜨물을 이용하는 방법이에요. 쌀뜨물을 남겨 두었다가 기름때가 묻은 그릇을 담가 주세요. 그런 다음 스펀지로 문질러 쌀뜨물로 헹궈주면 기름기가 쏙 빠진답니다.

단, 두 가지 방법 모두 마지막 헹굴 때는 따뜻한 물로 헹궈야 깨끗하게 닦입니다.

#373 가스레인지에 붙어 있는 기름때를 감쪽같이 제거하고 싶어요.

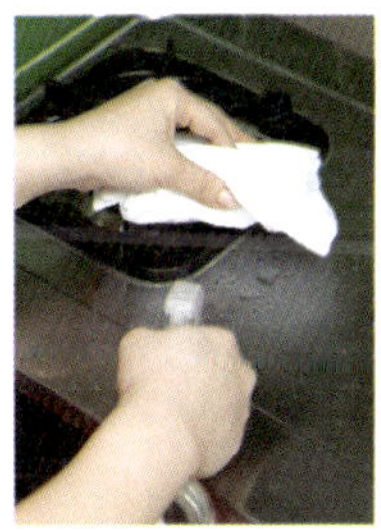

베이킹파우더나 먹다 남은 김빠진 맥주를 이용하면 깨끗이 닦여요.

지저분한 곳에 베이킹파우더를 솔솔 뿌린 뒤 물을 묻혀 닦거나 얼룩진 부분에 맥주를 뿌려 잠시 불린 다음 스펀지로 닦으면 기름때가 깨끗이 제거되어 반질반질해진답니다.

plus tip 개수대 청소박사

음식물을 다루다 보면 개수대에 유분이 생기지요. 이때 찻잎을 개수대에 뿌려 스펀지로 가볍게 문질러주세요. 찻잎에는 유분을 제거하는 성분이 들어 있으므로 평소 차를 마신 후 모아 두었다가 사용하면 유용하답니다.

#374 알루미늄 냄비를 새로 구입했어요. 길들이는 방법 없을까요?

알루미늄 소재로 된 냄비는 조리할 때 냄비 표면의 색이 변하기 쉬워요. 따라서 검게 변해버리기 전에 관리하는 것이 좋습니다.
먼저 냄비를 구입하면 부드러운 스펀지에 세제를 묻혀 깨끗이 닦으세요. 그런 다음 쌀뜨물에 채소 부스러기를 넣고 15분간 보글보글 끓이면 막이 생겨 쉽게 색이 변하지 않는답니다. 변색한 알루미늄 냄비는 사과 껍질이나 레몬 껍질을 얇게 썰어 물을 붓고 10분 정도 삶아주면 반짝반짝 윤이 나고 길이 들어요.

#375 싱크대의 찌든 때는 어떻게 청소하나요?

싱크대는 빈번하게 요리를 다루는 곳이므로 구석구석 곰팡이가 끼거나 지저분해지기 쉬워요. 따라서 그때그때 닦아주는 것이 좋습니다.
곰팡이가 낀 경우라면 식초와 베이킹소다를 1:1 비율로 섞어 싱크대 곳곳에 바른 뒤 30분쯤 지나서 뽀드득 소리가 날 때까지 닦아주세요.
싱크대 틈새에 찌든 때가 낀 경우라면 우유팩을 잘라 틈새나 모서리를 긁어내세요.
우유팩은 틈새에 끼우기도 쉽고 일반 종이에 비해 단단해서 활용하기 좋아요. 찌든 때를 긁은 다음에는 세제나 베이킹파우더를 바르고 30분 정도 두었다가 닦아내면 깨끗해진답니다.

#376 평소 아끼던 그릇에 금이 살짝 갔어요. 눈에 띄지 않게 사용하는 방법이 있나요?

mini tip!
평소에 자주 사용하지 않는 그릇은 랩으로 돌돌 말아 보관하세요. 하나씩 랩에 싸서 겹쳐 두면 잘 깨지지 않을뿐더러 오랫동안 두어도 랩만 벗겨 내면 바로 사용할 수 있답니다. 이사할 때도 편해요.

깨진 것도 아니고 외관에만 살짝 금이 간 정도라면 방법이 있답니다. 단, 금이 간 즉시 해야 효과가 있어요.

접시나 찻잔, 그릇에 금이 갔을 때는 먼저 냄비에 우유를 찰랑찰랑하게 부어주세요. 그런 다음 금이 간 그릇을 넣고 4~5분 정도 끓이면 신기하게 금이 거의 보이지 않는답니다. 이는 우유의 단백질이 응고되어 틈에 흡수되기 때문인데요, 금이 간 그릇이 오래간다는 말도 있듯이 조심스럽게 다루면 쓰는 데 큰 문제는 없답니다.

#377 무쇠 프라이팬을 구입했는데 자꾸 음식물이 눌러붙어요. 어떻게 길들이죠?

코팅 팬은 음식물이 눌어붙지 않고 세척이 간편하지만 코팅의 화학성분 때문에 무쇠 팬이나 스테인리스 팬을 추천하는 사람이 많지요.

스테인리스 팬이나 무쇠 팬은 음식 맛을 좋게 하고 한번 달궈지면 뜨거운 열이 오래 가는 것이 특징이랍니다. 남은 여열로도 어느 정도 재료를 익히기 충분하지요. 게다가 길만 잘 들이면 쓰면 쓸수록 길이 난다는 장점도 있답니다.

무쇠 프라이팬이나 스테인리스 프라이팬을 구입할 때는 가능한 기름칠이 된 것으로 구입하세요. 집에서 일일이 기름칠을 해서 팬을 달구다 보면 연기도 많이 나고 번거롭거든요. 만약 이미 구입했다면 아래 사용법에 더 충실해야 한답니다. 무쇠 팬은 일반 코팅 팬과 달리 예열이 중요해요. 센 불에 올려 팬이 뜨끈해지면 바로 약한 불로 줄여서 5분~10분 정도 충분히 예열한 후 기름을 살짝 두르고 다시 2~3분 정도 기름이 달궈질 때까지 예열하는 것이 좋습니다.

#378 생선을 튀기거나 음식을 조리하면 집 안에 음식 냄새가 진동해요.

불쾌한 냄새를 제거하는 방법이 있을까요?

음식을 준비하다 보면 어쩔 수 없이 냄새가 나는 경우가 있지요. 이렇게 음식 냄새, 기름 냄새, 생선 냄새 등이 심하게 배어 있을 때는 녹차 찌꺼기를 냄비에 넣고 태우세요. 은은하게 녹차 향이 퍼지면서 불쾌한 냄새를 잡아준답니다. 녹차뿐 아니라 레몬 껍질이나 오렌지 껍질을 넣고 태워줘도 효과는 비슷해요.

#379 주방 가위가 잘 들지 않아요.

간단히 날을 세울 방법은 없나요?

쓰다 버린 알루미늄 호일을 버리지 말고 두었다가 적당히 구겨서 가위로 자르세요. 숫돌이나 샤프닝 스틸 없이도 가윗 날이 감쪽같이 선답니다. 칼도 알루미늄 호일을 구겨 그어주면 칼날이 섭니다.

#380 냉장고만 열면 심란해요. 깔끔하고 실속 있게 냉장고를 정리하는 노하우 없을까요?

조금만 방심하면 지저분해지기 쉬운 냉장고 속. 나름대로 정리 요령이 있어야 관리가 편해요.

투명용기를 사용하세요.

냉장고에 식품을 보관할 때 검은 비닐봉지나 불투명한 용기를 사용하면 내용물을 쉽게 식별할 수 없어요. 외관상으로도 좋지 않고요.투명한 용기에 담아 보관하면 찾기도 쉽고 보관이 편하답니다.

칸마다 주제를 정해 수납하세요.

아무래도 여러 가지 재료가 뒤죽박죽 섞여 있으면 찾기도 어렵고 산만하지요. 이럴 때는 모양과 사이즈가 비슷한 용기끼리 묶어 첫 번째 칸은 양념, 두 번째 칸은 밑반찬 등으로 주제를 정해 항상 같은 자리에 보관하면 쉽게 찾을 수 있어요.

식품에 명찰을 붙여주세요.

식품을 보관할 때 이름과 보관 날짜를 적어 밀폐용기에 붙여 두면 보관식품을 실속 있게 쓸 수 있어요. 유통기간이나 재료를 알아보기도 쉽고 식비절감 효과까지 있답니다.

냉장고 겉면에 식품 보관 목록을 만드세요.

냉장고 안에 여러 가지 재료가 들어 있으면 간혹 헷갈리지요. 무엇을 보관했는지 잊어버릴 수도 있고요. 평소 어떤 식품들이 냉장고 속에 들어 있는지 목록을 체크해 냉장고 겉면에 붙여두면 알뜰하게 살림을 꾸려갈 수 있답니다.

#381 음식이 남을 때마다 냉동실에 넣어 두었더니 **냉동실이 엉망이에요.**

습관적으로 남은 음식을 냉동실에 넣다 보면 무엇이 들어 있는지 모르거나 묵혀두기 십상이지요. 냉동실을 깔끔하고 효과적으로 쓰려면 다음 몇 가지 요령을 따르세요.

냉동하기에 적합한 재료인지 살피세요.

남은 육류는 그대로 냉동시켜도 좋지만 가게에서 파는 것은 한 번 냉동시켰다가 해동해 파는 것이므로 가능한 한 조금씩 구입하는 것이 좋아요. 고기에 밑간을 해서 냉동하는 것도 좋은 방법이랍니다. 건어물, 가루 등도 냉동실에 보관하는 것이 좋아요.

한 번에 먹을 만큼씩 분량에 맞게 나누어 보관하세요.

덩어리째 냉동을 하면 다시 사용할 때 매우 불편해요. 따라서 한 번에 먹을 만큼씩 얇고 작게 나눠서 보관하는 것이 좋답니다. 얇고 작게 나누다 보면 빠르게 냉동시킬 수 있어 조직이 부서질 염려도 없지요.

냉동할 재료에 날짜와 내용물을 적어두세요.

냉동시킨 식품의 보관 기간은 보존 상태에 따라 다르지만 1개월 정도가 한도라고 보는 것이 좋아요. 냉동실에 오래 보관하면 산화되거나 수분이 증발해 맛이 떨어져요. 일반적으로 냉동한 식품은 1개월 이내, 육류나 어패류는 2주일 이내 사용하는 것이 좋답니다. 따라서 이름표를 붙여놓고 사용하는 것이 관리도 쉽고 찾기도 쉽답니다.

plus tip

냉동 보관 요령

육류, 어패류, 냉동식품, 아이스크림 등 종류에 따라 칸을 분류하면 찾기도 쉽고 깔끔하게 정리되지요.

#382 채소를 사면 금방 물러서 속상해요. 상에 내기 직전까지 신선하게 보관할 수 없을까요?

상추, 부추 등 잎이 연한 채소는 물기가 있으면 쉬 상하므로 물에 씻지 않고 통에 담아 보관하는 것이 좋아요. 감자나 고구마는 서늘하고 바람이 잘 통하는 곳에 직사광선을 피해 보관하고요. 또 우엉이나 당근은 흙 속에 묻거나 신문지에 싸서 냉장고에 보관하세요.

오이

수분이 많으면 쉽게 물러지므로 신문지나 종이타월에 돌돌 말아 비닐봉지에 싸서 냉장고에 보관하세요.

양파

습기가 많은 곳에 두면 뿌리가 자라나고 심지 부분에 푸른 싹이 나와 맛이 없어지므로 냉장고에 넣지 말고 종이봉투나 망사자루에 넣어 서늘한 곳에 보관하세요.

깻잎

오래 두면 잎이 상하고 물러지므로 종이타월로 물기를 잘 닦은 다음 비닐봉지나 팩에 넣어 냉장고에 보관하세요.

시금치

신문지로 싸서 축축할 정도로 분무기를 뿌려준 다음 비닐봉지에 담고 뿌리가 아래를 향하도록 세워 냉장고에 보관하세요.

가지

물기 없는 상태로 랩에 싸거나 비닐봉지에 넣어 실온에 2일 정도 보관하세요. 냉장고에 보관하면 좀 더 오래 보관할 수 있지만 실온에 놓았을 때보다 맛이 떨어진답니다.

LAKE

#383 콩나물을 많이 샀는데 금방 먹을 수가 없어요.

콩나물을 오래 보관하는 방법이 궁금해요.

콩나물은 깨끗한 물에 여러 번 헹군 다음 콩나물이 잠기도록 찬물을 붓고 냉장고에 보관하세요. 그럼 일주일에서 열흘은 거뜬하게 버틴답니다. 단, 적어도 2~3일에 한 번씩은 콩나물에 부었던 물을 새 물로 갈아줘야 싱싱하게 오래 보관할 수 있답니다.

#384 배추, 시금치, 쑥갓, 미나리 등 잎채소가 많이 남았어요.

당장 쓸 일이 없는데 어떻게 보관할까요?

잎채소들은 수분이 금세 빠져나와 냉장고에 오래 보관하기 어려운 재료예요. 따라서 잎채소가 많이 남았을 때는 끓는 물에 살짝 데친 다음 찬물에 헹궈 물기를 꼭 짠 후 먹을 만큼씩 봉지에 담아 냉동 보관하는 것이 좋답니다.

이렇게 냉동 보관한 배추는 해동해서 우거지된장국이나 우거지고등어조림을 만들 때 활용하면 좋지요. 또, 시금치는 시금치된장국이나 탕, 볶음 요리에 넣어주면 색과 맛을 낼 수 있어 좋답니다. 쑥갓이나 미나리는 탕이나 전골 요리의 향을 낼 때 활용하면 좋아요.

참고로 냉동보관한 채소로 나물이나 무침을 만들 때는 자연 해동하는 것이 좋답니다.

#385 두부 반 모가 남아서 냉장고에 넣어 두었더니 상했어요.

두부를 오래 보관할 수 있는 방법 없나요?

남은 두부는 밀폐용기에 담아 푹 잠기도록 물을 붓고 냉장고에서 보관하세요. 이렇게 보관한 두부는 1~2일 내에 사용하는 것이 좋지만 용기 속의 물을 매일 한 번씩 새 물로 갈아주면 일주일 정도 상하지 않게 보관할 수 있답니다. 두부 특유의 냄새가 나는 것도 막을 수 있지요.

#386 토마토는 아무리 잘 보관해도 쉽게 무르잖아요.

오래 두고 먹는 방법이 없을까요?

토마토는 펙틴이라는 성분이 들어 있어 장운동을 돕고 피부미용, 노화방지에도 탁월해 즐겨 먹는 식품이에요. 하지만 잘 익은 것일수록 쉽게 물러 생각보다 보관도 어렵고 오래 먹을 수가 없지요.

남은 토마토는 끓는 물에 데쳐 껍질을 벗긴 후 반을 자르고 씨를 빼서 지퍼백에 넣으세요. 그런 다음 양손 사이에 지퍼백을 끼워 편평하게 누른 뒤 냉동실에 넣어 필요할 때마다 꺼내 쓰면 오래오래 먹을 수 있어요. 차곡차곡 얼린 토마토는 소스나 오므라이스, 이탈리아 요리 등을 할 때 넣으면 맛이 훨씬 풍부해집니다.

#387 설날 쇠고기선물세트가 많이 들어왔어요. 양이 많아 며칠 내에 먹기 어려운데 어떻게 보관할까요?

단백질이 많은 육류는 공기와 접촉하면 색이 쉽게 변하고 가장자리가 딱딱해져 맛이 떨어져요. 하루나 이틀 안에 조리할 것은 랩이나 비닐봉지에 밀봉해 냉장고에 보관하고 그 이상 보관할 경우라면 한 번에 쓸 만큼씩 잘라 냉동실에 넣어 보관하세요. 이때 식용유를 표면에 발라 보관하면 오랫동안 신선한 맛을 유지할 수 있답니다.

plus tip

돼지고기와 닭고기 보관하기

돼지고기 쇠고기보다 쉽게 상하기 때문에 몇 시간 안에 조리할 것이 아니라면 반드시 비닐봉지나 랩으로 밀봉해 냉동 보관하세요. 삼겹살 등 얇게 썬 고기를 보관할 때는 살짝 인 상태로 구입해 냉동실에 넣었다가 1시간 전에 신선실로 옮겨 해동하세요. 한 번 해동한 고기는 다시 냉동하면 맛이 떨어지므로 한 번 먹을 양만큼 나누어 보관하는 게 좋답니다.

닭고기 단백질이 많고 고기 결이 부드러워 냉동 보관하면 맛이 떨어져요. 부패 속도도 빨라서 구입한 뒤 가능한 한 빨리 조리하는 것이 좋습니다. 오래 보관할 경우라면 통째로 랩에 싸서 냉동실에 보관하세요.

#388 쇠고기육수를 너무 많이 만들었어요.
상하지 않게 보관하는 방법 없을까요?

평소 우유팩을 깨끗이 씻어 말려 두면 쇠고기육수뿐 아니라 다른 육수를 보관할 때도 활용할 수 있어요.
잘 말린 우유팩에 곰국이나 각종 육수를 완전히 식혀 1인분씩 담아 두세요. 편의에 따라 500ml 우유팩을 사용해도 좋습니다. 그런 다음 우유팩 입구를 테이프나 스테플러, 고무줄로 완전히 밀봉해 냉동실에 일렬로 세워 두세요. 이렇게 하면 육수가 녹을 때까지 기다리지 않아도 종이팩을 찢어 육수를 사용할 수 있답니다.

#389 달걀을 신선하게 보관하려면
어떻게 해야 할까요?

달걀은 한쪽은 둥그스름하고 한쪽은 뾰족한 모양이지요. 이 둥그스름한 쪽 안에 기공이라 불리는 공기집이 있어 선도를 유지하고 호흡할 수 있답니다. 삶은 달걀의 껍데기를 벗겼을 때 쏙 들어간 부분이 바로 공기집이죠.

따라서 냉장고에 보관할 때는 반드시 둥그스름한

쪽이 위로 오도록 보관해야 오랫동안 신선하게 보관할 수 있어요. 케이스에 들어 있는 시판 달걀은 굳이 신경 쓸 필요가 없답니다. 반드시 둥근 쪽이 위로 오도록 패킹되어 있거든요.

#390 치즈가 많이 남았어요. 남은 치즈는 어떻게 보관하나요?

치즈를 먹고 나면 종종 남는 경우가 생겨요. 이때 남은 치즈는 3~5℃ 냉장고에 넣어 두세요. 고온에서 보관하면 지방이 분리되고 산화되어 맛이 변한답니다.

반대로, 저온에서 보관하면 치즈가 딱딱하고 푸석푸석해져 맛이 없어요. 식감도 훨씬 떨어진답니다. 특히 우유에 크림을 첨가하는 크림치즈는 냉동하면 해동 시 분리되어 버려요.

plus tip 남은 치즈를 부드럽게 먹는 법

남은 치즈를 다시 꺼내 먹을 때는 치즈의 마른 부분에 우유를 묻힌 다음 랩으로 돌돌 말아 전자레인지에 넣어 살짝 가열해 주세요. 그럼 부드럽고 고소한 맛이 살아난답니다.

냉장고에서 꺼내 그냥 먹을 때는 적어도 실온에 10분 정도 두었다 먹는 것이 좋아요. 냉장고에서 꺼내자마자 먹으면 고무 씹는 질감이 나서 치즈의 참맛을 제대로 느낄 수 없답니다.

#391 냉동 보관한 떡으로 떡국을 끓였더니 떡이 갈라지고 딱딱해요.

냉동실에 넣어두면 안 되나요?

냉동실에 오래 보관한 떡은 조리하기 전 찬물에 충분히 불려야 떡이 말랑말랑해진답니다. 냉동실에서 나오는 냉기 때문에 그만큼 수분이 줄었을 테니까요. 냉동 보관한 떡국용 떡으로 음식을 만들 예정이라면 꼭 사용 전날 하룻밤 정도 찬물에 충분히 불려주세요. 수분을 흠뻑 흡수할수록 야들야들해진답니다.

plus tip

삼겹살과 떡의 하모니

삼겹살을 구울 때 김치 옆에 떡을 같이 얹어서 구우세요. 말랑한 떡은 그대로, 냉동된 떡은 물에 충분히 담갔다가 구우면 쫄깃하고 바삭한 떡구이가 완성됩니다. 삼겹살에서 흘러나온 기름 때문에 겉면이 바삭하게 구워져 더 맛있어요.

#392 마늘을 찧어 냉장 보관해 두었는데 다음날 보니 초록색으로 변했어요.

마늘이 상한 걸까요?

녹변현상이 일어난 경우로, 종종 마늘장아찌를 담을 때나 찧어 놓은 마늘에 흔히 일어나는 현상이지요. 상한 것은 아니랍니다.

마늘은 저온 저장할 때 효소작용에 의해 색이 변하거든요. 마늘 자체에는 아무런 이상이 없으므로 안심하고 사용하세요.

참고로 녹변현상이 거슬릴 때는 다진 마늘에 설탕을 뿌려 두세요. 그럼 시간이 지나도 색이 변하지 않아요.

plus tip

마늘올리브유

발사믹식초에 올리브유를 섞어 따뜻한 발효 빵을 콕콕 찍어 먹는 그 맛. 빵 자체의 풍미를 살리는 데 버터보다도 더 뛰어난 재료지요.

올리브유와 발사믹식초의 배합이 조금 평범해 보인다면 올리브유에 마늘 향을 첨가하세요.

먼저 팬에 올리브유를 약간 두르고 다진 마늘을 넣어 노릇하게 볶아 낸 다음 그릇에 담아 두세요. 여기에 열을 가하지 않은 올리브유를 조금 부어 말린 오레가노를 조금 섞어주면 향긋한 마늘올리브유가 완성된답니다.

#393 생강을 사면 매번 남아서 버리게 돼요. 버리지 않고 알뜰하게 활용하는 방법 없을까요?

다음 몇 가지 방법을 사용하면 생강을 남김없이 사용할 수 있답니다.

생강꿀

껍질을 벗긴 생강은 얇게 저며서 꿀에 재워두세요. 냉장고에 보관했다가 볶음 요리에 한두 큰술 넣어주면 생강 향과 단맛을 동시에 낼 수 있어서 유용하답니다. 매일 따끈한 물에 생강꿀 한 큰술씩 타서 마시면 감기 예방에도 도움이 되지요.

생강술

생강은 껍질을 벗긴 다음 얇게 저며서 청주를 붓고 유리병에 담아 냉장 보관하면 오래 보관해도 변질되지 않아요. 찌개나 국, 볶음 요리 마지막에 한두 큰술 넣어주면 잡냄새도 잡아주고 깔끔한 맛을 내지요.

얼린 생강즙

생강은 껍질을 벗기고 강판에 곱게 간 뒤 고운 체나 면 보자기에 걸러 즙만 짜내세요. 그런 다음 그 즙을 얼음 용기에 한 큰술씩 담아 얼려서 비닐 봉지에 넣고 냉동실에 보관하면 요긴하게 쓸 수 있답니다. 볶음 요리나 소스를 만들 때 하나씩 꺼내 쓰면 매우 편리하지요.

plus tip

생강술 만들기

저며썬 생강편을 유리병에 반쯤 채우세요. 그런 다음 청주를 병에 가득 붓고 뚜껑을 닫아 3일 이상 냉장 보관하면 생강술이 완성됩니다.

#394 들깨가루를 실온에 두었더니 묵은 냄새가 나네요.

보관 방법이 잘못된 걸까요?

들깨가루는 산패가 빨리 이루어지는 재료 중 하나랍니다. 아무리 밀봉한다 해도 실온에 보관하게 되면 쉽게 부패하여 기름에 절은 냄새가 심해지죠. 들깨가루는 구입 즉시 밀봉용기에 넣은 후 냉동실에 보관하세요. 그럼 산패현상을 조금 늦출 수 있답니다. 사용하고 남은 들깨가루는 원래 넣어둔 봉투나 밀봉용기에 다시 넣지 마세요. 그럼 곰팡이가 생기기 쉽답니다. 필요한 양만큼 덜어 그때그때 사용하세요.

COOKING KNOW-HOW

입맛 없는 날
별미들깨죽

준비하세요

쌀 1컵, 물 5컵
들깨가루 4~5큰술
소금 조금

이렇게 만드세요

1 30분 정도 불린 쌀에 물을 조금 넣고 믹서에 곱게 간다.

2 냄비에 갈아놓은 쌀과 남은 분량의 물을 넣고 끓어오를 때까지 계속 젓는다.

3 불을 약하게 줄인 뒤 중간 중간 저어주면서 끓이다가 들깨죽이 거의 다 됐으면 들깨가루와 소금을 넣고 간한다.

#395 생크림이 많이 남았어요.
당분간 쓸 일이 없는데 어떻게 보관해야 할까요?

쓰고 남은 생크림은 거품기로 충분히 저어 거품을 내주세요. 그런 다음 깨끗이 씻은 얼음 용기에 넣어 얼려주세요.
얼린 생크림은 비닐봉지에 담아 냉동 보관했다가 따끈한 커피에 하나씩 넣거나 크림소스 파스타를 만들 때 넣어주면 맛이 아주 좋아요. 토마토소스의 부드러운 맛을 느끼고 싶을 때도 얼린 생크림을 몇 개 넣어주면 맛이 훨씬 부드러워진답니다.

#396 집에서 담근 된장에 벌레가 생겼어요.
벌레 생기지 않게 오래 두고 먹는 방법 없나요?

벌레가 생기지 않게 하려면 된장 위에 굵은 소금을 2cm 정도 깔아주세요. 굵은 소금 위에 마른 고추씨를 솔솔 뿌려주면 더 좋답니다. 또, 시중에 파는 벌레방지망을 구입해 항아리 위에 씌워두는 것도 방법이지요. 공기가 통하면서도 벌레가 들어가는 것을 막을 수 있답니다.
벌레가 다녀간 된장은 아무래도 상태가 처음 같지 않으므로 장아찌용으로 쓰는 것이 좋답니다.

#397 사용하고 남은 레몬은 어떻게 활용할까요?

남은 레몬을 그냥 냉장고에 넣어두면 곰팡이가 생기기 쉬워요. 이럴 때는 즙을 내어 얼음 용기에 얼린 다음 비닐봉지에 넣어 냉동실에 보관하면 아주 유용하게 쓰인답니다. 생선요리나 샐러드 등 레몬즙이 필요할 때 바로바로 꺼내 쓰기 좋아요.

혹은 레몬을 반달로 얇게 썰어 물과 함께 얼려두는 것도 좋은 방법이지요. 이렇게 언 레몬얼음은 생수에 타서 마시면 상큼한 맛을 즐길 수 있답니다.

#398 만두를 냉동실에 얼렸더니 들러붙었어요. 만두를 보관하는 요령이 따로 있나요?

수제 만두는 보관하기 전에 넓고 편편한 쟁반에 밀가루를 솔솔 뿌려 서로 겹치지 않도록 올려주세요. 올려놓은 만두가 쟁반에 싹 차면 쟁반 째 냉동실에 넣어 30분 정도 그대로 두세요. 그럼 만두가 얼추 단단하게 얼어요. 단단하게 언 만두는 비닐봉지에 쏟아 바로 냉동실에 보관하면 만두가 서로 붙지 않고 하나씩 잘 떨어진답니다. 이렇게 만두는 만들자마자 애벌로 얼린 후 다시 모아서 냉동실에 보관하면 서로 붙지 않아요.

한 번 냉동한 만두는 해동과정 없이 꽁꽁 언 채로 사용하는 것이 좋답니다. 해동하면서 소에서 나오는 수분이 만두피를 질척하게 만들기 때문이지요. 만두피가 질척해지면 모양도 찌그러지고 간혹 터지는 경우가 생겨요.

mini tip!
만두를 쪄서 냉동 보관해도 좋아요. 물론 이렇게 보관한 만두도 해동하지 않고 바로 조리하는 것이 좋답니다.

#399 고춧가루가 눅눅해졌어요. 고슬하게 만들 수 있는 방법이 없나요?

남은 고춧가루는 비닐봉지나 밀폐용기에 담아 꼭꼭 포장한 다음 냉동실에 보관하세요. 만약 오래 두어 눅눅하고 퀴퀴한 냄새가 난다면 널찍한 그릇에 곱게 펴 전자레인지에서 약 2분 정도 돌려주면 잡균의 번식도 막아주고 수분도 제거됩니다.

#400 남은 월남쌈을 냉장고에 보관해도 되나요?

월남쌈을 냉장 보관하면 쌀종이가 딱딱해져서 쫀득한 질감을 느낄 수 없어요. 게다가 만들어 둔 월남쌈이 서로 겹치면서 쌀종이끼리 들러붙어 나중에 떼어낼 때 무척 애를 먹는답니다. 따라서 월남쌈은 서로 들러붙지 않도록 띄엄띄엄 놓은 후 랩으로 씌워 실온에서 보관하세요. 대략 5시간 정도는 굳지 않는답니다.

COOKING KNOW-HOW

푸릇한 맛과 향

월남쌈

준비하세요

라이스페이퍼 8장, 새우 15마리
오이 1/2개, 당근 1/3개
양상추잎 2장, 새싹채소 적당량
숙주 1줌, 깻잎 5장
버미셀리국수 30g, 청주 1큰술
땅콩소스 땅콩버터 3큰술,
땅콩 · 물엿 · 멸치액젓 1큰술씩
설탕 1/2큰술, 간장 1/3큰술
파인애플통조림국물 6큰술

이렇게 만드세요

1 새우는 내장을 빼고 깨끗이 손질한 뒤 끓는 물에 삶는다. 삶은 새우는 껍데기를 벗기고 반으로 가른다.

2 오이, 당근, 양상추, 깻잎은 채썰고 새싹채소와 숙주는 씻어 물기를 제거한다.

3 끓는 물에 버미셀리국수를 넣고 불은 끈 뒤 살짝 불려서 찬물에 헹군다.

4 분량에 맞게 재료를 섞어 땅콩소스를 만든다.

5 라이스페이퍼는 따뜻한 물에 담갔다 부드러워지면 꺼내서 준비된 재료를 넣고 돌돌 말아 소스에 찍어 먹는다.

INDEX

ㄱ

ㄴ

ㄷ

ㄹ

ㅁ

ㅂ

ㅅ

ㅇ

ㅈ

ㅊ

ㅋ

ㅌ

ㅍ

ㅎ